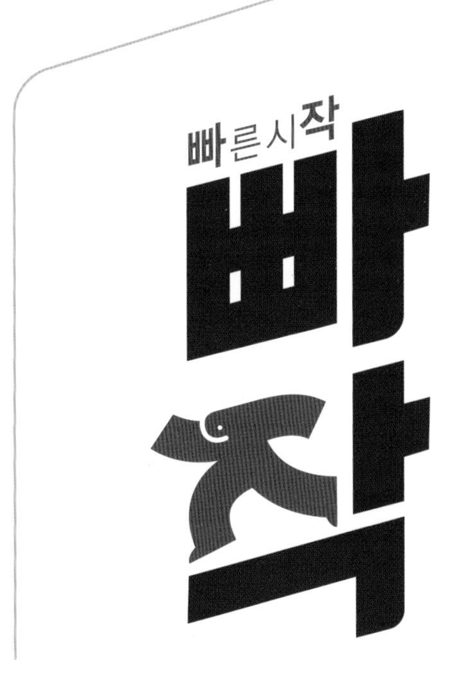

중학 국어

문학×비문학 독해 1

중학 국어 빠작 시리즈

비문학 독해 0, 1, 2, 3 | 독해력과 어휘력을 함께 키우는 독해 기본서
문학 독해 1, 2, 3 | 필수 작품을 통해 문학 독해력을 기르는 독해 기본서
문학x비문학 독해 1, 2, 3 | 문학 독해력과 비문학 독해력을 함께 키우는 독해 기본서
고전 문학 독해 | 필수 작품을 통해 고전 문학 독해력을 기르는 독해 기본서
어휘 1, 2, 3 | 내신과 수능의 기초를 마련하는 중학 어휘 기본서
한자 어휘 | 한자를 통해 중학 국어 필수 어휘를 배우는 한자 어휘 기본서
첫 문법 | 중학 국어 문법을 쉽게 익히는 문법 입문서
문법 | 풍부한 문제로 문법 개념을 정리하는 문법서
서술형 쓰기 | 유형으로 익히는 실전 tip 중심의 서술형 실전서

이 책을 쓰신 선생님

박종혁(보성중) 신장우(창문여고) 이은정(신천중) 이용우(이화여고) 이재찬(수락고)
이창우(중산고) 정철(중산고) 최두호(오산고) 최수경(숭곡중) 허단비(전 인화여중)

중학 국어

문학×비문학 독해 1

차례 CONTENTS

구성과 특징

STRUCTURES

1 문학·비문학 독해 '문학 × 비문학'으로 구성된 실전 문제를 풀어 보면서 실전 감 잡기

문학

❶ 중 · 고등 교과서 수록 작품, 수능 및 모의평가 기출 작품 등 중학생이 꼭 알아 두어야 할 필수 문학 작품을 엄선하여 수록하였습니다.

❷ 실제 수능에 출제되는 유형의 문제들을 풀어 보며 문학 독해력을 기를 수 있습니다.

❸ 문제와 연관된 문학 개념을 익히며 문학 실력을 탄탄하게 다질 수 있습니다.

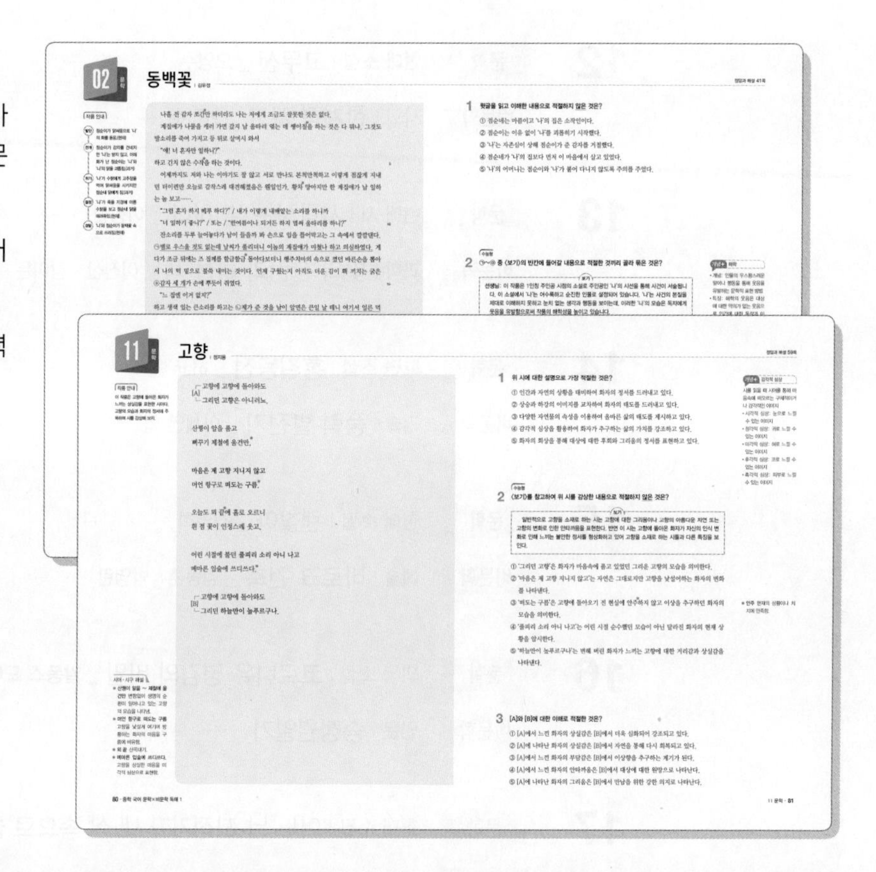
02 동백꽃

11 고향

비문학

❶ 교과 학습과 연계된 다양한 주제의 비문학 글을 엄선하여 수록하였습니다.

❷ 실제 수능에 출제되는 유형의 문제들을 풀어 보며 비문학 독해력을 기를 수 있습니다.

❸ 지문은 물론 문제에 제시된 어려운 어휘의 뜻풀이를 확인하며 문제 풀이를 위한 실제적인 어휘력을 기를 수 있습니다.

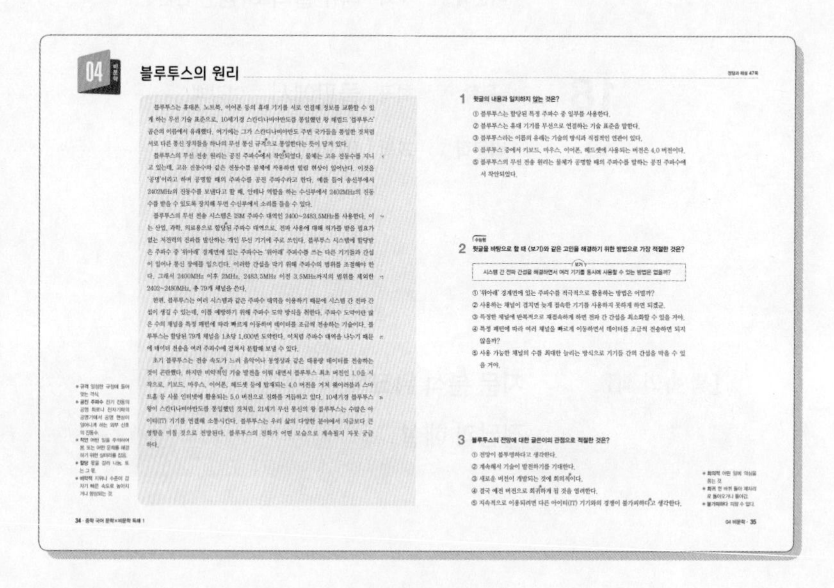
04 블루투스의 원리

문학과 비문학 지문의 교차 학습을 통해
수능 국어 독해력의 기틀을 다진다

2 어휘 학습·배경지식 '어휘 + 배경지식'을 통해 어휘력을 기르고 배경지식 쌓기

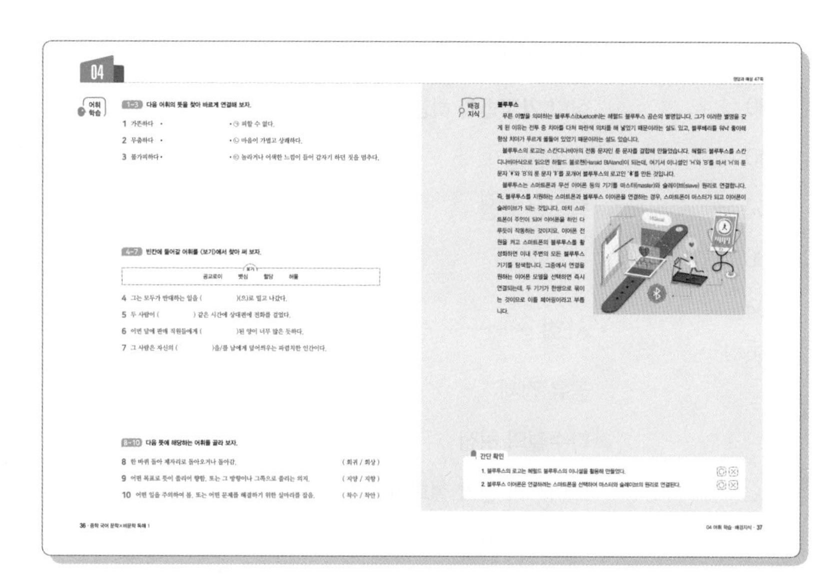

❶ 지문과 문제에 나온 어휘를 바탕으로 구성된 간단 확인 문제를 풀어 보며 어휘의 뜻을 익힐 수 있습니다.

❷ 지문과 관련된 짧은 글을 읽으며 배경지식을 풍부하게 쌓을 수 있습니다.

책 속의 책

지문 분석 워크북

지문별 독해 포인트에 따라 지문 분석을 진행하며 문학과 비문학의 독해 방법을 자연스럽게 익힐 수 있습니다.

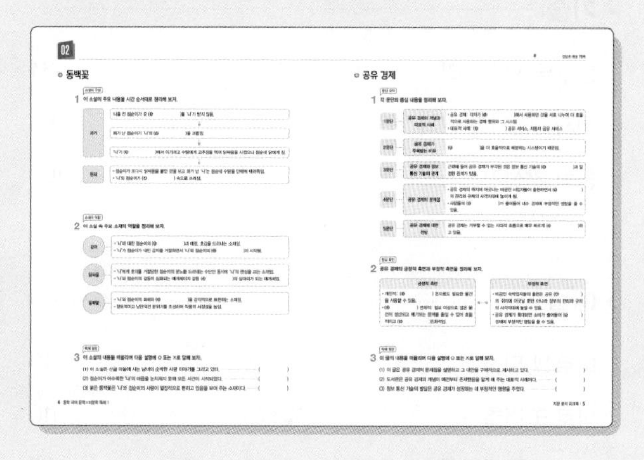

정답과 해설

상세한 정답 해설과 오답 풀이를 통해 정답과 오답의 이유를 완벽히 이해하여 문제 해결력을 기를 수 있습니다.

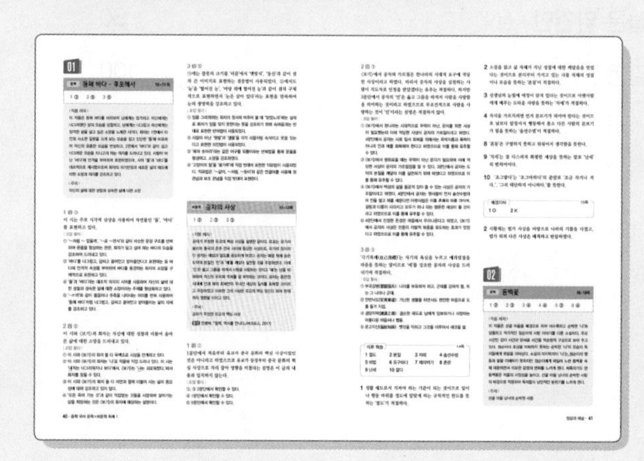

수록 제재 LIST

문학

• 운문

• 산문

비문학

• 인문

• 사회

• 과학

• 기술

• 예술

학습 점검 LEARNING CHECK

학습한 부분에 표시하며 자신의 학습 상황을 점검해 보자.

	본책			워크북		학습한 날	학습 점검
	문학	비문학	어휘·배경지식	문학	비문학		
1일							☺ 😐 ☹
2일							☺ 😐 ☹
3일							☺ 😐 ☹
4일							☺ 😐 ☹
5일							☺ 😐 ☹
6일							☺ 😐 ☹
7일							☺ 😐 ☹
8일							☺ 😐 ☹
9일							☺ 😐 ☹
10일							☺ 😐 ☹
11일							☺ 😐 ☹
12일							☺ 😐 ☹
13일							☺ 😐 ☹
14일							☺ 😐 ☹
15일							☺ 😐 ☹
16일							☺ 😐 ☹
17일							☺ 😐 ☹
18일							☺ 😐 ☹

문학 X 비문학 독해

빠 른 시 작 빠 작

문학

- '시'는 운율이 있는 언어로 정서를 표현하는 갈래이므로, 시적 상황과 화자의 정서를 파악할 수 있어야 합니다.
- '소설'은 인물을 중심으로 사건이 전개되는 갈래이므로, 인물의 상황과 심리, 갈등의 전개 양상을 파악할 수 있어야 합니다.
- '수필'은 글쓴이가 일상에서 체험하거나 느낀 바를 자유롭게 표현한 갈래이므로, 글쓴이의 체험과 느낀 바를 파악할 수 있어야 합니다.
- '희곡'과 '시나리오'는 연극과 영화의 대본이 되는 갈래이므로, 대사와 지시문을 통해 인물의 성격과 사건을 파악할 수 있어야 합니다.

비문학

- '인문'은 인간의 사상이나 문화를 다루는 분야이므로, 글에 제시된 사상이나 견해의 내용을 파악할 수 있어야 합니다.
- '사회'는 인간 사회의 특징과 사회 제도 등을 다루는 분야이므로, 글에 제시된 사회 현상이나 제도의 특징을 파악할 수 있어야 합니다.
- '과학'은 자연의 진리와 법칙을 연구하는 분야이므로, 글에 제시된 대상이나 현상의 원리를 파악할 수 있어야 합니다.
- '기술'은 인간 생활에 유용하게 만들어진 사물을 다루는 분야이므로, 글에 제시된 대상의 구조나 작동 원리를 파악할 수 있어야 합니다.
- '예술'은 아름다움을 표현하는 인간의 활동을 다루는 분야이므로, 글의 내용을 제시되는 시각 자료나 실제 사례에 적용하여 이해할 수 있어야 합니다.

동해 바다 - 후포에서

ㅣ 신경림

작품 안내

이 작품은 화자가 동해 바다를 바라보며 자신을 성찰하려는 마음을 노래한 시이다. 화자가 지향하는 삶의 태도에 주목하며 시를 감상해 보자.

친구가 원수보다 더 미워지는 날이 많다

㉠ ┌ 티끌만 한 잘못이 맷방석*만 하게

└ 동산만 하게 커 보이는 때가 많다*

그래서 세상이 어지러울수록

남에게는 엄격해지고 내게는 너그러워지나 보다

돌처럼 잘아지고* 굳어지나 보다*

멀리 동해 바다를 내려다보며 생각한다

널따란 바다처럼 너그러워질 수는 없을까*

깊고 짙푸른 바다처럼

감싸고 끌어안고 받아들일 수는 없을까

스스로는 억센 파도로 다스리면서

제 몸은 맵고 모진 매로 채찍질하면서

시어·시구 해설

* **맷방석** 맷돌을 쓸 때 밑에 까는, 짚으로 만든 방석.
* **티끌만 한 ~ 때가 많다** 친구의 사소한 잘못이 커 보임. 타인에게 엄격한 화자의 태도가 나타남.
* **잘다** 알곡이나 과일, 모래 따위의 둥근 물건이나 글씨 따위의 크기가 작다.
* **돌처럼 ~ 보다** 남에게 엄격하고 너그럽지 못한 자신의 모습을 작고 단단한 '돌'에 비유함.
* **널따란 ~ 수는 없을까** 남에게 너그러운 마음을 지닌 바다를 닮고 싶은 화자의 소망을 드러냄.

1 위 시에 대한 설명으로 적절하지 않은 것은?

① 비슷한 문장 구조를 반복하여 리듬감을 살리고 있다.
② 대상에 인격을 부여하여 화자의 소망을 구체화하고 있다.
③ 다양한 심상을 사용하여 자연물의 모습을 자세하게 표현하고 있다.
④ 대조적 의미의 시어를 사용하여 전달하고자 하는 바를 드러내고 있다.
⑤ 의문형 어미를 반복 사용하여 화자가 소망하는 삶의 자세를 강조하고 있다.

수능형

2 위 시의 화자와 〈보기〉의 화자의 공통점으로 가장 적절한 것은?

보기

죽는 날까지 하늘을 우러러 / 한 점 부끄럼이 없기를,
잎새에 이는 바람에도 / 나는 괴로워했다.
별을 노래하는 마음으로 / 모든 죽어 가는 것을 사랑해야지.
그리고 나한테 주어진 길을 / 걸어가야겠다. //
오늘 밤에도 별이 바람에 스치운다.

– 윤동주, 「서시」

① 상대방과 대화하는 듯이 시상*을 전개하고 있다.
② 화자가 작품에 드러나지 않아 추측하며 읽어야 한다.
③ 자연과 함께 더불어 사는 삶의 중요성을 강조하고 있다.
④ 억압받는 것들을 사랑하며 살아가는 삶을 희망하고 있다.
⑤ 자기반성과 더불어 올바른 삶의 자세에 대한 바람을 드러내고 있다.

* 시상 시를 짓기 위한 착상이나 구상. 시에 나타난 사상이나 감정.

개념+ 점층법과 반복법

- 점층법: 말하고자 하는 내용의 강도를 점점 강하게, 크게, 높게 함으로써 마침내 절정에 이르도록 하는 표현 방법
  예 생각이 바뀌면 행동이 바뀌고, 행동이 바뀌면 습관이 바뀌고, 습관이 바뀌면 인생이 바뀐다.
- 반복법: 같거나 비슷한 단어, 구절, 문장 등을 되풀이하는 표현 방법
  예 산에는 꽃 피네 / 꽃이 피네

3 ㉠과 표현 방식이 가장 유사한 것은?

① 먼 훗날 당신이 찾으시면 / 그때에 내 말이 ‘잊었노라’
② 돌담에 속삭이는 햇발같이 / 풀 아래 웃음 짓는 샘물같이
③ 해야 솟아라, 해야 솟아라, 말갛게 씻은 얼굴 고운 해야 솟아라.
④ 꽃가루와 같이 부드러운 고양이의 털에 / 고운 봄의 향기가 어리우도다.
⑤ 눈은 살아 있다. / 떨어진 눈은 살아 있다. / 마당 위에 떨어진 눈은 살아 있다.

공자의 사상

수천 년 동안 여러 민족과 문화가 뒤섞여 유구한* 역사를 이룬 중국 문명의 특징을 가장 잘 보여 주는 것은 무엇일까? 정신적 측면에서 찾으라면 단연 유교 사상을 들 수 있다. 그런데 처음부터 유교가 중국 문화의 핵심 사상이었던 것은 아니다. 통일 왕조였던 주(周)나라가 무너지고 난 뒤 중국에는 춘추 전국 시대가 시작됐다. 거대한 땅덩이는 수십 갈래로 갈라졌고 권력자들은 살아남기 위해 처절한 싸움을 벌였다. 중국 역사상 가장 혼란했던 이때, 난세*를 풀어 갈 해법을 제시하기 위해 수많은 사상가가 등장했다. 제자백가*들의 백가쟁명* 시대가 열린 것이다.

그중 하나에 지나지 않았던 유교는 원래 유가(儒家)라 불렸다. 지금 '유(儒)'는 선비를 일컫는 말로 쓰이지만, 그 당시에는 제사나 예식을 담당하던 관리를 가리키는 말이었다. 유가의 창시자인 공자도 대대로 '유(儒)'에 종사하던 가문 출신이었다. 그래서인지 공자는 어릴 때부터 제사에 쓰는 그릇 등을 가지고 놀았다고 한다. 그가 어려서부터 예법*과 절도* 등에 특히나 민감했음은 너무도 당연하다.

나아가 공자는 예법 뒤에 숨어 있는 도덕의 본질을 깨달아 이를 실천하기 위해 애썼던 사람이다. 이른바 인(仁)과 예(禮)가 그것이다. 인이란 옳고 그름을 따져서 사람을 사랑함을 의미한다. 자애*롭지만 때로는 엄하게 꾸짖을 줄 아는 사람에게 우리는 '인자하다'고 말하는데, 이 가운데 인이라는 글자는 유가의 핵심을 잘 담고 있다. 또한 예는 남을 배려하며 자신의 위치와 주제를 잘 파악함을 말한다. 이 개념도 "예의를 지켜라."라는 일상의 말 속에 잘 살아 있다.

공자는 예식 전문가답게 당시 혼란의 원인을 예가 무너진 데 있다고 진단했다. 법도와 권위가 사라진 가정이나 사회에서는 싸움이 그치지 않는다. 그렇다면 어떻게 해야 세상의 질서를 회복할 수 있을까? 공자는 윽박지름과 폭력으로는 결코 예를 바로 세울 수 없다고 말한다. 진정한 존경은 마음에서 우러나오는 것이다. 윗사람이 먼저 솔선수범*하여 인을 쌓고 예를 세운다면 아랫사람은 이를 흔쾌히 따를 것이다. 곧 사회 지도층부터 나서서 정의롭게 살며 백성을 덕으로 다스리고 사랑으로 감싼다면, 갈등과 다툼은 사라지고 모두가 하나 되는 평온한 세상이 될 것이다.

이처럼 공자는 '인'과 '예'를 회복해야 무너진 법도와 권위를 다시 세울 수 있다고 설파했고 이를 실천하여 사회 질서를 바로잡으려고 애썼다. 이는 유교의 핵심 정신이 되었고 지금까지도 중국뿐 아니라 동북아시아 국가들에 정신적 영향을 미치고 있다.

* **유구하다** 아득하게 오래다.
* **난세** 전쟁이나 무질서한 정치 따위로 어지러워 살기 힘든 세상.
* **제자백가** 춘추 전국 시대의 여러 학자와 학파의 총칭. 공자, 노자, 맹자, 장자, 묵자 등을 통틀어 이른다.
* **백가쟁명** 많은 학자나 문화인 등이 자기의 학설이나 주장을 자유롭게 발표하여, 논쟁하고 토론하는 일.
* **예법** 예의로써 지켜야 할 규범.
* **절도** 일이나 행동 따위를 정도에 알맞게 하는 규칙적인 한도.
* **자애** 아랫사람에게 베푸는 도타운 사랑.
* **솔선수범** 남보다 앞장서서 행동해서 몸소 다른 사람의 본보기가 됨.

1 **윗글의 내용과 일치하지 않는 것은?**

① 유교의 창시자인 공자는 '유(儒)'에 종사하던 가문 출신으로 예법과 절도에 민감했다.
② 유교는 등장부터 중국 문화의 핵심 사상으로 자리 잡아 사회에 큰 영향을 미쳤다.
③ 유교는 원래 유가라 불렸으며, 이때 '유(儒)'는 제사나 예식을 담당하는 관리를 가리켰다.
④ 유교는 춘추 전국 시대의 혼란을 풀어 갈 해법으로 제시된 제자백가들의 사상 중 하나였다.
⑤ 유교의 핵심 정신은 '인'과 '예'로 이는 지금까지도 중국 및 동북아시아 국가에 정신적 영향을 미치고 있다.

수능형

2 **윗글을 바탕으로 〈보기〉를 이해한 내용으로 적절하지 않은 것은?**

보기

무력은 싸움할 때는 요긴한* 수단이지만 평화로울 때는 애물단지*일 뿐이다. 사회를 유지하려면 힘을 쓰는 사람보다 머리와 수단을 가진 사람이 필요하다. 거기다 백성들의 삶을 올곧게 잡아 주고 문화를 풍요롭게 만드는 사상이 있어야 한다. 한나라는 절대 권력을 휘두르며 백성을 억압했던 진나라 이후에 권력을 잡으면서 '무력보다는 문치(文治)를!'이라는 시대적 요구에 직면했다. 이러한 상황에서 공자의 가르침은 둘도 없이 적당한 사상이었다. 공자의 사상은 겁먹은 민중의 마음을 어루만져 줄 뿐만 아니라 군주에게 자발적 복종을 유도하는 효과가 있었다.

* 요긴하다 꼭 필요하고 중요하다.
* 애물단지 '몹시 애를 태우거나 성가시게 구는 물건이나 사람'을 낮잡아 이르는 말.

① 한나라 시대에는 폭력으로 세상의 질서를 회복할 수 없다는 공자의 사상이 주목을 받았겠군.
② 도덕의 본질을 깨닫고 이를 실천하는 공자의 사상은 평화를 유지하는 통치 수단으로 기능했겠군.
③ 무조건적으로 사람을 사랑하라는 공자의 '인(仁)'을 실천하는 사람이 지도자로서 인정을 받았겠군.
④ 사회 지도층이 솔선수범하여 인을 쌓고 예를 세움으로써 백성들의 삶을 올곧게 잡아 줄 수 있었겠군.
⑤ 공자의 사상을 따르면 백성은 마음에서 우러나오는 진정한 존경으로 군주에게 자발적으로 복종했겠군.

어휘

3 **윗글에 나타난 공자의 사상을 드러내는 한자 성어로 가장 적절한 것은?**

① 부국강병(富國强兵) ② 안빈낙도(安貧樂道) ③ 극기복례(克己復禮)
④ 겸양지덕(謙讓之德) ⑤ 온고지신(溫故知新)

어휘 학습

1~4 빈칸에 들어갈 어휘를 〈보기〉에서 찾아 써 보자.

보기

본질 자애 절도 솔선수범

1 그는 항상 ( )이/가 있는 생활 태도를 중요하게 여겼다.

2 나는 이 소설을 읽고 삶의 ( )에 대한 깨달음을 얻었다.

3 선생님께서 학생들을 ( )이/가 가득한 눈으로 바라보셨다.

4 자식을 가르치기 위해서는 부모가 먼저 ( )을/를 보여야 한다.

5~7 제시된 초성을 참고하여 다음 뜻에 해당하는 어휘를 써 보자.

5 ㅇㅂ: 예의로써 지켜야 할 규범. → ( )

6 ㅇㄱㅎㄷ: 아득하게 오래다. → ( )

7 ㅈㅈㅂㄱ: 춘추 전국 시대의 여러 학자와 학파의 총칭. 공자, 노자, 맹자, 장자, 묵자 등을 통틀어 이른다. → ( )

8~10 다음 뜻에 해당하는 어휘를 골라 보자.

8 뒤죽박죽이 되어 어지럽고 질서가 없음. (혼동 / 혼란)

9 전쟁이나 무질서한 정치 따위로 어지러워 살기 힘든 세상. (난세 / 치세)

10 알곡이나 과일, 모래 따위의 둥근 물건이나 글씨 따위의 크기가 작다. (잘다 / 조그맣다)

춘추 전국 시대와 제자백가

춘추 전국 시대는 주나라가 오랑캐의 침입을 받아 수도를 옮긴 기원전 770년에서 진나라가 중국을 통일한 기원전 221년까지를 가리키며, 5개의 제후국(춘추 5패)이 이끈 '춘추 시대'와 7개의 강력한 나라(전국 7웅)가 이끈 '전국 시대'로 구분됩니다. 이 시기에는 철제 농기구와 가축 이용으로 농업 생산량이 증가하고, 철제 무기의 사용으로 국가 간의 전쟁이 더욱 치열해지는 등 철기 사용으로 인해 사회·경제적 측면에서 큰 변화가 일어났습니다.

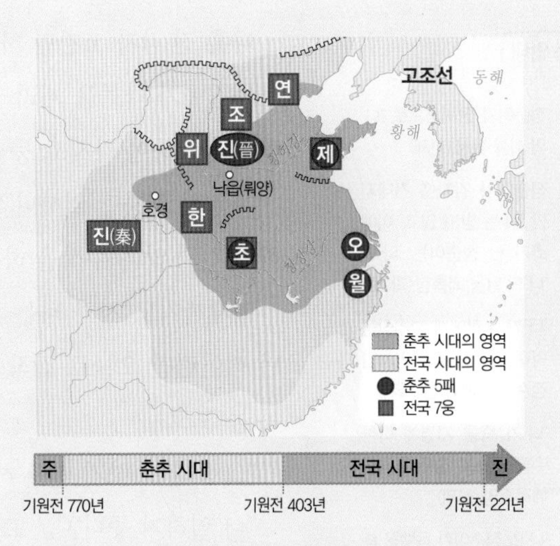

▲ 춘추 전국 시대의 영역

춘추 전국 시대의 여러 나라는 부국강병을 위해 출신 지역과 신분에 관계없이 유능한 인재를 등용하였습니다. 이 과정에서 여러 사상가(제자)와 다양한 학파(백가)가 나타났는데, 이를 제자백가라고 합니다. 대표적으로는 인과 예를 강조한 공자(유가), 힘과 법률로 모든 일을 풀어 보려 했던 한비자(법가), 무조건적인 사랑만이 해결책이라고 말한 묵자(묵가), 자연으로 돌아가라고 주장한 노자와 장자(도가) 등이 있습니다. 이들은 정치 질서, 사회 규범과 같은 현실 문제에 관심을 기울이며 혼란스러운 사회를 바로잡으려고 하였습니다.

춘추 전국의 혼란을 잠재운 것은 법에 따른 엄격한 통치와 왕의 권위를 강조한 진나라였습니다. 법가 사상을 바탕으로 나라의 기틀을 다진 진나라는 중국을 최초로 통일하였습니다. 진나라의 왕은 자신을 첫 번째 황제라는 뜻의 시황제라고 칭하며 법가와 실용서 외의 사상과 관련된 모든 서적을 불태우는 '분서갱유'를 단행하며 국가의 혼란을 잠재우고자 했습니다. 그러나 가혹한 통치와 지나친 토목 공사에 반발하여 일어난 농민 반란으로 진나라는 15년 만에 멸망하였고, 그 후 중국을 다시 통일한 한나라가 유교를 통치 이념으로 삼으면서 공자의 사상이 핵심 사상으로 자리매김하게 되었습니다.

간단 확인

1. 제자백가는 춘추 전국 시대에 등장한 많은 사상가와 학파를 가리킨다.  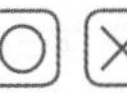
2. 진나라의 시황제는 법가 사상을 중심으로 하여 여러 학파의 통합을 이루고자 하였다. 

동백꽃 | 김유정

작품 안내

- **발단** 점순이가 닭싸움으로 '나'의 화를 돋움.(현재)
- **전개** 점순이가 감자를 건네지만 '나'는 받지 않고, 이에 화가 난 점순이는 '나'와 '나'의 닭을 괴롭힘.(과거)
- **위기** '나'가 수탉에게 고추장을 먹여 닭싸움을 시키지만 점순네 닭에게 짐.(과거)
- **절정** '나'가 죽을 지경에 이른 수탉을 보고 점순네 닭을 때려죽임.(현재)
- **결말** '나'와 점순이가 동백꽃 속으로 쓰러짐.(현재)

나흘 전 감자 쪼간*만 하더라도 나는 저에게 조금도 잘못한 것은 없다.

계집애가 나물을 캐러 가면 갔지 남 울타리 엮는 데 쌩이질*을 하는 것은 다 뭐냐. 그것도 발소리를 죽여 가지고 등 뒤로 살며시 와서

"얘! 너 혼자만 일하니?"

하고 긴치 않은 수작*을 하는 것이다. 5

어제까지도 저와 나는 이야기도 잘 않고 서로 만나도 본척만척하고 이렇게 점잖게 지내던 터이련만 오늘로 갑작스레 대견해졌음은 웬일인가. 황차* 망아지만 한 계집애가 남 일하는 놈 보고…….

"그럼 혼자 하지 떼루 하디?" / 내가 이렇게 내배앝는 소리를 하니까

"너 일하기 좋니?" / 또는 / "한여름이나 되거든 하지 벌써 울타리를 하니?" 10

잔소리를 두루 늘어놓다가 남이 들을까 봐 손으로 입을 틀어막고는 그 속에서 깔깔댄다. ㉠별로 우스울 것도 없는데 날씨가 풀리더니 이놈의 계집애가 미쳤나 하고 의심하였다. 게다가 조금 뒤에는 즈 집께를 할금할금* 돌아다보더니 행주치마의 속으로 꼈던 바른손을 뽑아서 나의 턱 밑으로 불쑥 내미는 것이다. 언제 구웠는지 아직도 더운 김이 확 끼치는 굵은 ⓐ감자 세 개가 손에 뿌듯이 쥐였다. 15

"느 집엔 이거 없지?"

하고 생색 있는 큰소리를 하고는 ㉡제가 준 것을 남이 알면은 큰일 날 테니 여기서 얼른 먹어 버리란다. 그리고 또 하는 소리가

"너 봄 감자가 맛있단다."

"난 감자 안 먹는다, 니나 먹어라." 20

나는 고개도 돌리지 않고 일하던 손으로 그 감자를 도로 어깨 너머로 쑥 밀어 버렸다.

그랬더니 그래도 가는 기색이 없고, ㉢그뿐만 아니라 쌔근쌔근하고 심상치 않게 숨소리가 점점 거칠어진다. 〈중략〉

설혹 주는 감자를 안 받아먹은 것이 실례라 하면, 주면 그냥 주었지 "느 집엔 이거 없지?"는 다 뭐냐. 그렇잖아도 즈이는 마름*이고 우리는 그 손에서 배재*를 얻어 땅을 부치므로 일상 굽실거린다. ㉣우리가 이 마을에 처음 들어와 집이 없어서 곤란으로 지낼 제 집터를 빌리고 그 위에 집을 또 짓도록 마련해 준 것도 점순네의 호의였다. 그리고 우리 어머니 아버지도 농사 때 양식이 달리면 점순네한테 가서 부지런히 꾸어다 먹으면서 인품 그런 집은 다 시없으리라고 침이 마르도록 칭찬하고 하는 것이다. 그러면서도 열일곱씩이나 된 것들이 수군수군하고 붙어 다니면 동리의 소문이 사납다고 주의를 시켜 준 것도 또 어머니였다. 왜냐하면 내가 점순이하고 일을 저질렀다가는 점순네가 노할 것이고, 그러면 우리는 땅도 떨어지고 집도 내쫓기고 하지 않으면 안 되는 까닭이었다. 25 30

㉤그런데 이놈의 계집애가 까닭 없이 기를 복복 쓰며 나를 말려 죽이려고 드는 것이다.

* **쪼간** 어떤 사건이나 작간. 작간은 간악한 꾀를 부림. 또는 그런 짓.
* **쌩이질** 한창 바쁠 때에 쓸데없는 일로 남을 귀찮게 구는 짓.
* **수작** 남의 말이나 행동, 계획을 낮잡아 이르는 말.
* **황차** 하물며.
* **할금할금** 곁눈으로 살그머니 계속 할겨 보는 모양.
* **마름** 땅 주인을 대신하여 소작권을 관리하는 사람.
* **배재** 땅을 소작할 수 있는 권리.

1 윗글을 읽고 이해한 내용으로 적절하지 않은 것은?

① 점순네는 마름이고 '나'의 집은 소작인이다.

② 점순이는 이유 없이 '나'를 괴롭히기 시작했다.

③ '나'는 자존심이 상해 점순이가 준 감자를 거절했다.

④ 점순네가 '나'의 집보다 먼저 이 마을에서 살고 있었다.

⑤ '나'의 어머니는 점순이와 '나'가 붙어 다니지 않도록 주의를 주었다.

수능형

2 ㉠~㉤ 중 〈보기〉의 빈칸에 들어갈 내용으로 적절한 것끼리 골라 묶은 것은?

보기

선생님: 이 작품은 1인칭 주인공 시점의 소설로 주인공인 '나'의 시선을 통해 사건이 서술됩니다. 이 소설에서 '나'는 어수룩하고 순진한 인물로 설정되어 있습니다. '나'는 사건의 본질을 제대로 이해하지 못하고 눈치 없는 생각과 행동을 보이는데, 이러한 '나'의 모습은 독자에게 웃음을 유발함으로써 작품의 해학성을 높이고 있습니다.

윤호: 아, 그럼 이 작품에서 (　　　　　　) 부분이 이에 해당하는 내용이군요!

① ㉠, ㉡　　② ㉠, ㉢　　③ ㉠, ㉤

④ ㉡, ㉢, ㉣　　⑤ ㉡, ㉣, ㉤

개념+ 해학

• 개념: 인물의 우스꽝스러운 말이나 행동을 통해 웃음을 유발하는 문학적 표현 방법

• 특징: 해학의 웃음은 대상에 대한 악의가 없는 웃음으로 인간에 대한 동정과 이해, 호감과 연민을 느끼게 하는 웃음임.

3 ⓐ에 대한 설명으로 적절한 것은?

① 낭만적인 분위기를 환기한다.

② 점순이의 수줍은 성격을 드러낸다.

③ '나'의 넉넉한 가정 형편을 나타낸다.

④ '나'에 대한 점순이의 애정을 나타낸다.

⑤ '나'가 점순이를 좋아하는 계기가 된다.

작품 안내

- **발단** 점순이가 닭싸움으로 '나'의 화를 돋움.(현재)
- **전개** 점순이가 감자를 건네지만 '나'는 받지 않고, 이에 화가 난 점순이는 '나'와 '나'의 닭을 괴롭힘.(과거)
- **위기** '나'가 수탉에게 고추장을 먹여 닭싸움을 시키지만 점순네 닭에게 짐.(과거)
- **절정** '나'가 죽을 지경에 이른 수탉을 보고 점순네 닭을 때려죽임.(현재)
- **결말** '나'와 점순이가 동백꽃 속으로 쓰러짐.(현재)

나는 보다 못하여 덤벼들어서 우리 수탉을 붙들어 가지고 도로 집으로 들어왔다. 고추장을 좀 더 먹였더라면 좋았을 걸, 너무 급하게 쌈을 붙인 것이 퍽 후회가 난다. 장독께로 돌아와서 다시 턱 밑에 고추장을 들이댔다. 흥분으로 말미암아 그런지 당최 먹질 않는다.

나는 하릴없이* 닭을 반듯이 눕히고 그 입에다 궐련* 물부리를 물리었다. 그리고 고추장 물을 타서 그 구멍으로 조금씩 들이부었다. 닭은 좀 괴로운지 킥, 킥 하고 재채기를 하는 모양이나, 그러나 당장의 괴로움은 매일같이 피를 흘리는 데 댈 게 아니라 생각하였다. 5

그러나 한 두어 종지가량 고추장 물을 먹이고 나서는 나는 고만 풀이 죽었다. 싱싱하던 닭이 왜 그런지 고개를 살며시 뒤틀고는 손아귀에서 빼드러지는 것이 아닌가. 아버지가 볼까 봐서 얼른 홰*에다 감추어 두었더니 오늘 아침에서야 겨우 정신이 든 모양 같다.

그랬던 걸 이렇게 오다 보니까 또 쌈을 붙여 놨으니 이 망할 계집애가, 필연 우리 집에 아무도 없는 틈을 타서 제가 들어와 홰에서 꺼내 가지고 나간 것이 분명하다. 10

나는 다시 닭을 잡아다 가두고 염려스러우나 그렇다고 산으로 나무를 하러 가지 않을 수도 없는 형편이었다. 〈중략〉

거지반 집에 다 내려와서 나는 호드기* 소리를 듣고 발이 딱 멈추었다. 산기슭에 널려 있는 굵은 바윗돌 틈에 노란 동백꽃*이 소보록하니 깔리었다. 그 틈에 끼여 앉아서 점순이가 청승맞게시리 호드기를 불고 있는 것이다. 그보다 더 놀란 것은 그 앞에서 또 푸드덕푸드덕 하고 들리는 닭의 횃소리다. 〈중략〉 15

나는 대뜸 달려들어서 나도 모르는 사이에 큰 수탉을 단매*로 때려 엎었다. 닭은 푹 엎어진 채 다리 하나 꼼짝 못 하고 그대로 죽어 버렸다. 그리고 나는 멍하니 섰다가 점순이가 매섭게 눈을 홉뜨고 닥치는 바람에 뒤로 벌렁 나자빠졌다. 20

"이놈아! 너 왜 남의 닭을 때려죽이니?" / "그럼 어때?" / 하고 일어나다가

"뭐 이 자식아! 누 집 닭인데?" / 하고 복장*을 떼미는 바람에 다시 벌렁 자빠졌다. 그러고 나서 가만히 생각을 하니 분하기도 하고 무안스럽기도 하고, 또 한편 일을 저질렀으니 인젠 땅이 떨어지고 집도 내쫓기고 해야 될는지 모른다.

나는 비슬비슬 일어나며 소맷자락으로 눈을 가리고는 얼김에 엉 하고 울음을 놓았다. 그러다 점순이가 앞으로 다가와서 / ㉠"그럼, 너 이담부턴 안 그럴 테냐?" 25

하고 물을 때에야 비로소 살길을 찾은 듯싶었다. 나는 눈물을 우선 씻고 뭘 안 그러는지 명색도 모르건만 / "그래!" / 하고 무턱대고 대답하였다.

"요담부터 또 그래 봐라, 내 자꾸 못살게 굴 테니."

"그래그래, 인젠 안 그럴 테야!" / "닭 죽은 건 염려 마라. 내 안 이를 테니." 30

그리고 뭣에 떠다밀렸는지 나의 어깨를 짚은 채 그대로 픽 쓰러진다. 그 바람에 나의 몸뚱이도 겹쳐서 쓰러지며 한창 피어 퍼드러진 노란 동백꽃 속으로 폭 파묻혀 버렸다.

알싸한* 그리고 향긋한 그 냄새에 나는 땅이 꺼지는 듯이 온 정신이 고만 아찔하였다.

* **하릴없이** 달리 어떻게 할 도리가 없이.
* **궐련** 얇은 종이로 가늘고 길게 말아 놓은 담배.
* **홰** 새장이나 닭장 속에 새나 닭이 올라앉게 가로질러 놓은 나무 막대.
* **호드기** 봄철에 물오른 버드나무 가지의 껍질을 고루 비틀어 뽑은 껍질이나 짤막한 밀짚 토막 따위로 만든 피리.
* **동백꽃** 생강나무에서 피는 노란꽃을 이르는 강원도 방언.
* **단매** 단 한 번 때리는 매.
* **복장** 가슴의 한복판.
* **알싸하다** 매운맛이나 독한 냄새 따위로 코 속이나 혀끝이 알알하다.

4 윗글의 사건을 시간 순서에 따라 바르게 배열한 것은?

ㄱ. '나'가 점순이 앞에서 얼김에 눈물을 보임.
ㄴ. 점순이가 홰에 감춰 둔 '나'의 수탉을 데려가 또 싸움을 붙임.
ㄷ. '나'가 고추장을 먹인 수탉을 데리고 점순네 닭과 싸움을 붙임.
ㄹ. '나'가 달려들어서 자신도 모르는 사이에 점순네 닭을 때려죽임.
ㅁ. '나'와 점순이가 넘어지며 동백꽃 속으로 폭 파묻혀 버림.

① ㄱ → ㄹ → ㄴ → ㅁ → ㄷ
② ㄴ → ㄷ → ㄹ → ㄱ → ㅁ
③ ㄴ → ㄱ → ㄹ → ㅁ → ㄷ
④ ㄷ → ㄴ → ㄹ → ㄱ → ㅁ
⑤ ㄷ → ㄹ → ㄴ → ㅁ → ㄱ

개념+ 역순행적 구성

'현재 → 과거', '현재 → 과거 → 미래' 등과 같이 시간의 순서에 따라 사건이 진행되지 않는 구성 방식으로 입체적 구성이라고도 한다.

수능형

5 '동백꽃'에 대한 설명으로 적절한 것을 〈보기〉에서 골라 바르게 짝지은 것은?

보기

ㄱ. 대상에 대한 마음을 전달해 주는 매개체이다.
ㄴ. 향토적*이고 서정적*인 분위기를 조성하는 소재이다.
ㄷ. 갈등이 해소되는 장면의 배경으로 사용되어 주제를 부각하는 소재이다.
ㄹ. 감각적이고 구체적인 묘사를 통해 인물의 성격을 극대화하는 소재이다.

① ㄱ, ㄴ
② ㄱ, ㄷ
③ ㄴ, ㄷ
④ ㄴ, ㄹ
⑤ ㄷ, ㄹ

* **향토적** 고향이나 시골의 정취가 담긴 것.
* **서정적** 정서를 듬뿍 담고 있는 것.

6 〈보기〉를 고려할 때 빈칸에 들어갈 ㉠에 담긴 속마음으로 가장 적절한 것은?

보기

선우: 이 소설에서 닭싸움은 점순이와 '나'의 갈등을 심화하는 중요한 사건인 것 같은데, 이 싸움이 시작된 원인은 무엇일까?
민하: 이 소설의 앞부분을 생각해 보면 결국 이 싸움은 감자 사건에서 시작되었다는 것을 알 수 있어. 점순이가 건넨 감자를 '나'가 거절했기 때문에 점순이와 '나' 사이에 갈등이 시작된 거거든. 그때부터 점순이의 괴롭힘이 시작된 거야.
선우: 아! 그렇다면 ㉠은 "(   )"라는 뜻이겠구나.

① 앞으로는 나를 쫓아다니지 마라.
② 앞으로는 나한테 닭싸움을 걸지 마라.
③ 앞으로는 우리 부모님을 욕하지 마라.
④ 앞으로는 내 호의를 거절하지 않을 테냐?
⑤ 앞으로는 우리 집 닭을 때리지 않을 테냐?

공유 경제

서울에 사는 A는 여름휴가를 맞아 제주도로 일주일간 여행을 떠날 계획이고, 같은 기간에 제주도에 사는 B는 서울 나들이를 갈 계획이다. 이때 A는 B의 집을 이용하고, B는 A의 집을 이용하여 서로의 집을 ㉠공유하면 돈을 절약할 수 있다. '공유 경제'는 이 사례에서처럼 이전에는 각자가 소유해서 사용하던 것을 서로 나누며 더 효율적으로 사용하는 경제 행위와 그 시스템을 가리키는 말이다. 공유 경제의 가장 대표적인 예는 일시적으로 비어 있는 주거 공간을 다른 사람에게 빌려주는 숙박 공유 서비스이다. 자동차가 필요할 때 이용료를 지불하고 간단히 이용할 수 있도록 하는 자동차 공유 서비스도 흔히 볼 수 있는 공유 경제의 예에 해당하는데, 비싼 자동차를 굳이 소유하지 않고도 필요할 때마다 자동차를 사용할 수 있다는 점에서 인기를 끌고 있다.

공유 경제는 자원을 더 효율적으로 배분하는 시스템으로 ㉡주목받고 있다. 개인적으로는 적은 돈으로도 필요한 물건을 사용할 수 있고, 사회 전체적으로는 필요 이상으로 많은 물건이 생산되고 폐기되는 문제를 줄일 수 있어 효율적이고 환경친화적이기 때문이다. 사실 공유 경제는 새로 생겨난 개념이 아니다. 도서관은 예전부터 공유 경제의 개념이 존재했음을 알게 해 주는 대표적인 사례에 해당한다. 개인이 많은 책을 집에 구비*해 놓고 살 수 없기 때문에 한곳에 많은 책을 모아 두고 여러 사람이 필요할 때 볼 수 있도록 했다는 ㉢측면에서 공유 경제의 개념이 드러난다.

근래에 들어 공유 경제가 특히 부각된 것은 스마트폰과 같은 정보 통신 기술의 발달과 밀접한 관계가 있다. 예전에는 사용하지 않는 물건을 빌려주고 싶어 하는 사람이 있고, 사용료를 내고서라도 그 물건을 사용하고 싶어 하는 사람이 있더라도 두 사람을 연결하기가 쉽지 않았다. 하지만 정보 통신 기술의 발달로 사람들을 쉽게 연결할 수 있게 되었고, 이를 통해 더 효율적으로 재화*를 공유할 수 있게 된 것이다.

그런데 공유 경제가 확대되면서 문제점도 드러나고 있다. 숙박 공유 서비스에서는 아예 집을 따로 구입하거나 ㉣임대해 숙박업에 사용하는 '비공인' 숙박업자들이 출현하고 있는데, 이는 비어 있는 여유 공간을 나눠 쓴다는 공유 경제의 취지*에 어긋나는 것이다. 또한 공유 경제를 이용하는 비공인 사업자들은 기존 사업자들과 달리 정부의 관리와 규제의 사각지대*에 놓일 수 있다는 점도 논란이 되고 있다. 그리고 공유 경제가 확대되면 사람들의 소비가 줄어들어 내수 경제*에 부정적인 영향을 줄 것이라는 우려도 있다.

하지만 공유 경제는 거부할 수 없는 시대적 흐름이 되어 가고 있다. 2025년에는 전 세계의 공유 경제 산업의 매출 규모가 3,350억 달러에 이를 것이라고 ㉤예측할 정도로 공유 경제의 규모는 매우 빠르게 성장하고 있다. 공유 경제는 가능성이 무궁무진*한 분야인 만큼, 공유 경제의 성격을 정확히 이해하고 부작용을 최소화하면서 사회 전체의 효용*을 극대화하는 방향으로 발전시켜 나가야 한다.

* **구비** 있어야 할 것을 빠짐없이 다 갖춤.
* **재화** 사람이 바라는 바를 충족시켜 주는 모든 물건.
* **취지** 어떤 일의 근본이 되는 목적이나 긴요한 뜻.
* **사각지대** ① 어느 위치에 섬으로써 사물이 눈으로 보이지 아니하게 되는 각도. 또는 어느 위치에서 거울이 사물을 비출 수 없는 각도. ② 관심이나 영향이 미치지 못하는 구역을 비유적으로 이르는 말.
* **내수 경제** 국내 또는 한 지역 내에서 이루어지는 생산·분배·소비 활동.
* **무궁무진** 끝이 없고 다함이 없음.
* **효용** 인간의 욕망을 만족시킬 수 있는 재화의 효능.

1 윗글의 내용과 일치하는 것은?

① 공유 경제는 정보 통신 기술의 발달로 인해 생겨난 개념이다.
② 공유 경제의 발전을 위해 정부의 관리와 규제를 줄여 가야 한다.
③ 공유 경제의 확산에 부정적인 입장을 취하는 사람들이 늘어나고 있다.
④ 공유 경제는 지나치게 많은 물건이 폐기되는 문제를 해결하기 위해 시작되었다.
⑤ 사업을 목적으로 물건을 구입하여 공유하는 것은 공유 경제의 취지에 어긋나는 일이다.

수능형

2 윗글을 바탕으로 〈보기〉를 이해한 내용으로 적절하지 않은 것은?

보기

최근 개인간 중고 거래가 늘어나고 있다. 판매자는 더 이상 사용하지 않는 물건을 팔아 경제적 이익을 얻고, 구매자는 물건을 싸게 구입해 거래 당사자 모두 경제적 이익을 얻을 수 있기 때문이다. 이러한 중고 거래의 확산은 스마트폰 앱의 발달과도 관계가 있는데, 스마트폰 앱을 통해 판매자와 구매자가 서로를 쉽게 찾을 수 있게 되었기 때문이다.

① 중고 거래는 환경친화적인 경제 활동이라고 볼 수 있겠군.
② 중고 거래는 자원을 더 효율적으로 배분*하는 시스템이라고 볼 수 있겠군.
③ 중고 거래가 더욱 활성화된다면 내수 경제에 부정적인 영향을 줄 수 있겠군.
④ 중고 거래의 확산도 공유 경제와 마찬가지로 정보 통신 기술의 발달과 관계가 있겠군.
⑤ 중고 거래는 경제 행위에 참여하는 주체 모두에게 도움이 된다는 점에서 공유 경제와 다르군.

* 배분 몫몫이 일정한 비례에 맞추어 나눔.

어휘

3 ㉠~㉤의 사전적 의미로 적절하지 않은 것은?

① ㉠: 두 사람 이상이 한 물건을 공동으로 소유함.
② ㉡: 관심을 가지고 주의 깊게 살핌. 또는 그 시선.
③ ㉢: 사물이나 현상의 한 부분. 또는 한쪽 면.
④ ㉣: 돈을 받고 자기의 물건을 남에게 빌려줌.
⑤ ㉤: 필요할 때 쓰기 위하여 미리 마련하거나 갖추어 놓음.

어휘 학습

1~4 제시된 초성과 뜻을 참고하여 빈칸에 들어갈 어휘를 써 보자.

1 ㅁㄱㅁㅈ: 끝이 없고 다함이 없음.

예 그는 재주가 ( )하여 친구들에게 인기가 많다.

2 ㅎㄹㅇㅇ: 달리 어떻게 할 도리가 없이.

예 갑작스러운 폭우로 우리는 ( ) 여행을 연기했다.

3 ㅎㄱㅎㄱ: 곁눈으로 살그머니 계속 할겨 보는 모양.

예 약속 시간에 늦은 나는 ( ) 그의 눈치를 살폈다.

4 ㅅㄱㅈㄷ: 어느 위치에 섬으로써 사물이 눈으로 보이지 아니하게 되는 각도. 또는 어느 위치에서 거울이 사물을 비출 수 없는 각도.

예 운전할 때는 운전자에게는 보이지 않는 ( )가 있을 수 있으므로 늘 조심해야 한다.

5~7 〈보기〉의 글자를 조합하여 다음 뜻에 해당하는 어휘를 써 보자.

보기
다 마 름 싸 알 재 하 화

5 땅 주인을 대신하여 소작권을 관리하는 사람. → ( )

6 사람이 바라는 바를 충족시켜 주는 모든 물건. → ( )

7 매운맛이나 독한 냄새 따위로 코 속이나 혀끝이 알알하다. → ( )

8~10 다음 문장에 어울리는 어휘를 골라 보자.

8 삼촌은 사기꾼의 (동작 / 수작)에 넘어가서 큰돈을 날리고 말았다.

9 새로 생긴 전자 상가에는 수많은 전자 제품이 (구비 / 미비)되어 있었다.

10 노벨 평화상은 세계 평화에 기여한 공이 큰 사람에게 시상한다는 (논지 / 취지)로 제정되었다.

김유정의 작품 세계

▲ 김유정 동상

「동백꽃」의 작가 김유정은 1930년대에 활동했던 소설가입니다. 1908년 강원도 춘천에서 태어난 그는 1935년에 등단하여 폐결핵으로 29세에 짧은 생을 마감하기 전까지 2년 동안 30편에 가까운 작품을 남겼습니다. 김유정이 태어난 곳은 춘천의 '실레 마을'이라는 농촌 마을입니다. 그는 고향에서 어린 시절부터 보고 겪은 바를 작품 속에 담아내었습니다. 데뷔작인 「소낙비」를 비롯하여 「동백꽃」, 「봄 · 봄」, 「만무방」, 「금 따는 콩밭」 등 그의 작품 대부분은 농촌을 배경으로 하고 있습니다.

김유정의 소설에 등장하는 인물은 대개 어리석은 듯하면서도 순박함을 잃지 않은 착한 사람들입니다. 이런 우직하고 순박한 인물이 사건의 본질을 알지 못하고 상황을 왜곡하여 이해하는 모습은 웃음을 자아냅니다. 예상치 못한 엉뚱한 반전, 감칠맛 나는 구어체의 문장, 비속어와 토속어의 구사 등을 통해 그는 농촌의 현실을 해학적으로 표현하였습니다.

한편 그는 일제 강점기에 토지를 빼앗기고 착취당하는 소작인이나 유랑 농민의 고달픈 삶도 애정 어린 시선으로 익살스럽게 그렸습니다. 농촌의 궁핍한 삶의 현실을 다루되, 그것을 매우 따뜻한 시선으로 그려 냄으로써 탈출구 없는 비참한 농촌의 현실과 가난한 농민에 대한 동정과 연민을 드러낸 것입니다.

이처럼 1930년대 한국 소설의 독특한 영역을 개척한 그의 작품은 생동감 있는 토속적인 언어로 고향 마을의 풍경과 그 속에 사는 사람들의 순박하고 진솔한 삶을 표현했다는 점에서 사실성과 향토성을 담아낸 소설로 오늘날 평가받고 있습니다.

간단 확인

1. 김유정은 향토적 소재와 토속적인 언어를 사용하여 해학적이고 생기 넘치는 작품을 주로 썼다. 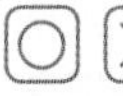 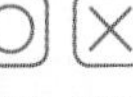
2. 농촌의 궁핍한 삶의 현실을 그려 낸 김유정의 소설에는 가난한 농민에 대한 비판적 태도가 드러난다. 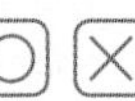

고래를 위하여 | 정호승

작품 안내

이 작품은 청년들이 꿈을 품고 사랑하며 살아가기를 바라는 마음을 노래한 시이다. 상징적 표현이 의미하는 바를 파악하며 시를 감상해 보자.

푸른 바다에 고래가 없으면
푸른 바다가 아니지*
마음속에 푸른 바다의
고래 한 마리 키우지 않으면
청년이 아니지

푸른 바다가 고래를 위하여
푸르다는 걸 아직 모르는 사람은
아직 사랑을 모르지

고래도 가끔 수평선 위로 치솟아 올라
별을 바라본다
나도 가끔 내 마음속의 고래를 위하여
밤하늘 별들을 바라본다*

시어·시구 해설

* **푸른 바다에 ~ 바다가 아니지** 푸른 바다는 인생, 삶을 상징하고 고래는 꿈과 희망을 추구하며 사는 존재를 상징하므로 꿈, 희망, 이상 없이 사는 삶은 가치가 없음을 의미함.
* **나도 가끔 ~ 별들을 바라본다** 화자가 자신의 마음속에 있는 꿈, 희망, 이상을 추구하며 살아감을 말함.

1 위 시에 대한 설명으로 적절하지 않은 것은?

① 시각적 심상을 중심으로 시상을 전개하고 있다.
② 시적 청자가 누구인지 구체적으로 드러나고 있다.
③ 유사한 문장 구조를 반복하여 운율을 형성하고 있다.
④ 색채의 대비를 통해 대상의 특징을 분명하게 드러내고 있다.
⑤ 상징적 의미를 지닌 시어를 통해 주제를 효과적으로 드러내고 있다.

개념+ 상징
- 개념: 추상적인 사물이나 관념 또는 사상을 구체적인 사물로 표현하는 방법
  예 '비둘기'라는 구체적인 사물로 '평화'라는 추상적인 관념을 나타냄.
- 특징: 원관념을 드러내지 않고 보조 관념만으로 의미를 표현하여 모호하고 암시적임.

2 위 시를 감상한 후 나눈 의견으로 적절하지 않은 것은?

① 하윤: 이 시에서 '푸른 바다'는 인생, 즉 한 사람의 삶을 의미하는 것 같아.
② 지수: 푸른 바닷속의 '고래'는 꿈과 희망을 추구하며 사는 존재를 의미하겠군.
③ 선영: 이 시의 화자는 사랑을 모르는 사람은 꿈을 꿀 필요가 없다고 생각하고 있어.
④ 민호: '나'가 마음속의 고래를 위해 바라보는 '별'은 꿈, 이상, 목표 같은 것을 의미하고 있어.
⑤ 유선: '별'의 의미와 관련지어 봤을 때 '바라본다'는 말은 꿈을 지향하는 모습이라고 할 수 있겠군.

수능형
3 위 시와 〈보기〉의 공통점으로 적절하지 않은 것은?

보기

이런들 어떠하며 저런들 어떠하리.
만수산* 드렁칡이 얽어진들 그 어떠하리.
우리도 이같이 얽어져 백 년까지 누리리라.
– 이방원의 시조

* 만수산 개성에 있는 송악산의 다른 이름으로 고려 왕실의 일곱 능이 있음.

① 상징적 표현을 활용하고 있다.
② 자연 친화적인 삶의 태도를 지니고 있다.
③ 화자가 청자에게 권유하는 내용을 담고 있다.
④ 화자가 추구하는 삶의 태도가 잘 드러나 있다.
⑤ 유사한 문장 구조를 반복하여 운율을 형성하고 있다.

운석의 가치

(가) 도시에서는 관찰하기 힘들지만 시골의 캄캄한 밤하늘에서는 가끔 유성이 나타난다. 우주 공간을 떠도는 암석이 유성체라면, 이 암석이 지구 중력에 이끌려서 대기권에 진입하면 유성이 된다. 유성은 대기와의 마찰로 빛을 내며 녹게 되고, 그 남은 덩어리가 땅에 떨어져 운석이 된다.

(나) 운석은 초당 10~20km의 엄청난 속도로 지구에 진입한다. 큰 운석은 지구 표면에 커다란 충돌구를 만들고, 사람을 다치게 하거나 건물을 부수기도 하는데, 이는 운석이 떨어지는 속도 때문이다. 운석이 지구 대기에 진입할 때는 저항을 받는데 이때 운석의 크기에 따라 감속되는 정도가 달라진다. 크기가 매우 큰 운석은 거의 초기 속도를 유지한 채 지표에 충돌해 거대한 충돌구를 만든다. 크기가 작은 경우에는 속도가 빨리 줄어 지구 표면에 충돌구를 만들지 못한다.

(다) 한편, 운석은 대기에 진입할 때 대기와 마찰을 일으킨다. 이때 발생하는 높은 열 때문에 운석 표면이 녹는다. 지표면에 가까워져 속도가 대폭 감속되면 충분한 열이 형성되지 않아 운석이 더 이상 녹지 않는다. 마지막으로 녹았던 표면이 식어서 검은색 껍질인 용융각이 된다. 사람들은 보통 운석이 녹았다가 식은 것이라고 생각하지만 실제로 용융각을 제외하면 전혀 녹지 않은 물질이다.

(라) 지구 밖에서 온 운석은 태양계와 지구의 비밀을 풀 수 있는 중요한 자료가 된다. 태양계가 탄생할 때 생겨난 운석에는 태양계가 탄생할 당시에 어떤 일이 있었는지를 알 수 있는 정보가 담겨 있고, 태양계가 생성된 이후의 운석에는 소행성이나 화성과 같은 행성의 초기 진화에 대한 기록이 보존되어 있다. 그리고 소행성의 핵에서 떨어져 나온 철질 운석은 지구의 내부 중심인 핵이 어떤 물질로 구성되어 있는지 연구할 수 있는 소중한 자료가 된다.

(마) 이런 가치를 지닌 운석을 연구하기 위해서는 많은 운석이 필요하다. 그런데 지구에 떨어지는 운석의 상당수는 남극에서 발견된다. 왜냐하면 특정 장소에 운석이 모이게 되는 남극의 특수한 지형 조건 때문이다. 빙하는 꾸준히 낮은 곳으로 이동하는데, 이동 중에 산맥에 의해 가로막히면 앞부분의 빙하가 밀려서 위로 상승하게 된다. 매년 여름마다 상승한 빙하가 점차 녹으면서 그 속에 있던 운석들이 모이게 되는 것이다. 그래서 세계 각국은 앞다투어 남극을 탐사하며 운석을 찾고 있다.

* **대기권** 지구를 둘러싸고 있는 대기의 범위. 지상 약 1,000km까지를 이른다.
* **진입** 향하여 내처 들어감.
* **감속** 속도를 줄임. 또는 그 속도.
* **생성** 사물이 생겨남. 또는 사물이 생겨 이루어지게 함.
* **보존** 잘 보호하고 간수하여 남김.
* **철질 운석** 거의 철과 니켈로 이루어진 운석. 보통 바위보다 몇 배 무겁다.
* **지형** 땅의 생긴 모양이나 형세.
* **탐사** 알려지지 않은 사물이나 사실 따위를 샅샅이 더듬어 조사함.

1 윗글에 대한 설명으로 가장 적절한 것은?

① 운석의 개념과 특성을 밝힌 후 그것의 가치에 대해 설명하고 있다.
② 운석이 형성되는 과정을 다른 암석이 형성되는 과정과 비교하고 있다.
③ 운석에 대한 여러 학자의 견해를 제시한 후 새로운 견해를 도출*하고 있다.
④ 운석의 종류를 열거*한 후 각각의 운석이 활용되는 분야에 대해 소개하고 있다.
⑤ 운석을 발견하기 어려운 이유를 밝힌 후 그것의 탐사 방법에 대해 안내하고 있다.

* **도출** 판단이나 결론 따위를 이끌어 냄.
* **열거** 여러 가지 예나 사실을 낱낱이 죽 늘어놓음.

2 윗글을 통해 알 수 있는 내용으로 적절하지 않은 것은?

① 유성이 녹는 것은 대기와의 마찰 때문이다.
② 작은 유성은 큰 유성보다 운석이 될 확률이 높다.
③ 남극에서 운석은 빙하와 산맥이 만나는 곳에 모인다.
④ 지구에 대기가 없다면 더 많은 운석이 발견될 것이다.
⑤ 운석을 많이 모으면 운석 연구에 도움이 될 수 있을 것이다.

수능형

3 윗글을 이해하기 위해 〈자료〉를 참고한 내용으로 가장 적절한 것은?

자료

〈A〉 발견 위치에 따른 운석의 개수		〈B〉 유래에 따른 운석의 비율	
남극	16,000여 개	소행성	98%
그 외 지역	7,000여 개	화성	1%
전체	23,000여 개	달	1%

– 2000년 영국 운석 연감

① (나)에서 충돌구가 생긴다는 설명의 자료로 〈A〉를 들 수 있어.
② (라)에서 화성 연구용 운석을 구하기 쉽다는 설명의 자료로 〈B〉를 들 수 있어.
③ (라)에서 지구 핵 연구에 필요한 운석의 비율이 낮다는 설명의 자료로 〈A〉와 〈B〉를 동시에 들 수 있어.
④ (마)에서 남극이 운석 연구에 중요하다는 설명의 자료로 〈A〉를 들 수 있어.
⑤ (마)에서 남극 운석 중 상당수가 달에서 온 것이라는 설명의 자료로 〈B〉를 들 수 있어.

03

어휘 학습

1~4 빈칸에 들어갈 어휘를 〈보기〉에서 찾아 써 보자.

보기
대기권　생성　지형　진입

1 우리나라 축구팀은 올림픽 본선 (　　　　　　)에 성공했다.

2 우주가 처음으로 이루어진 이래 많은 별들이 (　　　　　　)하고 소멸해 왔다.

3 로켓이 (　　　　　　)을 무사히 벗어나자 관제실의 모든 사람들은 환호성을 질렀다.

4 군사들은 가파른 계곡과 벼랑이 가로놓인 (　　　　　　)을 이용하여 적의 공격을 피하였다.

5~7 제시된 초성을 참고하여 다음 뜻에 해당하는 어휘를 써 보자.

5 ㅅㅍㅅ: 물과 하늘이 맞닿아 경계를 이루는 선. → (　　　　　　)

6 ㅇㄱ: 여러 가지 예나 사실을 낱낱이 죽 늘어놓음. → (　　　　　　)

7 ㅌㅅ: 알려지지 않은 사물이나 사실 따위를 샅샅이 더듬어 조사함. → (　　　　　　)

8~10 다음 뜻에 해당하는 어휘를 골라 보자.

8 속도를 줄임. 또는 그 속도. (가속 / 감속)

9 잘 보호하고 간수하여 남김. (보존 / 잔존)

10 판단이나 결론 따위를 이끌어 냄. (도출 / 방출)

유성체와 운석

유성체란 행성들 사이에서 우주 공간을 떠돌아다니는 다양한 크기의 암석 조각으로, 소행성보다 많이 작고 원자나 분자보다는 훨씬 큰 천체를 말합니다. 유성체는 혜성이나 소행성에서 떨어져 나온 티끌, 또는 태양계를 떠돌던 먼지 등으로 구성되어 있습니다. 이 중 일부의 유성체가 지구 중력에 이끌려 대기권으로 들어오면 대기와의 마찰로 불타게 되는데 이때 유성체가 빛을 내며 떨어지는 현상을 유성이라고 합니다. 마치 별이 흘러가는 것처럼 보이기 때문에 붙여진 이름이며, 우리는 흔히 유성을 별똥별이라고 부릅니다.

보통의 작은 유성체들은 대기를 지나며 모두 타서 없어지는데 조금 더 커다란 유성체들은 대기를 뚫고 지표면까지 낙하하기도 합니다. 이를 운석이라고 합니다. 운석은 낙하하는 과정에서 만들어진 화구를 관측한 후 낙하지점을 추정하여 발견하거나, 지구 표면에 떨어져 있는 것을 우연히 또는 조직적으로 탐사하여 발견하고 있습니다.

이러한 운석은 구성 물질에 따라 크게 세 종류로 분류됩니다. 첫째, 석질 운석은 주로 규산염 광물로 이루어진 운석으로 현재까지 발견된 운석의 97%를 차지합니다. 둘째, 철질 운석은 주로 철과 니켈로 구성된 운석으로 전체 운석의 2.4%를 차지합니다. 마지막으로 석철질 운석은 60%의 철과 다른 석질 물질로 이루어진 운석으로 전체 운석 중 0.6%의 비율을 차지합니다.

▲ 철질 운석

간단 확인

1. 행성들 사이에서 우주 공간을 떠도는 암석 조각을 유성체라고 한다. 
2. 운석은 유성이 타고 남은 것으로 철과 니켈이 주성분인 것이 대부분이다. 

하늘은 맑건만 | 현덕

작품 안내

발단 문기는 숙모의 심부름을 갔다가 고깃간 주인의 실수로 거스름돈을 더 받게 됨.

전개 문기는 수만이와 함께 거스름돈을 쓰다가 삼촌에게 들켜 꾸중을 듣고, 남은 돈을 고깃간 집 안마당에 던짐.

위기 거스름돈을 돌려주었다는 문기의 말을 믿지 않는 수만이의 협박 때문에 문기는 숙모의 돈을 훔쳐서 수만이에게 줌.

절정 자신 때문에 누명을 쓰고 쫓겨난 점순이의 일로 양심의 가책을 느끼고 괴로워하던 문기는 교통사고를 당함.

결말 문기는 삼촌에게 잘못을 고백하고, 죄책감에서 벗어남.

학교를 가는 길에 문기가 큰 행길로 나오자 맞은편 판장*에 백묵으로 커다랗게 '김문기는' 하고 그 밑에 동그라미 셋을 쳐 '○○○했다' 하고 쓰여 있다. 그리고 학교 어귀에 이르러 삼거리 잡화상 빈지판*에도 같은 것이 쓰여 있는 것이다. 문기는 이번에도 무춤하고* 보다가는 얼른 모자를 벗어서 이름자만 지워 버렸다. 그러는 것을 건너편 길모퉁이에서 수만이가 일그러진 웃음으로 보고 섰다. 그리고 문기가 앞으로 지나가자, 5

"왜 겁이 나니? 지우게." / 하고 뒤를 따라오면서 작은 소리로,

"그래, 정말 돈 너만 두고 쓸 테냐. 그럼 요건 약과다." 〈중략〉

"너 지금으로 가지고 나오지 않으면 낼은 가만 안 둔다. 도적질했다 하고 똑바로 써 놀 테야."

문기는 여전히 못 들은 척 걸음만 옮긴다. 자기 집 마당엘 들어섰다. 숙모는 뒤곁에서 화초 모종을 하는지, / "여기 심어라, 저기 심어라." 10

하고 아랫집 심부름하는 아이와 이야기하는 소리가 날 뿐 집 안엔 아무도 없다.

그리고 눈앞에 보이는 붙장* 안 앞턱에 잔돈 얼마와 지전* 몇 장이 놓여 있다. 그리고 문밖엔 지금 수만이가 돈을 가지고 나오기를 기다리고 섰다. 여기서 문기는 두 번째 허물을 범하고 말았다. / "진작 듣지." 15

하고 빙그레 웃는 수만이 얼굴에다 뺨을 때리듯 돈을 던져 주고 문기는 달아났다.

급한 걸음으로 문기는 네거리 하나를 지났다. 또 하나를 지났다. 또 하나를 지났다. 걸음은 차차 풀이 죽는다. 그리고 문기는 이런 생각을 하였다.

'나는 몰래 작은어머니 돈을 축냈다*. 그러나 갚으면 고만 아니냐. 그 돈 값어치만큼 밥도 덜 먹고 학용품도 아껴 쓰고 옷도 조심해 입고 이렇게 갚으면 고만 아니냐.' 20

몇 번이고 이 소리를 속으로 되뇌며 문기는 떳떳이 얼굴을 들고 집으로 들어갈 수 있을 만한 뱃심*을 만들려 한다. 그러나 일없이 공원으로 거리로 돌며 해를 보낸다.

날이 저물어서 문기는 풀이 죽어 집 마루에 걸터앉았다. 숙모가 방에서 나오다 보고,

"너 학교에서 인제 오니?" / 그리고 이어,

"너 혹 붙장 안의 돈 봤니?" / 하다가는 채 문기가 입을 열기 전에 숙모는, 25

"학교서 지금 오는 애가 알겠니. 참 점순이 고년 앙큼한 년이더라. 낮에 내가 뒤곁에서 화초 모종을 내고 있는데 집을 간다고 나가더니 글쎄 돈을 집어 갔구나."

문기는 잠잠히 듣기만 한다. 그러나 속으로는 갚으면 고만이지 소리를 또 한 번 외어 본다.

그날 밤이었다. 아랫방 들창 밑에 훌쩍훌쩍 우는 어린아이 울음소리가 났다. 아랫집 심부름하는 아이 점순이 음성이었다. 숙모가 직접 그 집에 가서 무슨 말을 한 것은 아니로되 자연 그 말이 한 입 걸러 두 입 걸러 그 집에까지 들어갔고 그리고 그 집주인 여자는 점순이를 때려 쫓아낸 것이다. 먼저는 동네 아이들이 모여 지껄지껄하더니 차차 하나 가고 둘 가고 훌쩍훌쩍 우는 그 소리만 남는다. 방 안의 문기는 그 밤을 뜬눈으로 새웠다. 30

* 판장 널빤지로 친 울타리.
* 빈지판 한 짝씩 끼웠다 떼었다 하게 만든 문.
* 무춤하다 놀라거나 어색한 느낌이 들어 갑자기 하던 짓을 멈추다.
* 붙장 부엌 벽의 안쪽이나 바깥쪽에 붙여 만든 장.
* 지전 종이에 인쇄를 하여 만든 화폐.
* 축내다 일정한 수나 양에서 모자람이 생기게 하다.
* 뱃심 염치나 두려움이 없이 제 고집대로 버티는 힘.

1 윗글의 내용과 일치하지 않는 것은?

① 수만이가 문기를 괴롭히는 정도는 점점 심해졌다.
② 수만이의 협박에 문기는 수만이에게 돈을 주었다.
③ 수만이에게 돈을 준 문기는 해가 질 때까지 거리를 걸었다.
④ 숙모는 붙장 안의 돈이 없어진 것을 두고 점순이를 의심했다.
⑤ 점순이네 집주인은 숙모의 말을 듣고 점순이를 때려 쫓아냈다.

2 윗글을 읽으며 짐작할 수 있는 문기의 심리로 적절한 것은?

① 수만이가 쫓아다니자 우월감을 느꼈다.
② 수만이의 괴롭힘에서 벗어나 안정감을 찾았다.
③ 작은어머니의 돈에 손을 댄 것에 죄책감을 느꼈다.
④ 잘못을 합리화하는 데 성공하여 자신감을 회복했다.
⑤ 점순이가 범인으로 몰린 것을 보고 안도감을 느꼈다.

수능형

3 〈보기〉를 참고하여 윗글을 이해한 내용으로 적절하지 않은 것은?

보기

학생: 선생님, 제가 이 소설의 앞부분 내용을 찾아서 읽어 봤는데요. 문기가 잘못을 한 건 맞지만 삼촌의 훈계를 듣고 금방 반성하고, 남아 있는 거스름돈도 다시 고깃간 집 마당에 던져 놓았잖아요. 그런데 이 글에서 문기는 점점 더 괴로워지는 것 같아요.

선생님: 그건 바로 인물이 선택한 갈등 해소 방법 때문이에요. 소설 속에서 인물이 갈등을 해소하는 방법은 바람직한 선택일 때도 있지만 그렇지 않을 때도 있거든요. 바람직하지 않은 방법으로 갈등이 해소되었을 때, 그 갈등은 임시로 해결된 것처럼 보이지만 그 뒤에 더 큰 갈등을 몰고 오게 되죠.

① 문기는 수만이 몰래 돈을 쓰려는 선택을 했기 때문에 수만이와 더 큰 갈등에 직면하게 된다.
② 누명을 쓰고 쫓겨난 점순이가 들창 밑에서 훌쩍훌쩍 우는 소리는 문기의 내적 갈등을 심화하는 역할을 한다.
③ 수만이와의 갈등 상황으로 괴로웠던 문기는 작은어머니의 돈을 훔침으로써 갈등을 임시로 해결하였다.
④ 문기가 수만이와의 외적 갈등을 바람직하지 않은 방법으로 해소했기 때문에 문기의 내적 갈등은 점점 깊어진다.
⑤ 문기의 내적 갈등은 바람직하지 않은 방법으로 갈등을 해소하려고 했기 때문에 생긴 것이므로 갈등을 해소하려면 바람직한 방법을 다시 선택해야 한다.

개념+ 갈등

어떤 사건에 대한 인물들의 입장이나 태도가 엇갈려서 대립하고 충돌을 일으키는 일

외적 갈등	인물과 인물, 인물과 환경 사이에서 생기는 갈등과 대립을 가리킴. 개인과 개인, 개인과 사회, 개인과 운명 사이의 갈등으로 나타남.
내적 갈등	한 개인의 내면에서 갈등이 일어나는 경우로, 주로 개인 내부의 심리적 대립에 의한 갈등임.

작품 안내

발단 문기는 숙모의 심부름을 갔다가 고깃간 주인의 실수로 거스름돈을 더 받게 됨.

전개 문기는 수만이와 함께 거스름돈을 쓰다가 삼촌에게 들켜 꾸중을 듣고, 남은 돈을 고깃간 집 안마당에 던짐.

위기 거스름돈을 돌려주었다는 문기의 말을 믿지 않는 수만이의 협박 때문에 문기는 숙모의 돈을 훔쳐서 수만이에게 줌.

절정 자신 때문에 누명을 쓰고 쫓겨난 점순이의 일로 양심의 가책을 느끼고 괴로워하던 문기는 교통사고를 당함.

결말 문기는 삼촌에게 잘못을 고백하고, 죄책감에서 벗어남.

이튿날 아침이다. 문기는 밥을 두어 술 뜨다가는 고만둔다. 뭐 그 돈을 갚기 위한 그것이 아니다. 도시* 입맛이 나지 않았다. 학교엘 갔다. 첫 시간은 ㉠수신 시간*, 그리고 공교로이* 제목이 '정직'이다. 선생님은 뒷짐을 지고 교단 위를 왔다 갔다 하며 거짓이라는 것이 얼마나 악한 것이고 정직이 얼마나 귀하고 중한 것인가를 누누이 말씀한다. 그리고 안경 쓴 선생님의 그 눈이 번쩍 하고 문기 얼굴에 머물렀다 가고 한다. 그럴 때마다 문기는 가슴이 뜨끔뜨끔해진다. 문기는 자기 한 사람에게만 들리기 위한 정직이요, 수신 시간인 듯싶었다. 그만치 선생님은 제 속을 다 들여다보고 하는 말인 듯싶었다.

운동장에서도 문기는 풀이 없다. 사람 없는 교실 뒤 버드나무 옆 그런 데만 찾아다니며 고개를 숙이고 깊은 생각에 잠기거나 팔짱을 찌르고 왔다 갔다 하기도 한다. 그러다 누가 등을 치면 소스라쳐 깜짝깜짝 놀란다.

언제나 다름없이 하늘은 맑고 푸르건만 문기는 어쩐지 그 하늘조차 쳐다보기가 두려워졌다. 자기는 감히 떳떳한 얼굴로 그 하늘을 쳐다볼 만한 사람이 못 된다 싶었다. 〈중략〉

먼저보다 갑절 무겁고 컴컴한 마음이었다. 도저히 문기의 약한 어깨로는 지탱하지 못할 무거운 눌림이다. 걸음은 집을 향해 가는 것이지만 반대로 마음은 멀어진다. 장차 집엘 가서 대할 숙모가 두려웠고 삼촌이 두려웠고 더욱이 점순이가 두려웠다.

어느덧 걸음은 삼거리를 건너고 있었다. 문기 등 뒤에서 아주 멀리 뿡뿡 하고 자동차 소리와 비켜라 비켜라 하는 사람의 소리가 나는 듯하더니 갑자기 귀밑에서 크게 울린다. 언뜻 돌아다보니 바로 눈앞에 자동차 머리가 달려든다. 그리고 문기는 으쓱하고 높은 데서 아래로 떨어져 가는 듯싶은 감과 함께 정신을 잃고 말았다.

얼마 동안을 지났는지 모른다. 문기가 어렴풋이 눈을 떴을 때 무섭게 전등불이 밝아 눈이 부시었다. 문기는 다시 눈을 감았다. 두 번째 문기가 눈을 뜨자 희미하게 삼촌의 얼굴이 나타나며 그것이 차차 똑똑해지더니 삼촌은, / "너 내가 누군 줄 알겠니?"
하고 웃지도 않고 내려다본다. 문기는 이것도 꿈인가 하고 한번 웃어 주려면서 그대로 맑은 정신이 났다. 문기는 병원 침대 위에 누워 있었다. 어디 아픈 데는 없으면서도 몸을 움직일 수는 없다. 삼촌은 근심스러운 얼굴로 내려다본다.

"작은아버지." / 하고 문기는 입을 열었다. 그리고

"저는 마땅히 받아야 할 벌을 받은 거예요." / 하고 문기는 눈을 감으며 한 마디 한 마디 그러나 똑똑하게 처음서부터 끝까지, 먼저 고깃간 주인이 일 원을 십 원으로 알고 거슬러 준 것, 그 돈을 써 버린 것, 그리고 또 붙장 안의 돈을 자기가 훔쳐 낸 것, 이렇게 하나하나 숨김없이 자백을 하자, 이때까지 겹겹으로 싸고 있던 허물*이 한 꺼풀 한 꺼풀 벗어지면서 따라 마음속의 어둠도 차차 사라지며 맑아 가는 것을 문기는 확실히 깨달을 수 있었다. 마음이 맑아지며 따라 몸도 가뜬해진다*. 내일도 해는 뜨고 하늘은 맑아지리라. 그리고 문기는 그 하늘을 떳떳이 마음껏 쳐다볼 수 있을 것이다.

* **도시** 아무리 해도.
* **수신 시간** 일제 강점기의 도덕 시간.
* **공교로이** 생각지 않았거나 뜻하지 않았던 사실이나 사건과 우연히 마주치게 된 것이 기이하다고 할 만하게.
* **허물** 잘못 저지른 실수.
* **가뜬하다** 마음이 가볍고 상쾌하다.

4 윗글에 등장하는 인물에 대한 설명으로 적절한 것은?

① 문기는 죄책감을 이기지 못하고 차도로 뛰어들었다.

② 병원에서 만난 작은아버지는 문기의 잘못을 이미 알고 있었다.

③ 문기는 학교가 파한 뒤 집에 갈 수가 없어 점순이를 찾아가던 길이었다.

④ 선생님은 수업 내용을 통해 문기가 자신의 잘못을 스스로 깨닫기를 바랐다.

⑤ 문기는 작은아버지에게 모든 잘못을 고백함으로써 홀가분한 마음을 느끼게 되었다.

5 윗글을 읽고 이해한 내용으로 적절하지 않은 것은?

① 맑은 하늘은 문기가 하늘을 쳐다보는 것을 두렵게 만들고 있다.

② 언제나 다름없이 맑고 푸른 하늘은 문기의 심리와 대조적인 의미를 지닌다.

③ 맑은 하늘은 문기가 지향*하는 이상적 공간이자, 성장하는 현실적 공간이다.

④ 문기는 맑은 하늘을 보며 자신의 잘못을 성찰하고 양심의 가책을 느끼고 있다.

⑤ 문기는 내면의 갈등을 해소하고 나서야 떳떳한 얼굴로 하늘을 쳐다볼 수 있게 되었다고 생각한다.

* **지향** 어떤 목표로 뜻이 쏠리어 향함. 또는 그 방향이나 그쪽으로 쏠리는 의지.

어휘

6 ㉠과 관련하여 문기의 상황에 어울리는 속담으로 적절한 것은?

① 내 코가 석 자

② 도둑이 제 발 저리다

③ 뛰는 놈 위에 나는 놈 있다

④ 하늘이 무너져도 솟아날 구멍이 있다

⑤ 안되는 사람은 뒤로 넘어져도 코가 깨진다

블루투스의 원리

블루투스는 휴대폰, 노트북, 이어폰 등의 휴대 기기를 서로 연결해 정보를 교환할 수 있게 하는 무선 기술 표준으로, 10세기경 스칸디나비아반도를 통일했던 왕 헤럴드 '블루투스' 곰슨의 이름에서 유래했다. 여기에는 그가 스칸디나비아반도 주변 국가들을 통일한 것처럼 서로 다른 통신 장치들을 하나의 무선 통신 규격*으로 통일한다는 뜻이 담겨 있다.

블루투스의 무선 전송 원리는 공진 주파수*에서 착안*되었다. 물체는 고유 진동수를 지니고 있는데, 고유 진동수와 같은 진동수를 물체에 작용하면 떨림 현상이 일어난다. 이것을 '공명'이라고 하며 공명할 때의 주파수를 공진 주파수라고 한다. 예를 들어 송신부에서 2402MHz의 진동수를 보낸다고 할 때, 안테나 역할을 하는 수신부에서 2402MHz의 진동수를 받을 수 있도록 장치해 두면 수신부에서 소리를 들을 수 있다.

블루투스의 무선 전송 시스템은 ISM 주파수 대역인 2400~2483.5MHz를 사용한다. 이는 산업, 과학, 의료용으로 할당*된 주파수 대역으로, 전파 사용에 대해 허가를 받을 필요가 없는 저전력의 전파를 발산하는 개인 무선 기기에 주로 쓰인다. 블루투스 시스템에 할당받은 주파수 중 '위아래' 경계면에 있는 주파수는 '위아래' 주파수를 쓰는 다른 기기들과 간섭이 일어나 통신 장애를 일으킨다. 이러한 간섭을 막기 위해 주파수의 범위를 조절해야 한다. 그래서 2400MHz 이후 2MHz, 2483.5MHz 이전 3.5MHz까지의 범위를 제외한 2402~2480MHz, 총 79개 채널을 쓴다.

한편, 블루투스는 여러 시스템과 같은 주파수 대역을 이용하기 때문에 시스템 간 전파 간섭이 생길 수 있는데, 이를 예방하기 위해 주파수 도약 방식을 취한다. 주파수 도약이란 많은 수의 채널을 특정 패턴에 따라 빠르게 이동하며 데이터를 조금씩 전송하는 기술이다. 블루투스는 할당된 79개 채널을 1초당 1,600번 도약한다. 이처럼 주파수 대역을 나누기 때문에 데이터 전송을 여러 주파수에 걸쳐서 분할해 보낼 수 있다.

초기 블루투스는 전송 속도가 느려 음악이나 동영상과 같은 대용량 데이터를 전송하는 것이 곤란했다. 하지만 비약적*인 기술 발전을 이뤄 내면서 블루투스 최초 버전인 1.0을 시작으로, 키보드, 마우스, 이어폰, 헤드셋 등에 탑재되는 4.0 버전을 거쳐 웨어러블과 스마트홈 등 사물 인터넷에 활용되는 5.0 버전으로 진화를 거듭하고 있다. 10세기경 블루투스 왕이 스칸디나비아반도를 통일했던 것처럼, 21세기 무선 통신의 왕 블루투스는 수많은 아이티(IT) 기기를 연결해 소통시킨다. 블루투스는 우리 삶의 다양한 분야에서 지금보다 큰 영향을 미칠 것으로 전망된다. 블루투스의 진화가 어떤 모습으로 계속될지 자못 궁금하다.

* **규격** 일정한 규정에 들어맞는 격식.
* **공진 주파수** 전기 진동의 공명 회로나 전자기파의 공명기에서 공명 현상이 일어나게 하는 외부 신호의 진동수.
* **착안** 어떤 일을 주의하여 봄. 또는 어떤 문제를 해결하기 위한 실마리를 잡음.
* **할당** 몫을 갈라 나눔. 또는 그 몫.
* **비약적** 지위나 수준이 갑자기 빠른 속도로 높아지거나 향상되는 것.

1 윗글의 내용과 일치하지 않는 것은?

① 블루투스는 할당된 특정 주파수 중 일부를 사용한다.
② 블루투스는 휴대 기기를 무선으로 연결하는 기술 표준을 말한다.
③ 블루투스라는 이름의 유래는 기술의 방식과 직접적인 연관이 있다.
④ 블루투스 중에서 키보드, 마우스, 이어폰, 헤드셋에 사용되는 버전은 4.0 버전이다.
⑤ 블루투스의 무선 전송 원리는 물체가 공명할 때의 주파수를 말하는 공진 주파수에서 착안되었다.

수능형

2 윗글을 바탕으로 할 때 〈보기〉와 같은 고민을 해결하기 위한 방법으로 가장 적절한 것은?

보기

시스템 간 전파 간섭을 해결하면서 여러 기기를 동시에 사용할 수 있는 방법은 없을까?

① '위아래' 경계면에 있는 주파수를 적극적으로 활용하는 방법은 어떨까?
② 사용하는 채널이 겹치면 늦게 접속한 기기를 사용하지 못하게 하면 되겠군.
③ 특정한 채널에 반복적으로 재접속하게 하면 전파 간 간섭을 최소화할 수 있을 거야.
④ 특정 패턴에 따라 여러 채널을 빠르게 이동하면서 데이터를 조금씩 전송하면 되지 않을까?
⑤ 사용 가능한 채널의 수를 최대한 늘리는 방식으로 기기들 간의 간섭을 막을 수 있을 거야.

3 블루투스의 전망에 대한 글쓴이의 관점으로 적절한 것은?

① 전망이 불투명하다고 생각한다.
② 계속해서 기술이 발전하기를 기대한다.
③ 새로운 버전이 개발되는 것에 회의적*이다.
④ 결국 예전 버전으로 회귀*하게 될 것을 염려한다.
⑤ 지속적으로 이용되려면 다른 아이티(IT) 기기와의 경쟁이 불가피하다*고 생각한다.

* **회의적** 어떤 일에 의심을 품는 것.
* **회귀** 한 바퀴 돌아 제자리로 돌아오거나 돌아감.
* **불가피하다** 피할 수 없다.

04

어휘 학습

1~3 **다음 어휘의 뜻을 찾아 바르게 연결해 보자.**

1 가뜬하다 •　　　　• ㉠ 피할 수 없다.

2 무춤하다 •　　　　• ㉡ 마음이 가볍고 상쾌하다.

3 불가피하다 •　　　　• ㉢ 놀라거나 어색한 느낌이 들어 갑자기 하던 짓을 멈추다.

4~7 **빈칸에 들어갈 어휘를 〈보기〉에서 찾아 써 보자.**

보기
공교로이　　뱃심　　할당　　허물

4 그는 모두가 반대하는 일을 (　　　　　)(으)로 밀고 나갔다.

5 두 사람이 (　　　　　) 같은 시간에 상대편에 전화를 걸었다.

6 이번 달에 판매 직원들에게 (　　　　　)된 양이 너무 많은 듯하다.

7 그 사람은 자신의 (　　　　　)을/를 남에게 덮어씌우는 파렴치한 인간이다.

8~10 **다음 뜻에 해당하는 어휘를 골라 보자.**

8 한 바퀴 돌아 제자리로 돌아오거나 돌아감. (회귀 / 회상)

9 어떤 목표로 뜻이 쏠리어 향함. 또는 그 방향이나 그쪽으로 쏠리는 의지. (지양 / 지향)

10 어떤 일을 주의하여 봄. 또는 어떤 문제를 해결하기 위한 실마리를 잡음. (착수 / 착안)

배경 지식

블루투스

푸른 이빨을 의미하는 블루투스(bluetooth)는 헤럴드 블루투스 곰슨의 별명입니다. 그가 이러한 별명을 갖게 된 이유는 전투 중 치아를 다쳐 파란색 의치를 해 넣었기 때문이라는 설도 있고, 블루베리를 워낙 좋아해 항상 치아가 푸르게 물들어 있었기 때문이라는 설도 있습니다.

블루투스의 로고는 스칸디나비아의 전통 문자인 룬 문자를 결합해 만들었습니다. 헤럴드 블루투스를 스칸디나비아식으로 읽으면 하랄드 블로챈(Harald BlAtand)이 되는데, 여기서 이니셜인 'H'와 'B'를 따서 'H'의 룬 문자 'ᚼ'와 'B'의 룬 문자 'ᛒ'를 포개어 블루투스의 로고인 'ᚼᛒ'를 만든 것입니다.

블루투스는 스마트폰과 무선 이어폰 등의 기기를 마스터(master)와 슬레이브(slave) 원리로 연결합니다. 즉, 블루투스를 지원하는 스마트폰과 블루투스 이어폰을 연결하는 경우, 스마트폰이 마스터가 되고 이어폰이 슬레이브가 되는 것입니다. 마치 스마트폰이 주인이 되어 이어폰을 하인 다루듯이 작동하는 것이지요. 이어폰 전원을 켜고 스마트폰의 블루투스를 활성화하면 이내 주변의 모든 블루투스 기기를 탐색합니다. 그중에서 연결을 원하는 이어폰 모델을 선택하면 즉시 연결되는데, 두 기기가 한쌍으로 묶이는 것이므로 이를 페어링이라고 부릅니다.

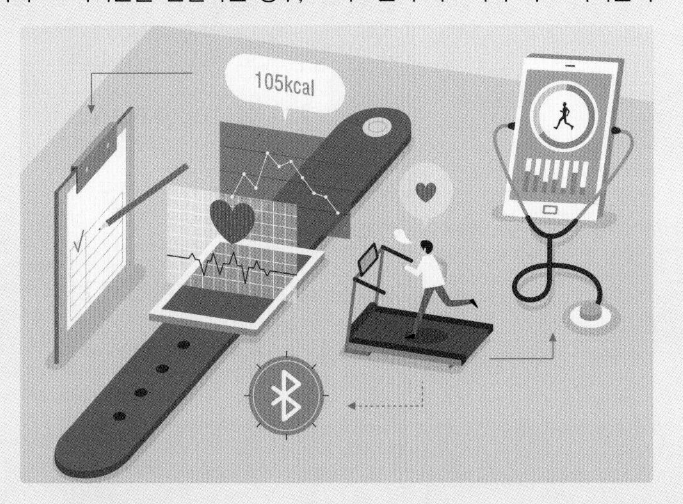

간단 확인

1. 블루투스의 로고는 헤럴드 블루투스의 이니셜을 활용해 만들었다.  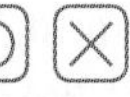

2. 블루투스 이어폰은 연결하려는 스마트폰을 선택하여 마스터와 슬레이브의 원리로 연결된다. 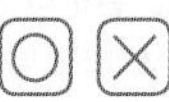

엄마 걱정 | 기형도

열무 삼십 단을 이고

시장에 간 우리 엄마

안 오시네, 해는 시든 지 오래*

나는 찬밥처럼 방에 담겨*

아무리 천천히 숙제를 해도

엄마 안 오시네, ㉠배춧잎 같은 발소리 타박타박*

안 들리네, 어둡고 무서워

금 간 창틈으로 고요히 빗소리

빈방에 혼자 엎드려 훌쩍거리던

아주 먼 옛날

지금도 내 눈시울을 뜨겁게 하는

그 시절, ㉡내 유년의 윗목

작품 안내

이 작품은 시장에 간 엄마를 기다리던 유년 시절의 기억을 노래한 시이다. 화자가 처한 상황과 정서가 어떻게 표현되고 있는지에 주목하며 시를 감상해 보자.

시어 · 시구 해설

* **열무 삼십 단을 ~ 시든 지 오래** 시장에 가서 밤늦게 돌아오는 엄마의 고단한 삶이 드러남.
* **나는 찬밥처럼 방에 담겨** 빈방에서 홀로 엄마를 기다리는 '나'의 외로운 처지를 '찬밥'에 빗대어 표현함.
* **배춧잎 같은 발소리 타박타박** 지친 엄마의 발소리를 '배춧잎'에 빗대어 표현함.

1 위 시를 이해한 내용으로 적절하지 않은 것은?

① 1연의 '나'는 어린아이이고, 2연의 '나'는 어른이다.
② '나'의 쓸쓸한 심정을 '열무 삼십 단'으로 표현했다.
③ 혼자인 '나'의 외로운 처지를 '찬밥'에 비유해 나타냈다.
④ 고요한 '빗소리'는 엄마를 기다리는 '나'의 외로움을 고조시키고 있다.
⑤ 부정적인 의미의 비슷한 표현을 반복하여 무거운 분위기를 조성하고 있다.

2 〈보기〉는 ㉠에 사용된 심상에 대한 설명이다. 다음 중 이와 같은 심상이 사용된 것은?

보기

심상이란 시를 읽을 때 마음속에 떠오르는 '이미지'를 말한다. 추상적이거나 관념적인 것을 감각적인 언어로 표현하여 구체화하는 것이다. 심상에는 시각적, 청각적, 촉각적, 미각적, 후각적 심상 등이 있으며, 두 가지 심상이 동시에 쓰여 하나의 감각이 다른 감각으로 옮겨지는 것을 공감각적 심상이라고 한다. ㉠은 청각적 심상인 엄마의 지친 '발소리'를 시각적 심상인 '배춧잎'으로 표현하여 청각의 시각화가 이루어지고 있으므로 공감각적 심상이라고 할 수 있다.

① 저 바람에 새가 슬피 운다
② 분수처럼 흩어지는 푸른 종소리
③ 발목이 시리도록 밟아도 보고
④ 어두운 방 안엔 바알간 숯불이 피고
⑤ 밀 익는 오월이면 보리 내음새

개념+ 공감각적 심상

하나의 감각을 다른 감각으로 옮겨 표현하는 심상
예 나비 허리에 새파란 초생달이 시리다. → 시각(새파란 초생달)의 촉각화(시리다)
예 해설피 금빛 게으른 울음을 우는 곳 → 청각(울음)의 시각화(금빛)

수능형

3 〈보기〉를 고려할 때 ㉡이 의미하는 바로 적절한 것은?

보기

[표준 국어 대사전]

윗-목 「명사」
[1] 온돌방에서 아궁이로부터 먼 쪽의 방바닥. 불길이 잘 닿지 않아 아랫목보다 상대적으로 차가운 쪽이다.

① 외롭고 쓸쓸했던 어린 시절의 '나'의 처지를 나타낸다.
② '나'의 어린 시절이 현재로부터 아주 먼 오래전의 일임을 나타낸다.
③ 고단했던 어린 시절이지만 돌이켜 보면 아름다운 추억이었음을 나타낸다.
④ 어른이 된 '나'가 어린 시절의 부정적인 감정을 극복하고자 함을 나타낸다.
⑤ 어린 시절의 '나'가 어려운 가정 형편 때문에 윗목에서 지낼 수밖에 없었음을 나타낸다.

마르셀 뒤샹

현대 미술에서 오브제*하면 제일 처음 떠오르는 예술가는 마르셀 뒤샹이다. 그는 화가나 조각가가 미술 재료를 가지고 공들여 만든 것만이 미술이라고 믿는 것을 이상하게 생각했다. 미술은 가치 있는 내용을 담은 우아하고 아름다운 것이라는 고정 관념에 대해서도 의문을 표했다.

뒤샹은 예술가가 어떤 물건을 선택해 미술 작품으로 부르면 그것은 엄연한* 미술이라는 기발한 생각을 했다. 그는 비예술적 재료인 오브제를 예술로 둔갑*시키는 작업에 착수*했다. 자전거 바퀴, 병 말리는 기구, 옷걸이, 모자걸이, 빗 같은 일상용품들을 전시장에 설치한 다음 미술품이라고 주장했다. 그의 엉뚱한 발상에 충격을 받은 사람들은 맹렬히 비난을 퍼부었지만 뒤샹은 눈 하나 까딱하지 않았다. 예술가가 오브제를 선택해 전시하면 그것이 바로 미술이라고 굳게 믿었기 때문이다.

뒤샹이 그토록 파격적인 결론에 도달한 까닭은 무엇일까? 그것은 미술에서 가장 중요한 것은 제작 과정이 아닌 작품 구상이라고 생각했기 때문이다. 다음 제시된 작품은 미술의 전통적인 개념을 뿌리째 뒤흔들어 버린 뒤샹의 혁명적인 발상을 매우 잘 보여 준다.

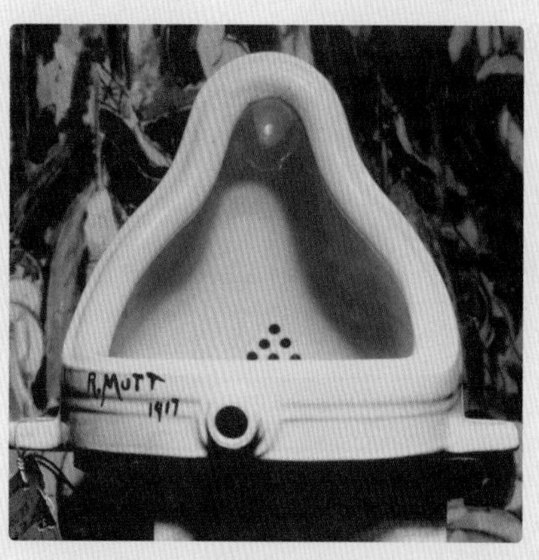

▲ 뒤샹의 「샘」

작품의 제목은 「샘」이다. 뒤샹은 화장실에서 흔히 볼 수 있는 소변기를 버젓이* 전시장에 진열하려고 했다. 심사위원들이 펄쩍 뛰는 바람에 그 뜻을 이루지는 못했으나, 뒤샹은 소변기를 미술품으로 주장한 근거를 이렇게 설명한다. “사람들이 소변기라는 선입견을 버리고 그것을 순수한 눈으로 감상한다면 소변기가 얼마나 세련된 형태미를 갖췄는지 느낄 수 있다. 역겨운 물건이라는 고정 관념만 버리면 아름다움을 느끼기에 전혀 부족함이 없다.”

뒤샹은 한술 더 떠 이미 완벽하게 아름다운 형태를 갖춘 기성품*이 있는데 굳이 새로 작품을 만들 필요가 있느냐고 반문*했다. 기성품이 지닌 아름다움을 예술가가 인식할 능력만 있다면 작가가 직접 만들었는지 아닌지는 전혀 중요하지 않다는 얘기이다. 예술가의 의도를 알아챈 관객이 기성품이 창작품만큼 예술성을 갖췄다고 인정하면 아무런 문제가 없다는 의미로, “예술품에는 작가의 땀과 정서가 담겨 있어야 한다.”라는 기존 미술의 역사와 관습을 정면으로 부정한 파격적인 이론이다.

이처럼 뒤샹은 오브제를 통해 예술과 예술이 아닌 것의 경계를 허물어뜨렸다. 그는 아이디어도 엄연한 미술이며 아이디어만 있으면 누구나 예술가가 될 수 있다는 것을 증명했다. 이제 한낱* 물건에 지나지 않는 오브제가 현대 미술의 주인공이 되는 시대가 열린 것이다.

* **오브제** 미술에서 예술과 무관한 물건을 본래의 용도에서 분리해 사용함으로써 새로운 느낌을 주는 물체를 이르는 말.
* **엄연하다** 어떠한 사실이나 현상이 부인할 수 없을 만큼 뚜렷하다.
* **둔갑** 사물의 본디 형체나 성질이 바뀌거나 가리어짐을 비유적으로 이르는 말.
* **착수** 어떤 일에 손을 댐. 또는 어떤 일을 시작함.
* **버젓이** 남의 시선을 의식하여 조심하거나 굽히는 데가 없이.
* **기성품** 이미 만들어져 있는 물품. 또는 미리 일정한 규격대로 만들어 놓고 파는 물품.
* **반문** 상대의 주장이나 의견에 대하여 동의하지 않는 부분이 있어 이의를 제기하며 질문함.
* **한낱** 기껏해야 대단한 것 없이 다만.

1 윗글을 통해 알 수 있는 뒤샹의 견해로 적절하지 <u>않은</u> 것은?

① 미술에서 가장 중요한 것은 제작 과정이 아닌 작품 구상이다.
② 미술은 우아하고 아름다운 것으로 작가의 땀과 정서가 담겨 있어야 한다.
③ 예술가가 오브제를 선택해 미술 작품이라고 부르면 그것은 엄연한 미술이다.
④ 아이디어도 엄연한 미술이며 아이디어만 있으면 누구나 예술가가 될 수 있다.
⑤ 기성품이 지닌 아름다움을 예술가가 인식할 수 있다면 그것은 미술 작품이 된다.

수능형

2 윗글의 내용을 바탕으로 〈보기〉를 감상한 의견으로 적절하지 <u>않은</u> 것은?

보기

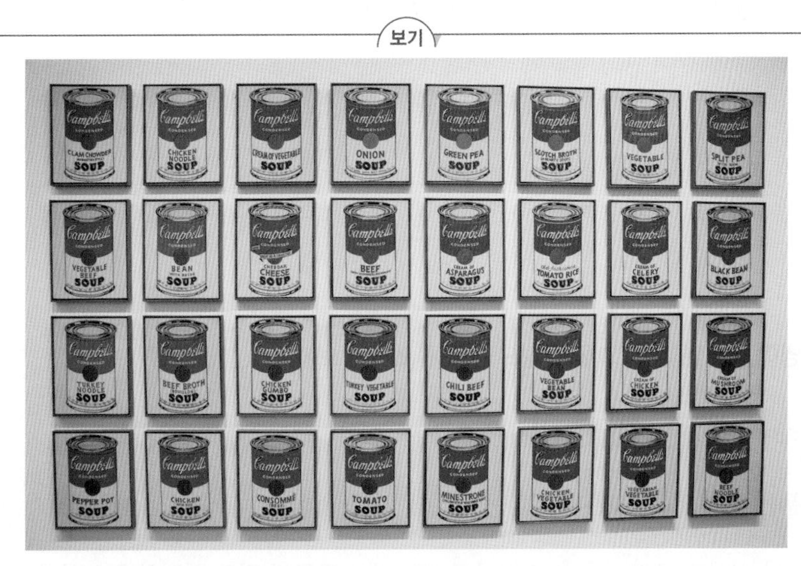

이 작품은 미국의 화가이자 영화 제작자인 앤디 워홀이 1962년 제작한 「캠벨 수프 캔」이다. 이 작품은 슈퍼마켓에서 파는 물건의 상표를 활용해 원래의 이미지를 수정한 후, 실크스크린 기법을 이용해 대량으로 복제하는 방식으로 만들었다.

① 이미지 복제로 작품을 만듦으로써 제작 과정을 중시한 기존 미술의 관습을 정면으로 부정하였군.
② 상표를 활용해 작품을 만든 것은 기성품에 의미를 부여하면 예술이 될 수 있음을 보여 준 것이군.
③ 오브제를 통해 예술과 예술 아닌 것의 경계를 허물었다는 점에서 뒤샹과 비슷하다고 볼 수 있겠군.
④ 원본의 이미지를 수정한 것에서 대상의 고유성보다는 작품 구상의 아이디어를 중시한 것임을 알 수 있군.
⑤ 누구나 쉽게 접할 수 있는 이미지를 사용했다는 것은 작품이 될 수 있는 미술 재료의 판단 기준을 대중성에 둔 것이겠군.

어휘 학습

1~4 다음 설명에 해당하는 어휘를 써 보자.

1 ┌ '사물을 분별하고 판단하여 앎.'을 뜻하는 말이야.
└ '그릇된 ○○을 고치다.', '○○이 높다.'와 같이 쓰여. ________

2 ┌ '어떤 생각을 해 냄. 또는 그 생각'을 뜻하는 말이야.
└ '○○의 전환', '시대착오적 ○○'과 같이 쓰여. ________

3 ┌ '어떤 일에 손을 댐. 또는 어떤 일을 시작함.'을 뜻하는 말이야.
└ '사업에 ○○하다.', '○○에 앞서 확인할 것이 있다.'와 같이 쓰여. ________

4 ┌ 사물의 본디 형체나 성질이 바뀌거나 가리어짐을 비유적으로 이르는 말이야.
└ '수입 농산물을 국산으로 ○○시키다.', '거짓이 진실로 ○○하다.'와 같이 쓰여. ________

5~7 다음 설명이 맞으면 ○에, 그렇지 않으면 ×에 표시해 보자.

5 '한낱'은 '기껏해야 대단한 것 없이 다만'을 뜻한다. (○ , ×)

6 '기성품'은 '주문을 받은 물품. 또는 주문하여 맞춘 물건'을 뜻한다. (○ , ×)

7 '반문'은 현상이나 사물의 옳고 그름을 판단하여 밝히거나 잘못된 점을 지적함을 뜻한다. (○ , ×)

8~10 다음 뜻에 해당하는 어휘를 골라 보자.

8 남의 시선을 의식하여 조심하거나 굽히는 데가 없이. (버젓이 / 번듯이)

9 어떠한 사실이나 현상이 부인할 수 없을 만큼 뚜렷하다. (엄연하다 / 완연하다)

10 온돌방에서 아궁이로부터 먼 쪽의 방바닥으로 불길이 잘 닿지 않아 차가운 쪽. (아랫목 / 윗목)

배경 지식

오브제

현대 미술을 이야기할 때 가장 많이 사용되는 단어가 오브제입니다. 오브제는 영어의 'object'에 해당하는 프랑스어로 물건, 물체, 대상, 목적물 등을 의미합니다. 즉 사람이 눈으로 보고 귀로 듣고 손으로 만지는 것은 모두 오브제가 됩니다.

한편 예술에서 불리는 오브제는 일상적인 사물이 아니라 특정한 의미가 부여된 상징물을 뜻합니다. 오브제는 일상생활에서 흔히 접할 수 있는 자연물이나 물건 등을 본래의 용도나 기능에서 분리해 그 자체를 작품으로 만들고, 이를 통해 일상적 의미에서 벗어난 상징적이고 환상적인 의미를 불러일으키는 것을 말합니다.

맨 처음 오브제로 미술 작품을 만든 사람은 입체파 예술가들입니다. 그들은 그림을 그리는 대신 신문이나 벽지, 노끈 등을 캔버스에 붙임으로써 손으로 직접 그리거나 만들지 않아도 미술이 될 수 있다는 것을 몸소 증명했습니다. 오브제는 기존의 가치를 전면적으로 부정하고 반이성, 반도덕을 표방한 예술 운동인 다다이즘의 영향 속에서 생겨났으며, 전통적인 예술의 개념을 뿌리째 흔들었습니다.

현대 미술에 큰 영향을 끼친 뒤샹 역시 다다이스트였는데 그의 「자전거 바퀴」는 기성품을 활용한 오브제의 대표적인 작품입니다. 뒤샹은 등받이 없는 나무 의자를 자전거 바퀴와 결합하여 낯설고 예상치 못한 조합만으로 훌륭한 미술 작품을 만들어 냈습니다. 뒤샹은 전통 미술에서 통용되던 미의 개념을 새롭게 정의한 혁명적인 미술가로서, 그의 「자전거 바퀴」는 기성품도 예술가가 선택해 제시한다면 물건이 애초에 갖고 있던 용도나 기능과는 무관한 새로운 의미를 획득하게 된다는 것을 보여 준 사례라고 할 수 있습니다.

▲ 뒤샹, 「자전거 바퀴」

간단 확인

1. 예술에서의 오브제는 일상적인 사물이 아니라 특정한 의미가 부여된 상징물을 뜻한다. 
2. 일상적인 물체가 오브제로 쓰일 때 그 물체의 용도는 그대로 유지되면서 새로운 의미를 획득한다.  

이상한 선생님 | 채만식

작품 안내

- **발단** 박 선생님과 강 선생님의 외모와 성격을 소개함.
- **전개** 학생들에게 일본 말을 쓸 것을 강요하는 박 선생님과 달리 강 선생님은 되도록 조선말을 씀.
- **위기** 일제가 전쟁에서 지고 조선이 독립함.
- **절정** 미국을 추종하며 찬양하는 박 선생님과 대립하다가 강 선생님이 파면을 당함.
- **결말** '나'는 미국을 찬양하는 박 선생님이 이상하다고 생각함.

우리 박 선생님은 참 이상한 선생님이었다.

박 선생님은 생긴 것부터가 무척 이상하게 생긴 선생님이었다. 키가 한 뼘밖에 안 되어서 뼘생 또는 뼘박이라는 별명이 있는 것처럼, 박 선생님의 키는 키 작은 사람 가운데에서도 유난히 작은 키였다. 일본 정치 때에, 혈서로 지원병을 지원했다 체격 검사에 키가 제 척수* 에 차지 못해 낙방*이 되었다면, 그래서 땅을 치고 울었다면, 얼마나 작은 키인지 알 일이다. 5

그런 작은 키에 몸집은 그저 한 줌만 하고. 이 한 줌만 한 몸집, 한 뼘만 한 키 위에 깜짝 놀랄 만큼 큰 머리통이 위태위태하게 올라앉아 있다. 그래서 박 선생님 또 하나의 별명은 대갈장군이라고도 했다. / 머리통이 그렇게 큰 박 선생님의 얼굴은 어떻게 생겼느냐 하면, 또한 여느 사람과는 많이 달랐다.

뒤통수와 앞이마가 툭 내솟고, 내솟은 좁은 이마 밑으로 눈썹이 시꺼멓고, 왕방울 같은 두 눈은 부리부리하니 정기*가 있고도 사납고, 코는 매부리코요, 입은 메기입으로 귀밑까지 넓죽 째지고, 목소리는 쇠꼬챙이로 찌르는 것처럼 쨍쨍하고. 10

이런 대갈장군인 뼘생 박 선생님과 아주 정반대로 생긴 이가 강 선생님이었다.

강 선생님은 키가 크고, 몸집도 크고, 얼굴이 너부룻하고*, 얼굴이 검기는 해도 순하여 사나움이 든 데가 없고, 눈은 더 순하고, 허허 웃기를 잘하고, 별로 성을 내는 일이 없고, 아무하고나 장난을 잘하고……. 강 선생님은 이런 선생님이었다. 〈중략〉 15

학교에서고 학교 밖에서고 조선말로 말을 하다 선생님한테 들키는 날이면 경치는* 판이었다. 선생님들 중에서도 제일 심하게 밝히는 선생님이 뼘박 박 선생님이었다. 교장 선생님이나 다른 일본 선생님은 나무라기만 하고 마는 수가 있어도, 뼘박 박 선생님만은 절대로 용서가 없었다. / 나도 여러 번 혼이 나 보았다. 20

한번은 상준이 녀석과 어떡하다 쌈이 붙었는데 둘이 서로 부둥켜안고 구르면서 이 자식아, 저 자식아, 죽어 봐, 때려 봐, 하면서 한참 때리고 제기고* 하는 참이었다. / 그런데, 느닷없이

"고랏! 조셍고데 겡까 스루야쓰가 이루까(이놈아! 조선말로 쌈하는 녀석이 어딨어)."

하면서 구둣발길로 넓적다리를 걷어차는 건, 정신없는 중에도 뼘박 박 선생님이었다.

우리 둘이는 그 자리에서 빰이 붓도록 따귀를 맞았고, 공부 시간에 들어가지도 못하고 그 시간 동안 변소 청소를 했고, 그리고 조행* 점수를 듬뿍 깎였다. / 이렇게 뼘박 박 선생님한테 제일 중한 벌을 받는 때가 언제냐 하면, 조선말로 지껄이다 들키는 때였다. 25

강 선생님은 그와 반대로 아무 시비가 없었다. / 교실에서 공부를 할 때 빼고는 그리고 다른 선생님, 그중에서도 교장 이하 일본 선생님들과 뼘박 박 선생님이 보지 않는 데서는, 강 선생님은 우리한테, 일본 말로 말을 하지 않았다. 우리들이 일본 말을 해도 강 선생님은 조선말을 하곤 했다. / 우리가 어쩌다 / "선생님은 왜 '국어(일본 말)'로 안 하세요?" 30

하고 물으면 강 선생님은 웃으면서 / "나는 '국어'가 서툴러서 그런다." / 하고 대답했다.

그렇지만 우리가 보기에도 강 선생님은 일본 말이 서투른 선생님이 아니었다.

* **척수** 치수. 길이에 대한 몇 자 몇 치의 셈.
* **낙방** 시험, 모집, 선거 따위에 응하였다가 떨어짐.
* **정기** 생기 있고 빛이 나는 기운.
* **너부룻하다** '너부죽하다'의 방언. 조금 넓고 평평한 듯하다.
* **경치다** 혹독하게 벌을 받다.
* **제기다** 팔꿈치나 발꿈치 따위로 지르다.
* **조행** 태도와 행실을 아울러 이르는 말.

1 윗글에 대한 이해로 적절하지 않은 것은?

① 강 선생님과 박 선생님은 서로 대조적인 외양을 지녔군.
② 박 선생님은 우리들이 일본 말을 쓰지 않으면 중한 벌을 주곤 했군.
③ '나'는 조선말을 사용하다가 박 선생님에게 혼난 적이 여러 번 있었군.
④ 강 선생님이 우리들 앞에서 조선말을 사용한 것은 일본 말이 서툴렀기 때문이군.
⑤ 박 선생님에 대한 외양 묘사로 보아, '나'는 박 선생님에게 부정적인 시선을 지녔군.

2 윗글에 등장하는 박 선생님과 강 선생님에 대한 설명으로 적절한 것은?

① 박 선생님과 강 선생님 모두 친일적인 성향이 있다.
② 박 선생님과 달리 강 선생님은 옹졸하고 화를 잘 낸다.
③ 강 선생님과 달리 박 선생님은 마음이 넓고 여유로우며 유순하다.
④ 박 선생님과 달리 강 선생님은 민족정신을 지키고자 하는 면이 있다.
⑤ 강 선생님과 달리 박 선생님은 일제에 동조하지 않고 저항하고자 하는 면이 있다.

수능형

3 〈보기〉를 참고하여 윗글을 이해한 내용으로 가장 적절한 것은?

보기

풍자는 작가가 하고 싶은 말을 직접적으로 드러내지 않고 과장하거나 왜곡하고, 비꼬아서 표현하여 웃음을 유발하는 것을 말한다. 풍자가 웃음을 유발한다는 점에서 해학과 유사하지만 표현 대상에 대한 태도와 그 목적에 차이가 있다. 해학은 표현 대상에 대한 연민을 바탕으로 그에 공감하는 웃음이고, 풍자는 표현 대상을 공격하고 비판하는 웃음이다. 또한 풍자는 웃음을 통해 개인이나 사회의 문제점을 비판하고 나아가 그 문제점을 개선하려는 목적을 지닌다는 점에서 해학과 차이가 있다.

① 작가는 풍자의 대상을 박 선생님과 강 선생님으로 설정하였다고 볼 수 있겠군.
② 독자는 '나'의 서술을 통해 풍자의 대상에 대한 직접적인 비판을 확인할 수 있겠군.
③ 독자는 박 선생님의 현실 대응 방법에 대해 깊이 공감하고 연민을 느낄 수 있겠군.
④ 작가는 박 선생님의 외양을 과장하고 희화화하여 그의 부정적인 측면을 비판하고자 했겠군.
⑤ 작가가 박 선생님의 외양을 통해 웃음을 유발한 점으로 보아 문제점을 개선하려는 의도는 없었다고 볼 수 있겠군.

개념+ 풍자

- 개념: 사실을 곧이곧대로 드러내지 않고 과장하거나 왜곡하고, 비꼬아서 표현하여 웃음을 유발함으로써, 현실의 부정적인 현상이나 모습을 폭로하는 표현 방법임.
- 효과: 풍자를 사용하면 웃음을 유발하여 독자와 공감대를 형성할 수 있고, 부정적인 대상을 효과적으로 비판할 수 있음.

작품 안내

발단 박 선생님과 강 선생님의 외모와 성격을 소개함.

전개 학생들에게 일본 말을 쓸 것을 강요하는 박 선생님과 달리 강 선생님은 되도록 조선말을 씀.

위기 일제가 전쟁에서 지고 조선이 독립함.

절정 미국을 추종하며 찬양하는 박 선생님과 대립하다가 강 선생님이 파면을 당함.

결말 '나'는 미국을 찬양하는 박 선생님이 이상하다고 생각함.

뼘박 박 선생님은 학과 시간마다 우리에게 여러 가지 좋은 이야기를 많이 해 주었다. 일본이 우리 조선을 뺏어 저의 나라에 속국으로 삼던 이야기도 해 주었다.

왜놈들은 천하의 불측한 인종이어서 남의 나라와 전쟁하기를 좋아하는 백성이라고 했다. 그래서 임진왜란 때에도 우리 조선에 쳐들어왔고, 그랬다가 이순신 장군이랑 권율 도원수한테 아주 혼이 나서 쫓겨 간 이야기도 해 주었다. / 우리 조선은 역사가 사천 년이나 오래되고 그리고 세계의 어떤 나라 못지않게 훌륭한 문화가 발달한 나라라는 이야기도 해 주었다.

뼘박 박 선생님은 한편으로 열심히 미국 말을 공부했다. 그러면서 우리더러 졸업을 하고 중학교에 가거들랑 미국 말을 무엇보다도 많이 공부하라고, 시방은 미국 말을 모르고는 훌륭한 사람이 되지 못한다고 했다.

뼘박 박 선생님은 한 일 년 그렇게 미국 말 공부를 하더니, 그다음부터는 미국 병정이 오든지 하면 일쑤 통역을 하고 했다. 중학교에 다닐 때에 조금 배운 것이 있어서 그렇게 쉽게 체득*했다고 했다. / 미국 병정은 벼 공출*을 감독하러 와서 우리 뼘박 박 선생님을 그 꼬마 자동차에 태워 가지고 동네 동네 돌아다녔다. 〈중략〉

뼘박 박 선생님은 미국을 침이 마르도록 칭찬했다. 이 세상에 미국같이 훌륭한 나라가 없고, 미국 사람같이 훌륭한 백성이 없다고 했다. 우리 조선은 미국 덕분에 해방이 되었으니까 미국을 누구보다도 고맙게 여기고, 미국이 시키는 대로 순종*해야 하느니라고 했다.

우리가 혹시 말끝에 "미국 놈……."이라고 하면, 뼘박 박 선생님은 단박 붙잡아다 벌을 세우곤 하였다. 전에 "덴노헤이까 바가(천황 폐하 망할 자식)!"라고 한 것만큼이나 엄한 벌을 주었다. / "이놈아 아무리 미련한 소견*이기로, 자아 보아라. 우리 조선을 독립을 시켜 주느라구 자기 나라 백성을 많이 죽여 가면서 전쟁을 했지. 그래서 그 덕에 우리 조선이 왜놈의 압제*에서 벗어나서 독립이 되질 아니했어? 그뿐인감? 독립을 시켜 주구 나서두 우리 조선 사람들 배 아니 고프구 편안히 잘 살라고 양식이야, 옷감이야, 기계야, 자동차야, 석유야, 설탕이야, 구두야, 무어 죄다 골고루 가져다주지 않어? 그런데 그런 고마운 사람들더러, 미국 놈이 무어야?" / 벌을 세우면서 뼘박 박 선생님은 이렇게 꾸짖곤 하였다.

우리는 뼘박 박 선생님더러 미국에도 덴노헤이까가 있느냐고 물었다. 미국에 덴노헤이까가 있지 않고서야 그렇게 일본의 덴노헤이까처럼 우리 조선 사람을 친아들과 같이 사랑하고, 우리 조선 사람들이 잘 살도록 근심을 하며, 온갖 물건을 가져다주고 할 이치*가 없기 때문이었다(해방 전에 뼘박 박 선생님은, 덴노헤이까는 우리 조선 사람들을 일본 사람들과 같이 사랑하고, 우리 조선 사람들이 잘 살기를 근심하신다고 늘 가르쳐 주곤 했다.).

뼘박 박 선생님은 미국에는 덴노헤이까는 없고, 덴노헤이까보다 훌륭한 '돌멩이'라는 양반이 있다고 대답했다. / 우리는 그럼 이번에는 그 '돌멩이'라는 훌륭한 어른을 위하여 '미국 신민노 세이시(미국 신민 서사)'를 부르고, 기미가요(일본의 국가) 대신 돌멩이 가요를 부르고 해야 하나 보다고 생각했다. / 아무튼 뼘박 박 선생님은 참 이상한 선생님이었다.

* **체득** 몸소 체험하여 알게 됨.
* **공출** 국민이 국가의 수요에 따라 농업 생산물이나 기물 따위를 의무적으로 정부에 내어놓음.
* **순종** 순순히 따름.
* **소견** 어떤 일이나 사물을 살펴보고 가지게 되는 생각이나 의견.
* **압제** 권력이나 폭력으로 남을 꼼짝 못 하게 강제로 누름.
* **이치** 사물의 정당한 조리(條理). 또는 도리에 맞는 취지.

4 윗글을 통해 알 수 있는 박 선생님에 대한 설명으로 적절하지 않은 것은?

① 해방 전에는 일본을, 해방 후에는 미국을 찬양한다.
② 해방 후 미국 말을 공부하여 미국에 협력적인 모습을 보인다.
③ 학교에서 미국 말을 사용하지 않는 학생들을 혼내는 모습을 보인다.
④ 미국에 대해서 감사하는 마음을 지녀야 한다고 학생들에게 강조한다.
⑤ 혼란한 상황에서 자신의 이익을 위해서 적극적으로 변신하는 모습을 보인다.

5 윗글을 읽고 나눈 감상의 내용으로 적절하지 않은 것은?

① '나'는 박 선생님의 변화를 이해하지 못해서 이상한 선생님이라고 생각하는 것 같아.
② 박 선생님의 모습을 우스꽝스럽게 표현하여 독자의 비판적인 시선을 유도하고 있는 것 같아.
③ 순진하고 어리숙한 어린아이의 모습을 보여 줌으로써 독자의 웃음을 유발하는 효과를 얻고 있어.
④ '우리'의 질문에 대한 박 선생님의 대답을 통해 그의 온화하고 재치 넘치는 성격을 부각하고 있어.
⑤ 해방 전후 상반된 박 선생님의 모습을 통해 기회주의자에 대한 비판이라는 주제 의식이 잘 드러나는 것 같아.

어휘

6 〈보기〉는 박 선생님의 태도를 해방 전과 후로 나누어 정리한 것이다. 〈보기〉와 같은 상황에 어울리는 속담으로 가장 적절한 것은?

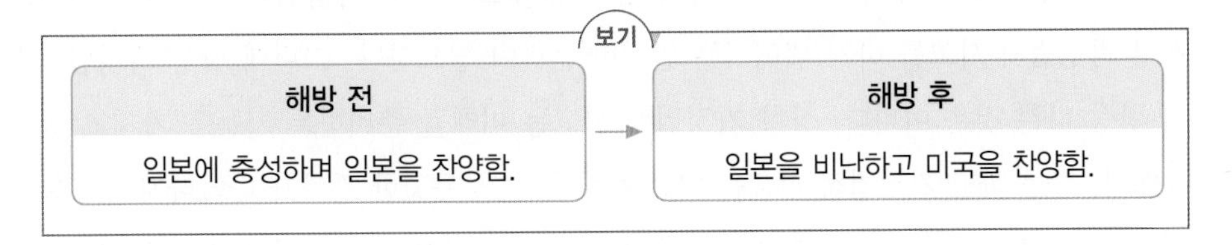

① 돌다리도 두들겨 보고 건너라
② 간에 붙었다 쓸개에 붙었다 한다
③ 남의 잔치에 감 놓아라 배 놓아라 한다
④ 가랑잎이 솔잎더러 바스락거린다고 한다
⑤ 뱁새가 황새를 따라가면 다리가 찢어진다

상향 가정법과 하향 가정법

의사 결정을 한 뒤 부정적 결과가 나타나면 사람들은 어떻게 반응할까? 대부분의 사람들은 '만약 그때 그렇게 하지 않았다면/했더라면……' 하고 당시의 결정과 다른 생각을 할 것이다. 예를 들어 버스, 지하철, 자가용 중 무엇을 탈지 고민하다 버스를 탔는데 길이 막혀서 늦은 경우를 생각해 보자. 이런 상황에서 '지하철을 탔으면 늦지 않았을 텐데…….'라고 자책할 수도 있고, '자가용을 가지고 왔으면 더 늦었을 거야.'라며 위안할 수도 있다. 이때 '지하철을 탔으면', '자가용을 가지고 왔으면'은 선행 요인이 되고 '늦지 않았을 텐데', '더 늦었을 거야'는 결과 요인이 된다.

이처럼 사람들이 선행 요인을 바꾸어 다른 결과 요인을 생각하는 사고방식을 '가정법적 사고'라고 한다. 가정법적 사고는 사람들의 심리 상황에 따라 다르게 나타난다. 위의 예에서 '지하철을 탔으면 늦지 않았을 텐데…….'와 같이 실제 결과보다 더 좋은 결과를 가정하는 것을 상향 가정법적 사고라고 하고, '자가용을 탔으면 더 늦었을 거야.'와 같이 실제 결과보다 더 나쁜 결과를 가정하는 것을 하향 가정법적 사고라고 한다. 상향 가정법적 사고는 더 좋은 선행 요인을 선택하지 않았다는 후회나 아쉬움과 관련이 있고 하향 가정법적 사고는 더 나쁜 선행 요인을 선택하지 않았다는 안도감이나 다행스러움과 관련이 있다.

[A] 그렇다면 가정법적 사고는 사람들의 만족감에 어떤 영향을 미칠까? 올림픽 시상식을 떠올려 보자. 시상대에 오른 선수 중 누가 가장 슬픈 표정을 지을까? 금메달을 딴 선수가 가장 기뻐하는 것은 당연할 것이다. 은메달과 동메달 수상자 중 누가 더 기뻐하는지가 관건인데 심리학자들이 연구한 바에 따르면, 많은 사람들이 은메달 수상자보다는 동메달 수상자가 더 기뻐한다고 보았다. 왜 그럴까? 은메달 수상자는 '조금만 출발이 빨랐다면 금메달을 받았을 텐데…….'라는 상향 가정법적 사고를 하는 반면, 동메달 수상자는 '조금만 실수했으면 메달을 받지도 못했을 텐데…….'라는 하향 가정법적 사고를 할 가능성이 높기 때문이다.

사람들은 동일한 사건에 대해 어떤 방식으로 생각하느냐에 따라 다른 감정을 느낄 수 있다. 부정적인 결과가 발생했을 때는 정신 건강을 위해 하향 가정법적 사고가 더 좋다. 그러나 부정적인 결과가 발생한 순간 사람들은 본능적으로 상향 가정법적 사고를 하게 되므로 하향 가정법적 사고를 하기 위해서는 일정한 훈련이 필요하다. 그런데 상향 가정법적 사고가 항상 나쁜 것은 아니다. 상향 가정법적 사고는 미래를 준비하는 기능을 가지고 있기 때문이다. 보통 하향 가정법적 사고를 하는 사람은 향후 동일한 결과가 나타나지 않도록 조심하기보다는 더 안 좋은 결과를 피했다며 위안을 하는 편이다. 그러나 상향 가정법적 사고를 하는 사람은 다음에 똑같은 결과가 나타나지 않도록 더 많은 준비를 하기 때문에 미래에 더 좋은 성과를 낼 가능성이 크다.

* **자책** 자신의 결함이나 잘못에 대하여 스스로 깊이 뉘우치고 자신을 책망함.
* **위안** 위로하여 마음을 편하게 함. 또는 그렇게 하여 주는 대상.
* **관건** 어떤 사물이나 문제 해결의 가장 중요한 부분.
* **향후** 이것에 뒤이어 오는 때나 자리.

1 윗글의 서술상 특징으로 적절하지 않은 것은?

① 중심 소재의 개념을 분명하게 제시하고 있다.
② 통념*과 다른 새로운 관점에서 현상을 분석하고 있다.
③ 두 대상을 견주어* 차이점을 드러내며 내용을 전개하고 있다.
④ 구체적인 사례를 제시하여 중심 내용에 대한 이해를 돕고 있다.
⑤ 질문을 통해 독자의 관심과 흥미를 유발하며 내용을 전개하고 있다.

* **통념** 일반적으로 널리 통하는 개념.
* **견주다** 둘 이상의 사물을 질이나 양 따위에서 어떠한 차이가 있는지 알기 위하여 서로 대어 보다.

2 윗글의 내용과 일치하는 것은?

① 상향 가정법적 사고는 실제 결과보다 더 나쁜 결과를 가정하는 사고방식이다.
② 가정법적 사고는 사람들의 심리 상황과는 상관없이 동일하게 나타나는 편이다.
③ 결과 요인에 영향을 미친 선행 요인을 분석하는 사고방식을 가정법적 사고라고 한다.
④ 부정적인 결과가 발생했을 때 사람들은 본능적으로 하향 가정법적 사고를 하는 경향이 있다.
⑤ 동일한 사건에 대해 어떤 방식으로 생각하느냐에 따라 사람들은 감정을 다르게 느낄 수 있다.

3 윗글을 바탕으로 [A]를 해석한 내용으로 적절한 것은?

① 동메달 수상자보다 은메달 수상자의 심리적 만족감이 크다.
② 은메달 수상자의 상향 가정법적 사고는 미래를 위해 더 많은 준비를 하게 될 수 있다.
③ 은메달 수상자가 동메달 수상자보다 덜 행복해 보이는 것은 더 나쁜 결과를 가정하였기 때문이다.
④ 은메달 수상자는 더 나쁜 선행 요인을 선택하지 않았다는 것에 대한 후회와 아쉬움을 느낄 가능성이 높다.
⑤ 동메달 수상자가 더 행복해 보이는 것은 실제 결과보다 더 좋은 결과를 가정하여 안도감을 느끼기 때문이다.

어휘 학습

1~4 빈칸에 공통적으로 들어갈 어휘를 〈보기〉에서 찾아 써 보자.

보기

소견　　압제　　위안　　자책

1 (　　　)(으)로 삼다, (　　　)이/가 되다 ________

2 (　　　)에서 벗어나다, (　　　)에 항거하다 ________

3 (　　　)을/를 내세우다, (　　　)이/가 좁다 ________

4 (　　　)을/를 느끼다, (　　　)(으)로 괴로워하다 ________

5~7 제시된 초성을 참고하여 밑줄 친 부분에 해당하는 어휘를 써 보자.

5 내 동생은 항상 부모님의 말씀에 <u>순순히 따른다</u>.

ㅅㅈ한다 → (　　　)한다

6 우리 형이 대학 시험에 <u>떨어져</u> 집안 분위기가 매우 안 좋다.

ㄴㅂ하여 → (　　　)하여

7 나는 이번 일을 겪고 나서야 부모님의 말씀이 옳았다는 것을 <u>몸소 체험하여 알게 되었다</u>.

ㅊㄷ하였다 → (　　　)하였다

8~10 다음 뜻에 해당하는 어휘를 찾아 바르게 연결해 보자.

8 생기 있고 빛이 나는 기운. • 　　• ㉠ 정기

9 이것에 뒤이어 오는 때나 자리. • 　　• ㉡ 관건

10 어떤 사물이나 문제 해결의 가장 중요한 부분. • 　　• ㉢ 향후

일제 강점기의 민족 말살 정책

1937년 중일 전쟁을 일으키며 침략 전쟁을 본격화한 일제는 한국인의 민족정신을 말살하기 위해 여러 시도를 하였습니다. 일본과 조선은 하나라는 내선일체를 주장하면서 조선인을 일본인으로 동화하려는 민족 말살 정책을 시행한 것입니다. 일제는 국민정신을 함양한다는 이유를 내세워 어린 학생들에게까지 '황국 신민 서사'라는 충성 맹세문을 억지로 외우게 하고, 매일 아침마다 일본 궁성을 향해 허리를 숙여 절하도록 하는 궁성 요배를 강요하였습니다. 또한 전국 곳곳에 일본 왕실의 조상이나 침략 전쟁의 전사자를 신으로 하는 신사를 세워 강제로 참배시켰고, 이를 거부하는 사람은 갖은 방법을 동원하여 핍박하였으며, 감옥에 보내기도 하였습니다. 소학교의 명칭도 '황국 신민 학교'라는 뜻의 국민학교로 바꾸고 성과 이름도 일본식 성명으로 바꾸도록 강요하였습니다.

이 밖에도 일제는 학교와 관공서에서 조선어 사용을 금지하고 일본어만을 사용하도록 하였습니다. 이에 따라 학교 수업에서 조선어 과목이 사실상 폐지되었고, 『조선일보』와 『동아일보』 등의 한글 신문과 『문장』 등 한글로 쓰인 잡지도 전면 폐간되었습니다. 또한 1942년에 조선어 학회 사건을 일으켜 『조선말 큰사전』 편찬을 준비하고 있던 조선어 학회 회원들을 치안 유지법 위반으로 구속하고 조선어 학회를 해산하였습니다.

▲ 일제 강점기 조선어 학회가 편찬을 시작한 『조선말 큰사전』(출처: 국립 중앙 박물관)

이처럼 일제의 민족 말살 정책은 우리 민족의 저항 운동을 차단하고, 일본이 일으킨 침략 전쟁에 본격적으로 조선인을 동원하기 위한 것이었습니다. 이 정책에 적극 동참한 사람도 일부 있었지만 많은 사람들은 이에 맞서 저항하며 나라를 되찾기 위한 노력을 꾸준히 계속하였습니다.

간단 확인

1. 일제는 학교에서 일본어를 사용하게 하고 한글 신문을 폐간시키는 등 민족 말살 정책을 펼쳤다.  
2. 일제가 펼친 민족 말살 정책으로 일제에 대한 우리 민족의 저항은 철저하게 차단되었다. 

떨어져도 튀는 공처럼 | 정현종

작품 안내

이 작품은 공의 속성을 삶에 적용하여 살아가고자 하는 마음가짐을 드러낸 시이다. 공의 속성이 어떠한 삶의 태도로 연결되는지에 주목하며 시를 감상해 보자.

그래 살아 봐야지
너도 나도 공이 되어
떨어져도 튀는 공이 되어

살아 봐야지
쓰러지는 법이 없는 둥근
공처럼, 탄력의 나라의
왕자처럼*

가볍게 떠올라야지
곧 움직일 준비되어 있는 꼴
둥근 공이 되어

옳지 최선의 꼴*
지금의 네 모습처럼
떨어져도 튀어 오르는 공
쓰러지는 법이 없는 공이 되어.

시어·시구 해설

* **탄력의 나라의 왕자처럼** 공이 탄력을 가졌다는 속성을 비유적으로 표현함.
* **옳지 최선의 꼴** 공이 가진 모습이 가장 이상적인 모습임을 표현함.

정답과 해설 52쪽

1 위 시에 대한 설명으로 적절하지 않은 것은?

① 독자에게 친근감 있는 어투를 사용하고 있다.
② 반복되는 구절을 통해 화자의 의지를 드러내고 있다.
③ 사물을 통해 얻은 깨달음을 사회 현상에 적용하고 있다.
④ 우리 주변에서 쉽게 볼 수 있는 사물을 소재로 하고 있다.
⑤ 상승 이미지와 하강 이미지를 대비하여 수직적 이미지를 형성하고 있다.

개념+ 상승·하강 이미지

- 개념: 낮은 데서 높은 데로 올라가는 느낌을 주는 것을 '상승 이미지', 위에서 아래로 내려오는 느낌을 주는 것을 '하강 이미지'라고 함.
- 특징: 상승 이미지는 위로 오르는 사물이나 상황, 하강 이미지는 아래로 꺼지는 사물이나 상황을 통해 나타남. 보통 상승 이미지는 긍정적으로, 하강 이미지는 부정적으로 인식하는 경향이 있음.

수능형

2 〈보기〉에서 위 시에 사용된 표현 방법을 골라 바르게 짝지은 것은?

보기

ㄱ. 대상의 일부를 가지고 전체를 대신하여 나타내고 있다.
ㄴ. 의도적으로 원래의 뜻과는 다르게 반대로 말하고 있다.
ㄷ. 문장의 어순을 바꾸어서 말하고자 하는 바를 강조하고 있다.
ㄹ. 화자가 지향하는 삶의 자세를 연결어를 사용하여 비유적으로 드러내고 있다.

① ㄱ, ㄴ ② ㄱ, ㄷ ③ ㄴ, ㄷ ④ ㄴ, ㄹ ⑤ ㄷ, ㄹ

개념+ 표현 방법

- 대유법: 어떤 대상의 부분으로 대상 전체를 나타내거나, 밀접한 관련이 있는 사물의 속성을 통해 본래의 대상을 나타내는 방법
- 반어법: 실제로 말하고자 하는 의미와는 정반대로 표현하는 방법
- 도치법: 말이나 문장의 배열 순서를 바꾸어서 표현하는 방법
- 직유법: '~처럼, ~같이, ~듯이, ~인 양' 등을 사용하여 원관념과 보조 관념을 직접 연결해 표현하는 방법

3 위 시의 화자가 지향하는 삶의 태도로 가장 적절한 것은?

① 너그럽게 다른 사람을 포용*해 주는 태도
② 자신을 성찰*하며 내면적으로 성장해 가는 태도
③ 지나친 경쟁 속에서도 여유롭게 살아가는 태도
④ 주변 인물들과 동화되어 조화롭게 살아가는 태도
⑤ 어려운 현실에 부딪혀도 포기하지 않고 씩씩하게 살아가는 태도

* **포용** 남을 너그럽게 감싸 주거나 받아들임.
* **성찰** 자기의 마음을 반성하고 살핌.

소비자의 청약 철회권

인터넷 쇼핑몰에서 옷을 한 벌 샀다고 가정해 보자. 화면으로 봤을 땐 마음에 쏙 들었는데, 막상 옷을 받아 보니 색상과 디자인이 마음에 들지 않았다. 그래서 바로 반품을 하려고 판매자에게 연락을 했고, 이에 판매자는 반품이 불가능하다는 공지*를 사전*에 하였으므로 안 된다고 답변하였다. 이런 경우 반품이 정말 불가능한 것일까?

앞의 사례처럼 인터넷 쇼핑으로 구입한 상품을 반품하는 경우 소비자는 그 상품을 받은 날로부터 7일 이내에 반품할 수 있다. 이는 소비자에게 법이 보장하는 '청약 철회권'이 있기 때문이다. 여기서 ㉠'청약'이란 소비자가 상품이나 서비스를 구입하겠다는 의사 표시를 말하고, '철회'는 다시 거두어들인다는 뜻이다. 즉, 청약 철회권이란 소비자가 법이 정한 기간 안에 청약을 자유로이 철회하고 계약을 없던 것으로 되돌릴 수 있는 권리를 말한다.

그런데 소비자가 청약 철회권을 행사*할 수 없는 경우가 있다. 우선 상품을 잃어버리거나 훼손*하는 등 소비자가 잘못한 경우, 소비자가 상품을 쓰거나 소비하여서 그 상품의 가치가 현저히* 감소한 경우에는 청약을 철회할 수 없다. 또한 시간이 지나 상품의 재판매가 곤란한 경우도 있다. ㉡예를 들면 과일이나 야채와 같은 신선 식품류는 시간이 지나면 신선도가 떨어져 재판매를 할 수 없다. 영화 디브이디(DVD)나 게임 시디(CD) 등과 같이 복제가 가능한 상품도 포장이 훼손된 경우에는 청약을 철회할 수 없다.

이와 달리 판매자가 소비자의 청약 철회를 방해하는 행위가 있다. 먼저 판매자가 거짓된 사실을 알려 소비자를 속이는 경우이다. ㉢예를 들면 '흰색 옷은 반품이 불가합니다', '세일 상품은 반품이 불가합니다', '고객의 단순 변심으로 인한 반품은 불가합니다'와 같은 문구를 판매자가 인터넷 쇼핑몰에 게시하는 행위이다. 다음으로 판매자가 소비자에게 청약 철회를 이유로 반품 배송비 외에 위약금*, 취소 수수료 등 추가적인 비용을 요구하는 경우이다. 예를 들어 소비자가 인터넷 쇼핑몰에서 구입한 옷을 반품하는데 판매자가 반품 배송비 외에 인건비, 포장비 등을 추가적으로 요구하는 것이 이에 해당한다. 이렇게 ㉣판매자가 소비자의 청약 철회를 방해하는 행위 때문에 소비자는 충분히 반품할 수 있는 상품임에도 반품을 포기할 우려*가 있다.

지금까지의 설명을 종합해 보면 ㉤소비자는 청약 철회권을 행사할 수 없는 경우에 유의*하여 자신의 권리를 누려야 하며, 판매자는 소비자의 청약 철회권 행사를 방해해서는 안 된다. 이를 통해 소비자가 보호받는 건전한 거래 질서가 확립되기를 기대한다.

* **공지** 세상에 널리 알림.
* **사전** 일이 일어나기 전. 또는 일을 시작하기 전.
* **행사** 권리의 내용을 실현함.
* **훼손** 헐거나 깨뜨려 못 쓰게 만듦.
* **현저히** 뚜렷이 드러날 정도로.
* **위약금** 계약의 당사자가 계약을 위반하였을 때, 그 제재로서 상대에게 지불하기로 약정한 돈.
* **우려** 근심하거나 걱정함. 또는 그 근심과 걱정.
* **유의** 마음에 새겨 두어 조심하며 관심을 가짐.

1 **윗글을 통해 알 수 있는 내용으로 적절하지 않은 것은?**

① 소비자가 인터넷 쇼핑으로 구입한 상품은 상품을 받고 7일이 지나면 반품하기가 어렵다.

② 소비자가 인터넷 쇼핑으로 구입한 상품을 훼손하였다면 상품을 받고 7일이 지나지 않았더라도 반품하기가 어렵다.

③ 소비자가 인터넷 쇼핑으로 산 게임 시디는 포장을 뜯었더라도 상품을 받고 7일이 지나지 않았다면 반품이 가능하다.

④ 소비자가 반품을 하려고 할 때 판매자가 취소 수수료를 요구하면 소비자의 청약 철회를 방해하는 것으로 볼 수 있다.

⑤ 판매자가 소비자의 단순 변심에 의한 반품에 대해 불가능하다고 말한다면 이는 거짓된 사실로 소비자를 속이는 행위이다.

2 **㉠~㉤에 사용된 설명 방식에 대한 이해로 적절하지 않은 것은?**

① ㉠: 청약 철회권을 설명하기 위해 청약의 뜻과 철회의 뜻을 밝히고 있다.

② ㉡: 시간이 지나면 재판매가 어려운 상품을 예로 들어 설명하고 있다.

③ ㉢: 판매자가 거짓된 사실을 알려 소비자를 속이는 구체적인 사례를 늘어놓고 있다.

④ ㉣: 판매자가 소비자의 청약 철회를 방해할 때 발생할 수 있는 결과를 설명하고 있다.

⑤ ㉤: 소비자의 청약 철회권이 인정되는 근거를 부분별로 밝혀 설명하고 있다.

수능형

3 **〈보기〉를 바탕으로 위약금을 이해한다고 할 때, ⓐ에 들어갈 말로 가장 적절한 것은?**

보기

학생: 선생님, '위약금'의 의미를 몰라서 사전을 찾아봤는데 뜻풀이를 읽어도 잘 모르겠어요.
선생님: 그건 '위약금'이 법률 용어라서 그래. '충수염*' 같은 의학 용어들도 우리가 쉽게 이해하기 어려운 것처럼 말이야. 왜냐하면 이런 말들은 (ⓐ)이기 때문이지.

① 다른 나라에서 들어와 우리말처럼 쓰이는 어휘

② 비교적 짧은 시기에 걸쳐 많은 사람들이 사용한 어휘

③ 학술* 분야나 전문 분야에서 특별한 의미로 쓰이는 어휘

④ 다른 나라에서 들여온 것이 아니라 원래부터 있던 우리말 어휘

⑤ 불쾌감이나 두려운 느낌을 주어 입 밖으로 내기가 꺼려지는 어휘

* **충수염** 장 아래쪽에 있는 충수에 생기는 염증. 일반적으로 맹장염이라고 하지만 의학적으로는 충수염이 바른 말이다.

* **학술** 학문과 기술을 아울러 이르는 말.

어휘 학습

1~4 빈칸에 들어갈 어휘를 〈보기〉에서 찾아 써 보자.

보기
꼴 위약금 유의 행사

1 조각품이 서서히 ( )을/를 갖추어 간다.

2 투표권을 ( )하여 민주주의를 실천하자.

3 건강에 대한 ( )은/는 아무리 강조해도 지나치지 않다.

4 계약을 포기할 경우 계약금의 두 배가 넘는 ( )을/를 물어야 한다.

5~7 제시된 초성을 참고하여 다음 뜻에 해당하는 어휘를 써 보자.

5 ㅎㅅ: 헐거나 깨뜨려 못 쓰게 만듦. → ( )

6 ㅇㄹ: 근심하거나 걱정함. 또는 그 근심과 걱정. → ( )

7 ㅅㅈ: 일이 일어나기 전. 또는 일을 시작하기 전. → ( )

8~10 다음 뜻에 해당하는 어휘를 골라 보자.

8 세상에 널리 알림. (공지 / 인지)

9 뚜렷이 드러날 정도로. (현저히 / 현현히)

10 남을 너그럽게 감싸 주거나 받아들임. (관용 / 포용)

전자 상거래 시 소비자의 청약 철회

전자 상거래란 넓은 의미로는 기업이나 소비자가 전화, 인터넷, 티브이(TV) 등을 통하여 상품을 사고파는 경제 활동을 뜻하고 좁은 의미로는 인터넷 온라인 쇼핑몰에서 물건을 사고파는 것을 뜻합니다.

직접 물건을 보고 살 수 없다는 점에서 전자 상거래는 소비자 보호 문제가 발생할 가능성이 많기 때문에 우리나라 법에서는 전자 상거래로 일어날 수 있는 피해를 최소화하기 위해 '전자 상거래 등에서의 소비자 보호에 관한 법률'을 제정하여 소비자를 보호하고 있습니다.

전자 상거래 또는 통신 판매로 물품을 구입한 소비자는 물품이나 서비스를 받은 날부터 7일 이내에 물품 구매 의사를 철회할 수 있습니다. 만일 소비자가 물건을 구입한 쇼핑몰의 주소가 바뀌어서 철회 의사 표시를 할 수 없었던 경우에는 그 주소를 안 날, 또는 알 수 있었던 날부터 7일 이내에 철회할 수 있습니다. 또한 구입한 물품이나 서비스의 내용이 표시·광고의 내용과 다르게 이행된 경우에는 물품이나 서비스를 받은 날부터 3개월 이내, 그러한 사실을 안 날 또는 알 수 있는 날부터 30일 이내에 청약을 철회할 수 있습니다.

청약을 철회할 경우, 소비자는 지금 가지고 있는 물품을 판매자에게 돌려주어야 하며, 판매자는 소비자에게 물품 구입 가격을 반환 받는 날로부터 영업일 기준 3일 이내에 돌려주어야 합니다. 만약 물품 구입을 한 후 물품에 문제가 없는데도 청약을 철회하려고 한다면, 물품을 판매자에게 돌려줄 때의 비용은 소비자가 부담해야 합니다. 하지만 판매자의 잘못으로 청약을 철회하는 것이라면 판매자가 비용을 부담하게 됩니다.

간단 확인

1. 좁은 의미의 전자 상거래는 전화, 인터넷, 티브이(TV) 등을 통해 물건을 사고파는 것을 뜻한다. 
2. 소비자가 물품에 문제가 없는데도 청약을 철회하려고 한다면 물품을 돌려줄 때의 비용은 소비자가 부담해야 한다. 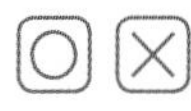

소음 공해 | 오정희

작품 안내

- 발단 '나'가 자원봉사를 하고 와서 휴식을 취하려는데 위층에서 소음이 들려옴.
- 전개 위층 소음에 시달리던 '나'는 경비원을 통해 간접적으로 항의함.
- 위기 '나'는 계속되는 소음에 인터폰을 통해 위층에 직접 항의함.
- 절정 '나'는 슬리퍼를 선물하러 갔다가 몸이 불편한 위층 여자의 처지를 알게 됨.
- 결말 '나'는 휠체어에 앉은 위층 여자를 보고 부끄러움을 느끼고 슬리퍼를 감춤.

집에 돌아오자마자 뜨거운 물로 샤워를 하고 실내복으로 갈아입었다. 목요일, 심신 장애인 시설에서 자원봉사자로 일하는 날은 몸이 젖은 솜처럼 무겁고 피곤하다. 그래도 뇌성 마비나 선천적 기능 장애를 가진 아이들을 씻기고 함께 놀이를 하고 휠체어를 밀어 산책을 시키는 등 시중을 들다 보면, 나를 요구하는 곳에서 시간과 힘을 내어 일한다는 뿌듯함이 있다. 고등학생인 두 아들은 아침에 도시락을 두 개씩 싸 들고 갔으니 밤 11시나 되어야 올 것이고, 남편은 3박 4일의 출장 중이니 날이 저물어도 서두를 일이 없다. 더욱이 나는 한나절 심신이 지치게 일을 한 뒤라 당당히 휴식을 즐길 권리가 있다. 아이들이 올 때까지의 서너 시간은 오로지 내 시간인 것이다. 〈중략〉

거실 탁자의 갓등을 켜고 커피를 진하게 끓여 마시며 슈베르트의 아르페지오네 소나타를 틀었다. 첼로의 감미로운 선율이 흐르고, 나는 어슴푸레하고 아득한 공간, 먼 옛날로 돌아가는 듯한 기분에 잠겨 들었다. 〈중략〉

㉠"드르륵드르륵."

눈을 감고 하염없이 소나타의 음률에 따라 흐르던 나는 그 감미롭고 슬픔에 찬 흐름을 압도*하며 끼어든 ㉡불청객에 사납게 눈을 치떴다. 무거운 수레를 끄는 듯 둔탁한 그 소리는 중년 여자의 부질없는 회한*과 감상을 비웃듯 천장 위에서 쉼 없이 들려왔다. 십 분, 이십 분, 초침까지 헤아리며 천장을 노려보다가 나는 신경질적으로 전축을 껐다. 그 사실적이고 무지한 소리에 피아노와 첼로의 멜로디는 이미 ㉢소음에 지나지 않았다.

하루 이틀의 일이 아니었다. 위층 주인이 바뀐 이래 한 달 전부터 나는 그 ㉣정체 모를 소리에 밤낮없이 시달려 왔다. 진공청소기 소리인가? 운동 기구를 들여 놓았나? 가내 공장을 차렸나? 식구들마다 온갖 추측을 해 보았으나 도시* 알 수 없는 일이었다.

"도깨비가 사나 봐요. 롤러스케이트를 타는 도깨비."

아들 녀석이 머리에 뿔을 만들어 보이며 처음에는 히히덕거렸으나, ㉤자정 넘도록 들려오는 그 소리에 나중에는 짜증을 내기 시작했다. 좀체 남의 험구*를 하지 않는 남편도

"한 지붕 아래 함께 못 살 사람들이군."

하는 말로 공동생활의 기본적인 수칙을 모르는 이웃을 나무랐다.

일주일을 참다가 나는 인터폰을 들었다. 인터폰으로 직접 위층을 부르거나 면대하지 않고 경비원을 통해 이쪽 의사를 전달하는 간접적인 방법을 택하는 것은 나로서는 자신의 품위와 상대방에 대한 예절을 지키기 위해서였던 것이다. 나는 자주 경비실에 전화를 걸어, 한밤중에 조심성 없이 화장실 물을 내리는 옆집이나 때 없이 두들겨 대는 피아노 소리, 자정 넘어까지 조명등 쳐들고 비디오 찍어 가며 고래고래 악을 써 삼동네*에 잠을 깨우는 함진아비*의 행태 따위가 얼마나 무교양하고 몰상식한 짓인가, 소음 공해와 공동생활의 수칙에 대해 주의를 줄 것을 선의의 피해자들을 대변*해서 말하곤 했었다.

* 압도 보다 뛰어난 힘이나 재주로 남을 눌러 꼼짝 못하게 함.
* 회한 뉘우치고 한탄함.
* 도시 아무리 해도. 도무지.
* 험구 남의 흠을 들추어 헐뜯거나 험상궂은 욕을 함. 또는 그 욕.
* 삼동네 양옆과 앞에 이웃하여 있는 가까운 동네.
* 함진아비 혼인 때에, 신랑 집에서 신부 집에 보내는 함을 지고 가는 사람.
* 대변 어떤 사람이나 단체를 대신하여 의견이나 태도를 표함. 또는 그런 일.

1 윗글의 서술상 특징으로 적절한 것은?

① 작품 밖 서술자가 사건을 관찰하여 객관적으로 제시한다.
② 작품 속 서술자가 자신의 이야기를 중심으로 사건을 전개한다.
③ 작품 속 등장인물이 주인공의 말과 행동을 관찰하여 전달한다.
④ 장면에 따라 서술자를 다르게 하여 사건을 입체적으로 그려 낸다.
⑤ 작품 밖 서술자가 특정 인물의 시선을 따라가며 사건을 전달한다.

개념+ 시점

이야기를 이끌어 가는 서술자가 인물이나 사건을 바라보는 시각이나 관점, 태도를 말함. 서술자가 작품 안에 있는지 밖에 있는지에 따라 1인칭과 3인칭으로 나뉨.

1인칭 주인공 시점	주인공인 '나'가 자신의 이야기를 하는 시점
1인칭 관찰자 시점	주변 인물인 '나'가 관찰자의 입장에서 주인공에 대한 이야기를 하는 시점
전지적 작가 시점	서술자가 전지전능한 위치에서 사건의 내막과 인물의 내면 심리까지 모두 알고 이야기하는 시점
3인칭 관찰자 시점	서술자가 관찰자의 입장에서 작품 속 인물들의 행동이나 사건을 관찰하여 이야기하는 시점

2 윗글의 '나'에 대한 설명으로 적절하지 않은 것은?

① '나'는 공동의 선을 위하여 앞장서는 적극적인 사람이다.
② '나'는 어려운 사람을 돕는 일에 보람을 느끼는 사람이다.
③ '나'는 클래식 음악을 감상하며 휴식을 취하는 교양 있는 사람이다.
④ '나'는 다른 사람 앞에서 자신의 품위를 지키는 것을 중요하게 생각한다.
⑤ '나'는 소음에 민감하여 소음과 관련된 문제가 생기면 직접적으로 해결하려고 한다.

수능형

3 ㉠~㉤ 중 〈보기〉의 ⓐ에 해당하는 소재를 가리키는 말이 아닌 것은?

보기

소재란 사건을 전개하고 주제를 형상화하는 데 사용되는 글의 재료로, 이야기 속에 등장하는 모든 대상을 말한다. 소재는 ⓐ갈등의 유발과 해소의 기능을 하거나 인물이 처한 상황과 심리를 드러내는 기능을 한다. 또한 사건과 사건을 연결하기도 하고 새로운 사건으로 전환하는 계기를 마련하기도 하며 주제를 상징적으로 드러내기도 한다.

① ㉠ ② ㉡ ③ ㉢ ④ ㉣ ⑤ ㉤

08

작품 안내

발단 '나'가 자원봉사를 하고 와서 휴식을 취하려는데 위층에서 소음이 들려옴.

전개 위층 소음에 시달리던 '나'는 경비원을 통해 간접적으로 항의함.

위기 '나'는 계속되는 소음에 인터폰을 통해 위층에 직접 항의함.

절정 '나'는 슬리퍼를 선물하러 갔다가 몸이 불편한 위층 여자의 처지를 알게 됨.

결말 '나'는 휠체어에 앉은 위층 여자를 보고 부끄러움을 느끼고 슬리퍼를 감춤.

위층의 소리는 멈추지 않았다. 드르륵거리는 소리에 머리털이 진저리*를 치며 곤두서는 것 같았다. 철없고 상식 없는 요즘 젊은 엄마들이 아이들에게 집 안에서 자전거나 스케이트보드 따위를 타게도 한다는데, 아무래도 그런 것 같았다. ㉠인터폰의 수화기를 들자, 경비원의 응답이 들렸다. 내 목소리를 알아채자마자 길게 말꼬리를 늘이며 지레* 짚었다. 귀찮고 성가셔하는 표정이 눈앞에 역력히 떠올랐다. 5

"위층이 또 시끄럽습니까? 조용히 해 달라고 말씀드릴까요?" / 잠시 후 인터폰이 울렸다.

ⓐ"충분히 주의하고 있으니 염려 마시랍니다."

경비원의 전갈*이었다. 염려 마시라고? 다분히 도전적인 저의*가 느껴지는 전언*이었다. 게다가 드르륵드르륵 소리는 여전하지 않은가. 이젠 한판 싸워 보자는 얘긴가. 나는 인터폰을 들어 다짜고짜 909호를 바꿔 달라고 말했다. 신호음이 서너 차례 울린 후에야 신경질적인 젊은 여자의 응답이 들렸다. 10

"아래층인데요. 댁이 그런 식으로 말할 건 없잖아요? 나도 참을 만큼 참았다고요. 공동주택에는 지켜야 할 규칙들이 있잖아요? 난 그 소리 때문에 병이 날 지경이에요."

"여보세요. 난 날아다니는 나비나 파리가 아니에요. 내 집에서 맘대로 움직이지도 못하나요? 해도 너무 하시네요. 이틀거리로 전화를 해 대시니 저도 피가 마르는 것 같아요. 저더러 어쩌라는 거예요?" 15

"하여튼 아래층 사람 고통도 생각하시고 주의해 주세요."

나는 거칠게 수화기를 내려놓았다. / "뻔뻔스럽긴. 이젠 순 배짱이잖아?"

소리 내어 욕설을 퍼부어도 화가 가라앉지 않았다. 그렇다고 언제까지 경비원을 사이에 두고 '하랍신다', '하신다더라' 하며 신경전을 펼 수도 없는 일이었다. 화가 날수록 침착하고 부드럽게 처신*해야 한다는 것은 나이가 가르친 지혜였다. 지난겨울 선물로 받은, 아직 쓰지 않은 실내용 슬리퍼에 생각이 미친 것은 스스로도 신통했다. 선물도 무기가 되는 법. 발소리를 죽이는 푹신한 ㉡슬리퍼를 선물함으로써 소리를 죽이라는 메시지와 함께 소리 때문에 고통받는 내 심정을 간접적으로 나타낼 수 있으리라. 사려 깊고 양식* 있는 이웃으로서 공동생활의 규범에 대해 조곤조곤 타이르리라. 20 25

위층으로 올라가 벨을 눌렀다. 안쪽에서 "누구세요?"라고 묻는 소리가 들리고도 십 분 가까이 지나 문이 열렸다. '이웃사촌이라는데 아직 인사도 없이…….' 등등 준비했던 인사말과 함께 포장한 슬리퍼를 내밀려던 나는 첫 마디를 뗄 겨를*도 없이 우두망찰*했다. 좁은 현관을 꽉 채우며 ㉢휠체어에 앉은 젊은 여자가 달갑잖은 표정으로 나를 올려다보았다.

"안 그래도 바퀴를 갈아 볼 작정이었어요. 소리가 좀 덜 나는 것으로요. 어쨌든 죄송해요. 도와주는 아줌마가 지금 안 계셔서 차 대접할 형편도 안 되네요." 30

여자의 텅 빈, 허전한 하반신을 덮은 화사한 빛깔의 담요와 휠체어에서 황급히 시선을 떼며 나는 할 말을 잃은 채 부끄러움으로 얼굴만 붉히며 슬리퍼 든 손을 등 뒤로 감추었다.

* 진저리 몹시 싫증이 나거나 귀찮아 떨쳐지는 몸짓.
* 지레 어떤 일이 일어나기 전 또는 어떤 기회나 때가 무르익기 전에 미리.
* 전갈 사람을 시켜 말을 전하거나 안부를 물음. 또는 전하는 말이나 안부.
* 저의 겉으로 드러나지 아니한, 속에 품은 생각.
* 전언 말을 전함. 또는 그 말.
* 처신 세상을 살아가는 데 가져야 할 몸가짐이나 행동.
* 양식 뛰어난 식견이나 건전한 판단.
* 겨를 어떤 일을 하다가 생각 따위를 다른 데로 돌릴 수 있는 시간적인 여유.
* 우두망찰 정신이 얼떨떨하여 어찌할 바를 모르는 모양.

4 ㉠~㉢에 대한 설명으로 적절하지 않은 것은?

① ㉠은 이웃에 대한 단절을 드러내는 소재이다.
② ㉡은 소음으로 고통받는 '나'의 심정을 직접 드러내는 소재이다.
③ ㉡은 '나'가 스스로 사려 깊고 양식 있는 이웃임을 드러내기 위한 소재이다.
④ ㉢은 '나'를 우두망찰하게 만든 원인이 되는 소재이다.
⑤ ㉢은 갈등 해소의 계기가 되며 '나'의 태도에 변화를 일으키는 소재이다.

어휘

5 ⓐ에 대한 '나'의 반응으로 가장 적절한 것은?

① 겉과 속이 다른 태도를 보이다니 표리부동(表裏不同)한 사람이군.
② 내가 계속 항의하는데도 반응이 없다니 자포자기(自暴自棄)했나 보군.
③ 소음 때문에 괴로워하는 나에게 역지사지(易地思之)의 반응을 보이는군.
④ 잘못을 저지르고도 오히려 신경질을 내다니 적반하장(賊反荷杖)이 따로 없군.
⑤ 소음으로 괴로운 나의 마음을 알고 있다니 이심전심(以心傳心)의 마음이 느껴지는군.

수능형

6 〈보기〉의 ㉮의 관점으로 윗글을 감상한 독자의 태도로 가장 적절한 것은?

보기

문학 작품을 이해하고 감상한 결과를 ㉮ 독자가 자신의 삶과 관련짓는다는 점에서 문학 활동은 독자와 작가의 대화라고 할 수 있다.

① '말꼬리를 늘이며'에 사용된 표현 방법의 효과를 찾아보며 읽었어.
② 작가가 '나'를 자원봉사자로 설정한 이유가 무엇일지 생각하면서 읽었어.
③ 위층 여자의 휠체어를 본 순간 '나'의 심리가 어떠했을지 분석하며 읽었어.
④ 내가 위층 여자와 같은 처지에 있다면 어떻게 행동했을지 생각하며 읽었어.
⑤ 작가가 이 작품을 통해 독자에게 전달하려는 의미가 무엇일지 파악하며 읽었어.

개념+ 작품 감상 방법

- 내재적 관점: 작품을 구성하는 내용이나 형식, 표현만으로 작품을 이해하고 감상하는 방법
- 표현론적 관점: 작가의 삶이나 사상, 작가의 창작 의도나 동기 등 작가와 관련된 다양한 요소를 중심으로 작품을 감상하는 방법
- 효용론적 관점: 독자가 얻은 깨달음, 교훈, 감동 등 독자가 어떻게 받아들이고 있는가에 주목하여 작품을 감상하는 방법
- 반영론적 관점: 작품에 나타난 시대적 배경과 시대상, 작품 창작 당시의 현실 등과 관련지어 작품을 감상하는 방법

물질의 구성 성분

물질을 구성하는 기본 성분은 원소이다. 원소는 더 이상 다른 물질로 분해되지 않으면서 물질을 이루는 기본 성분을 말한다. 예를 들어 물은 수소*와 산소*가 결합한 물질로, 물을 분해하면 수소와 산소로 나뉘지만 원소인 수소와 산소는 어떠한 화학적 방법으로도 더 이상 분해되지 않는다. 원소를 표현할 때는 약속된 기호를 사용하는데 수소는 H, 산소는 O와 같이 세계적으로 통용되는 원소 기호로 나타낸다.

[A] 모든 원소는 그 물질을 구성하는 단위 입자들이 모여서 이루어지는데, 이를 그 원소의 원자라고 한다. 즉 원자는 물질을 구성하는 기본 입자이다. 원자는 양전하*를 띠는 원자핵과 원자핵 주위에서 움직이며 음전하를 띠는 전자로 구성된다. 원자핵은 대부분 전기적으로 중성을 띠는 입자인 중성자와 전기적으로 양전하를 띠는 입자인 양성자가 결합되어 있는데, 수소 원자의 경우 원자핵이 양성자 하나로만 이루어져 있다.

그렇다면 분자란 무엇일까? 분자는 원자들이 화학적으로 결합한 것으로, 독립된 입자로 존재하여 물질의 성질을 나타내는 가장 작은 입자이다. 종류 면에서는 하나 또는 두 종류 이상의 원자가, 개수 면에서는 대부분 2개 이상의 원자가 화학적으로 결합해 분자가 생성된다. 따라서 분자가 쪼개지면 다시 원자로 돌아갈 수 있다. 한 종류의 원자로 이루어진 분자로는 수소와 산소를 꼽을 수 있다. 수소 분자는 수소 원자 2개가, 산소 분자는 산소 원자 2개가 모여 이루어진다. 이를 분자식으로 나타내면 수소는 H_2, 산소는 O_2가 된다.

물은 두 종류의 원자로 이루어진 분자의 대표적인 예이다. 물 분자는 수소 원자 2개와 산소 원자 1개로 이루어진다. 즉 물 분자는 수소와 산소 두 가지 원소로 이루어진 물질이다. 물과 같이 두 가지 이상의 원소로 이루어진 물질을 '화합물'이라고 한다. 산소와 수소의 화합물인 물은 산소와 수소의 성질이 아니라 물 고유의 성질을 갖는다. 이처럼 대부분의 물질에서 물질의 기본 성질을 나타내는 것은 원소가 아니라 분자이다. 수소와 산소가 결합해 물이 생성되는 과정은 수소 분자와 산소 분자 간의 결합으로 설명할 수 있다. 수소 분자 2개와 산소 분자 1개가 반응하여 물 분자 2개가 생성되는 과정을 화학 반응식*으로 표현하면 다음과 같다.

$$2H_2 + O_2 \rightarrow 2H_2O$$

수소 분자 　 산소 분자 　 물 분자

■: 분자의 개수(1은 생략)
■: 분자 1개당 원자의 개수

▲ 물 분자가 생성되는 화학 반응식

* **수소** 모든 물질 가운데 가장 가벼운 기체 원소. 빛깔과 냄새와 맛이 없고 불에 타기 쉽다.
* **산소** 공기의 주성분이면서 맛과 빛깔과 냄새가 없는 물질. 사람의 호흡과 동식물의 생활에 없어서는 안 되는 기체.
* **양전하** 양의 전기를 띤 전하. 또는 양의 부호를 가지는 전하. 전하는 물체가 띠고 있는 정전기의 양을 뜻한다.
* **화학 반응식** 반응을 일으키는 물질과 반응의 결과로 생기는 생성 물질의 종류, 그들 사이의 정량적 관계 등을 나타내는 식.

1 **윗글에 대한 이해로 적절하지 않은 것은?**

① 원소는 화학적으로 더 이상 분해할 수 없다.
② 분자는 대부분 2개 이상의 원자로 이루어져 있다.
③ 화합물은 두 가지 이상의 원소가 모여 이루어진 물질을 말한다.
④ 분자는 원자들이 결합해 생성된 입자로 물질의 기본 성질을 나타낸다.
⑤ 모든 원자는 중성자와 양성자가 결합해 이루어진 원자핵을 가지고 있다.

2 **[A]에 대한 설명으로 적절한 것은?**

① 대상을 구성하는 요소들을 분석하여 설명하고 있다.
② 전문가의 의견을 인용하여 대상의 개념을 정의하고 있다.
③ 대상이 변화하는 과정을 시간 순서에 따라 설명하고 있다.
④ 대상의 속성을 밝히고 다른 대상과의 공통점을 설명하고 있다.
⑤ 특정 현상이 나타나는 이유를 원인과 결과의 방식으로 서술하고 있다.

수능형

3 **〈보기〉는 암모니아 분자가 생성되는 화학 반응식이다. 윗글을 바탕으로 이해한 내용으로 적절하지 않은 것은?**

보기

$N_2 + 3H_2 \rightarrow 2NH_3$

질소 분자 수소 분자 암모니아 분자

① 질소 분자는 질소 원자 2개로 이루어져 있군.
② 수소 분자는 수소 원자 2개로 이루어져 있군.
③ 암모니아 분자는 서로 다른 종류의 원자들이 결합한 물질이군.
④ 하나의 암모니아 분자는 질소 원자 2개와 수소 원자 3개로 이루어져 있군.
⑤ 질소 분자 1개와 수소 분자 3개가 반응하면 암모니아 분자 2개가 생성되는군.

08

어휘 학습

1~4 제시된 초성과 뜻을 참고하여 빈칸에 들어갈 어휘를 써 보자.

1 ㄱㄹ: 어떤 일을 하다가 생각 따위를 다른 데로 돌릴 수 있는 시간적인 여유.
예 그는 숨 돌릴 (　　　　　)도 없이 도착하자마자 출발했다.

2 ㅈㄱ: 사람을 시켜 말을 전하거나 안부를 물음. 또는 전하는 말이나 안부.
예 어머니께서 위중하시다는 (　　　　　)을/를 받고 급히 귀향했다.

3 ㅈㄹ: 어떤 일이 일어나기 전 또는 어떤 기회나 때가 무르익기 전에 미리.
예 감독은 시합도 하기 전에 (　　　　　) 포기하려는 선수들을 격려했다.

4 ㅊㅅ: 세상을 살아가는 데 가져야 할 몸가짐이나 행동.
예 남의 원망을 듣지 않도록 잘 (　　　　　)해라.

5~7 다음 뜻에 해당하는 어휘를 〈보기〉에서 찾아 써 보자.

보기
우두망찰　　저의　　진저리

5 겉으로 드러나지 아니한, 속에 품은 생각. → (　　　　　)

6 정신이 얼떨떨하여 어찌할 바를 모르는 모양. → (　　　　　)

7 몹시 싫증이 나거나 귀찮아 떨쳐지는 몸짓. → (　　　　　)

8~10 다음 어휘의 뜻을 찾아 바르게 연결해 보자.

8 도시 •　　　　• ㉠ 아무리 해도. 도무지.

9 험구 •　　　　• ㉡ 뛰어난 식견이나 건전한 판단.

10 양식 •　　　　• ㉢ 남의 흠을 들추어 헐뜯거나 험상궂은 욕을 함. 또는 그 욕.

물질을 이루는 기본 성분 '원소'

원소란 다른 물질로 변하거나 분해되지 않는 물질의 기본 성분으로서 산소, 질소, 철, 구리, 금, 탄소, 알루미늄 등과 같은 것을 말합니다. 우리 주위에 있는 모든 물질은 원소로 이루어져 있습니다. 건물이나 다리의 철근, 철도의 레일에는 철이 쓰이고, 전선에는 구리가 쓰이며, 반도체 소자에는 규소가 쓰이고 있습니다. 이밖에도 은이나 금은 장신구로, 알루미늄은 알루미늄박과 알루미늄 캔으로, 질소는 과자 봉지 충전 기체 등에 이용되고 있습니다.

우리가 알고 있는 원소 중 일부는 불꽃 반응을 보입니다. 특정 원소나 그 원소를 포함하는 물질에 불을 붙이면 원소의 종류에 따라 불꽃의 색이 달라집니다. 구리는 청록색, 나트륨은 노란색, 칼슘은 주황색, 칼륨은 보라색 등으로 특정한 불꽃 반응 색을 나타냅니다. 이러한 점을 활용하면 각각의 물질에 포함된 특정 원소의 종류를 알 수 있습니다. 또한 원소의 불꽃 반응 색은 축제나 행사의 불꽃놀이에도 이용되어 밤하늘을 수놓는 형형색색의 불꽃으로 연출되고 있습니다.

현재까지 원소는 118가지가 알려져 있습니다. 이 중 90여 가지는 자연에서 발견된 원소이고 나머지는 핵반응이나 핵분열을 일으켜서 인공적으로 만들어진 원소입니다. 최근에는 니호늄, 모스코븀, 테네신, 오가네손이 발견되어 원소로 인정받았으며 새로운 원소 발견을 위한 연구는 현재까지도 계속되고 있습니다.

간단 확인

1. 원소의 불꽃 반응에서 구리는 청록색, 칼륨은 보라색을 나타낸다. 
2. 원소는 물질을 이루는 기본 성분으로서 자연에서만 발견된다. 

먼 후일 | 김소월

작품 안내

이 작품은 이별한 임에 대한 그리움을 노래한 시이다. 반어적 표현에 담긴 화자의 정서에 주목하며 시를 감상해 보자.

먼 훗날* 당신이 찾으시면
㉠그때에 내 말이 '잊었노라'*

당신이 속으로 나무라면*
'무척 그리다가 잊었노라'

그래도 당신이 나무라면
'믿기지 않아서 잊었노라'

오늘도 어제도 아니 잊고
먼 훗날 그때에 '잊었노라'

시어·시구 해설

* **먼 훗날** 시간이 지나 뒤에 올 날로 불특정한 미래를 의미함.
* **잊었노라** '당신'을 잊지 못하고 그리워하는 화자의 속마음을 반대로 표현한 반어적 표현임.
* **나무라면** 잘못이나 부족한 점을 꼬집어 말한다면. 화자의 '잊었노라'라는 대답에 대한 '당신'의 질책을 나타냄.

1 위 시에 대한 설명으로 적절하지 않은 것은?

① 동일한 시어의 반복으로 주제를 부각하고 있다.

② 3음보의 율격을 바탕으로 운율을 형성하고 있다.

③ 실제 의도와 반대되는 말로 화자의 정서를 드러내고 있다.

④ 과거의 이별 경험에 대한 회상을 통해 시상이 전개되고 있다.

⑤ 유사한 문장 구조를 규칙적으로 배열하여 시적 상황을 강조하고 있다.

수능형

2 〈보기〉를 참고하여 위 시를 감상한 내용으로 적절하지 않은 것은?

보기

선생님: 이 시의 화자는 어떤 상황에 놓여 있지요?
가희: 사랑하는 사람과 이별했어요.
선생님: 그래요. 이 시의 화자는 사랑하는 사람과 헤어진 상황에 놓였답니다. 그런데 아직 그 사람을 잊지 못하고 있어요. 화자는 이러한 마음을 표현하기 위해 사랑하는 사람이 돌아온 미래의 상황을 가정하고 있어요.

① 1연의 '찾으시면'은 임과의 재회 상황을 가정하여 표현한 것이다.

② 2연의 '무척'은 부사어로 화자가 임을 그리워함을 강조하려는 표현이다.

③ 3연의 '믿기지 않아서'는 임과의 이별에 대해 화자가 반응하는 모습을 드러낸 표현이다.

④ 4연의 '오늘도 어제도'는 현재에도 과거에도 임을 잊을 수 없는 화자의 마음을 표현한다.

⑤ 4연의 '먼 훗날'은 화자가 사랑하는 임과의 이별을 인정하고 받아들이는 순간을 의미한다.

3 ㉠에 사용된 표현 방법과 유사한 표현 방법이 사용된 것은?

① 외로워라 이 내 몸은 / 뉘와 함께 돌아갈꼬

② 돌담에 속삭이는 햇발같이 / 풀 아래 웃음 짓는 샘물같이

③ 나 보기가 역겨워 / 가실 때에는 / 죽어도 아니 눈물 흘리우리다.

④ 아아, 누구던가 / 이렇게 슬프고도 애달픈 마음을 / 맨 처음 공중에 달 줄을 안 그는.

⑤ 가을은 꿈도 없이 깊은 잠의 / 평안으로 온다 / 따뜻하게 손을 잡는 이별로 온다

개념+ 반어법

- 개념: 실제로 말하고자 하는 의미(의도)와는 반대로 표현하는 방법
- 효과: 겉으로 드러난 표현과 실제 의도하는 의미가 반대됨으로써 작가의 의도를 더욱 강조하는 효과를 거둘 수 있음.

전자레인지의 원리

빠른 시간 내에 식품을 가열할 수 있는 조리 기구인 전자레인지는 어떤 원리로 음식을 데우는 걸까? 전자레인지의 내부에는 마그네트론이라고 부르는 곳이 있다. 바로 이곳에서 전자기파*가 발생한다. 이 전자기파는 진동수*가 크고 파장*이 짧은 마이크로파이다. 각 물질은 저마다 고유*의 진동수가 있는데 신기하게도 이 마이크로파의 진동수는 물 분자*의 진동수와 정확히 일치한다. 물질은 자신과 진동수가 같은 전자기파를 흡수하여 함께 진동하는 성질이 있다. 따라서 물 분자들은 이 마이크로파를 흡수하여 엄청난 진동 운동을 하게 된다. 또한 이때 물 분자는 진동과 동시에 회전 운동을 하게 된다.

이를 이해하기 위해서는 물 분자의 구조에 대해 좀 더 자세히 알 필요가 있다. 물 분자는 수소 원자 두 개가 산소 원자 한 개에 104.5°의 각을 이루며 결합된 형태이다. 이때 물 분자를 구성하고 있는 수소 원자는 부분적으로 양전하(+)를 띠고, 산소 원자는 부분적으로 음전하(−)를 띤다. 이와 같이 전기적으로 극성을 띠는 물 분자는 마이크로파와 같은 전기장에 의해 끌려가거나 밀려가는 힘을 받는다.

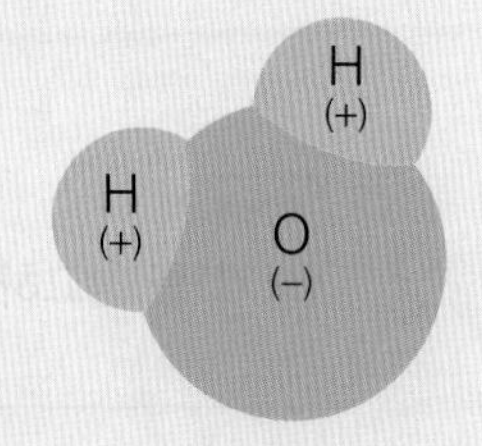

▲ 물 분자의 구조

이러한 물 분자에 전자기파의 전기장 방향을 ㉠주기적으로 바꿔 주면 물 분자들은 아주 빠른 속도로 회전 운동을 하게 된다. 이때 물 분자들이 회전 운동을 하면서 주위의 물 분자들과 마찰을 일으키게 되는데 이 마찰에 의해 운동 에너지가 열에너지로 바뀐다. 이렇게 하여 열이 발생하면서 물이 데워지는 것이다. 대부분의 음식물 속에는 수분이 함유*되어 있으므로 전자레인지에서 음식물도 데워지게 된다. 전자레인지로 데운 음식을 꺼내 보면 보통 음식을 담은 종이나 플라스틱 용기는 그렇게 뜨겁지 않은 것을 알 수 있는데, 이들 용기에는 수분이 전혀 없기 때문에 마이크로파의 영향을 받지 않아 생기는 현상이다.

마이크로파는 금속은 통과하지 못하고 반사된다. 따라서 음식물을 데운다고 알루미늄박 같은 데 싸서 전자레인지에 넣으면 절대 데워지지 않으니 주의해야 한다. 또한 나무로 된 용기를 사용하는 것도 주의해야 한다. 왜냐하면 나무에는 습기가 들어 있을 수 있기 때문이다. 그러면 용기도 함께 데워져 팽창*하면서 터질 수 있다. 특히 완전히 밀봉*된 용기에 든 음식을 그대로 넣어 데우다가는 용기 내부의 물질들이 팽창하면서 용기가 터질 수 있으므로 이 역시 주의해야 한다. 따라서 약간의 공기 구멍을 뚫은 다음 전자레인지에 넣어 데우는 것이 지혜로운 방법이다.

* **전자기파** 공간에서 전기장과 자기장이 주기적으로 변화하면서 전달되는 파동.
* **진동수** 연속적인 주기 현상에서, 단위 시간에 같은 상태가 몇 번이나 반복되는가를 나타내는 양.
* **파장** 파동에서, 같은 위상을 가진 서로 이웃한 두 점 사이의 거리.
* **고유** 본래부터 가지고 있는 특유한 것.
* **분자** 물질에서 화학적 형태와 성질을 잃지 않고 분리될 수 있는 최소의 입자.
* **함유** 물질이 어떤 성분을 포함하고 있음.
* **팽창** 부풀어서 부피가 커짐.
* **밀봉** 단단히 붙여 꼭 봉함.

1 **윗글에서 알 수 있는 사실이 아닌 것은?**

① 마이크로파는 진동수가 크고 파장이 짧은 전자기파이다.
② 물 분자는 수소 원자 두 개와 산소 원자 한 개로 구성되어 있다.
③ 전자레인지에 습기가 있는 나무 용기를 사용하면 터질 위험이 있다.
④ 물 분자들이 회전 운동을 할 때 마찰에 의해 열에너지가 운동 에너지로 변환된다.
⑤ 전자레인지에 알루미늄박으로 된 포장지로 음식을 싸서 넣으면 조리가 되지 않는다.

수능형

2 **윗글을 읽고 보인 반응으로 적절하지 않은 것은?**

① 물 분자 없이는 전자레인지로 음식을 데우기 힘들겠군.
② 마그네트론에서 발생하는 전자기파는 물 분자의 고유 진동수와 일치하는군.
③ 물 분자는 마이크로파를 반사하여 진동 운동과 동시에 회전 운동을 하는군.
④ 물 분자를 구성하는 수소 원자와 산소 원자는 부분적으로 각각 (+) 전기와 (−) 전기를 띠는군.
⑤ 물 분자가 빠른 속도로 회전 운동을 하려면 전자기파의 전기장 방향이 주기적으로 바뀌어야 하는군.

어휘

3 **㉠을 다른 말로 바꾸어 쓴 것으로 적절한 것은?**

① 연달아 이어지게
② 거듭해서 되풀이하여
③ 서로 연결이 되어 관련이 있게
④ 일정한 간격을 두고 되풀이하여 나타나게
⑤ 연속하여 일어나지 않고 단 한 번에 끝나게

어휘 학습

1~3 제시된 초성과 뜻을 참고하여 빈칸에 들어갈 어휘를 써 보자.

1 ㅎㄴ: 시간이 지나 뒤에 올 날.

예 그와 (   )에 만날 것을 약속했다.

2 ㅌㄱ: 장애물이나 난관 따위를 뚫고 지나감.

예 그들은 철조망을 (   )하여 탈출에 성공했다.

3 ㅇㅊ: 비교되는 대상들이 서로 어긋나지 아니하고 같거나 들어맞음.

예 그는 말과 행동이 (   )하는 사람이다.

4~7 〈보기〉의 글자를 조합하여 다음 뜻에 해당하는 어휘를 써 보자.

보기

조 밀 사 팽 구 창 반 봉

4 단단히 붙여 꼭 봉함. → (   )

5 부풀어서 부피가 커짐. → (   )

6 부분이나 요소가 어떤 전체를 짜 이룸. 또는 그렇게 이루어진 얼개. → (   )

7 일정한 방향으로 나아가던 파동이 다른 물체의 표면에 부딪쳐서 나아가던 방향을 반대로 바꾸는 현상.

→ (   )

8~10 빈칸에 들어갈 어휘를 찾아 바르게 연결해 보자.

8 한복은 한국의 (   ) 의상이다. • • ㉠ 고유

9 커피는 카페인 (   ) 음료이다. • • ㉡ 주의

10 기계는 (   ) 사항을 잘 지켜 사용해야 한다. • • ㉢ 함유

김소월의 작품 세계

김소월(1902~1934)은 한국 근대 문학을 대표하는 민족 시인으로 손꼽힙니다. 1902년 평안북도 구성에서 태어난 김소월은 민족적 자긍심이 강했던 오산 학교 재학 시절, 스승인 김억을 만나면서 본격적으로 시를 창작하였고, 그의 소개로 1920년 잡지 『창조』에 「낭인(浪人)의 봄」, 「그리워」 등의 시를 발표하며 등단하였습니다.

▲ 김소월 동상

1925년 김소월이 펴낸 『진달래꽃』은 그 당시 문단의 성향인 서구 사조의 모방이나 유행에 휩쓸리지 않고 민요의 가락으로 한과 슬픔의 정서를 노래했다는 점에서 문단의 주목을 받았습니다. 그는 작품 창작 초기에는 민요조의 서정적인 목소리가 담긴 작품을 주로 창작하였으나, 후기에는 「옷과 밥과 자유」, 「바라건대는 우리에게 우리의 보습 대일 땅이 있었더면」과 같이 비극적 현실을 극복하고자 하는 의식이 담긴 시도 창작하였습니다.

대표작인 「진달래꽃」 이외에도 「못 잊어」, 「먼 후일」, 「초혼」, 「산유화」 등은 일제 강점기를 거쳐 해방, 전쟁 등으로 끊임없이 아픔을 겪는 우리 민족사 전반에 걸쳐 폭넓은 공감대를 형성하며 많은 이들에게 사랑받았습니다. 또한 그는 전통적이고 향토적인 소재를 통해 임의 부재에 따른 상실감을 표현하여 전통적인 한의 정서를 형상화하고, 3음보의 민요적 율격을 바탕으로 전통적 이별의 정한을 노래하고 있다는 점에서 한국 문학의 전통을 이은 시인으로 평가받고 있습니다.

간단 확인

1. 김소월의 시집 『진달래꽃』은 당시 문단이 추구한 서구 사조의 유행을 반영하여 문단의 주목을 받았다. 
2. 김소월은 3음보의 민요적 율격을 바탕으로 이별의 정한을 노래하였다. 

10 문학

연

ㅣ이청준

작품 안내

- 발단: 형편이 어려운 어머니는 아들을 상급 학교에 못 보냄.
- 전개: 아들은 하루 종일 연을 날리고, 어머니는 연을 보며 불안과 안도를 느낌.
- 위기: 봄바람이 세게 불던 날, 어머니는 높이 뜬 아들의 연을 보며 불안감을 느낌.
- 절정: 어머니는 실이 끊어져 날아간 연을 발견하고, 아들이 고향을 떠났음을 알게 됨.
- 결말: 어머니는 하늘을 보며 떠난 아들의 안녕을 기원함.

마을 쪽 하늘에선 연이 떠오르지 않는 날이 없었다.

㉠연은 먼 하늘 여행을 꿈꾸는 작은 새처럼 하루 종일 마을 위를 맴돌았다.

들에서나 산에서나 마을 근처에선 언제 어디서나 새처럼 하늘을 떠도는 연을 볼 수 있었다. / 연이 하늘에 떠올라 있는 동안은 어머니도 마음이 차라리 편했다.

들에서나 산에서나 어머니는 이따금 자신도 모르게 그 연을 찾아 일손을 멈추곤 했다. 그리고 그 ㉡적막*스런 봄 하늘을 바라보며 허기진 한숨을 삼키곤 했다. 5

아비 없이 자란 놈이라 하는 수가 없는가 보았다.

"우리 집 처지에 상급 학교가 당하기나* 한 소리냐. 이름자나마 쓰고 읽게 된 걸 다행으로 알거라."

㉢어미 곁에서 함께 땅이나 파고 살자던 소리가 아들놈의 어린 가슴에 못을 박은 모양이었다. 10

"상급 학교 못 가면 연이나 실컷 띄우고 놀 거야. 상급 학교 안 보내 준 대신 연실이나 많이 만들어 줘."

상급 학교 진학을 단념한* 대신 아들놈은 그 철 늦은 연날리기 놀이를 시작했다. 연실 마련이 어려워서 제철에는 남의 집 애들 연 띄우는 거나 곁에서 늘 부러워해 오던 녀석이었다. / 어머니는 큰맘 먹고 연실을 마련해 냈고, 아들놈은 그때부터 하고한* 날 연에만 붙어 지냈다. 15

봄이 되어 제 또래 아이들이 모두 마을을 떠나 읍내 상급 학교로 가 버린 다음에도 아들놈은 혼자서 그 파란 봄 보리밭 위로 하루같이 연만 띄워 올리고 있었다. 아침나절에 띄워 올린 연이 해 질 녘까지 마을의 하늘을 맴돌았다. 20

어머니는 언제 어디서나 그 아들의 연을 볼 수 있었다.

[A] 연을 보면 아들의 얼굴을 보는 것 같았고, 아들의 마음을 보는 것 같았다.
연은 언제나 머나먼 하늘 여행을 꿈꾸고 있는 작은 새처럼 보였고, 그래서 언젠가는 실줄을 끊고 마을의 하늘을 떠나가 버릴 것처럼 어머니의 마음을 불안하게 했다.

하지만 연이 그렇게 하늘에 떠올라 있는 동안엔 어머니도 아직은 마음을 놓을 수 있었다. 25 연이 하늘을 나는 동안은 어느 집 양지바른 담벼락 아래, 마을의 회관 뜰 한구석에, 또는 아지랑이 피어오르는 어느 보리밭 이랑* 끝에 그 봄 하늘처럼 적막스럽고 외로운 아들의 모습이 선하기* 때문이었다.

그래서 어머니는 아들놈의 연날리기를 탓해 본 일이 한 번도 없었다.

철 늦은 연날리기에 넋이 나간 아들놈을 원망해 본 일이 한 번도 없었다. 30

㉣녀석의 마음이 고이 머물고 있는 연의 위로를 감사할 뿐이었다.

연에 실린 아들의 마음이 하늘을 내려오는 ㉤저녁 연처럼 조용히 다시 마을로 가라앉기를 기다릴 뿐이었다.

* 적막 고요하고 쓸쓸함.
* 당하다 사리에 마땅하거나 가능하다.
* 단념하다 품었던 생각을 아주 끊어 버리다.
* 하고하다 많고 많다.
* 이랑 논이나 밭을 갈아 골을 타서 두두룩하게 흙을 쌓아 만든 곳.
* 선하다 잊히지 않고 눈앞에 생생하게 보이는 듯하다.

1 윗글에 대한 설명으로 가장 적절한 것은?

① 한 사건을 여러 인물의 시선에서 제시하고 있다.
② 특정 인물의 내면 심리를 섬세하게 서술하고 있다.
③ 액자식 구성을 취하여 두 개의 이야기를 담아내고 있다.
④ 상징적 소재를 통해 사회 문제를 우회적으로 비판하고 있다.
⑤ 인물 간의 갈등이 심화되는 과정을 시간순으로 서술하고 있다.

개념+ 액자식 구성
- 개념: 액자 속에 그림이나 사진이 담겨 있는 것처럼 소설이나 희곡에서, 이야기 속에 또 다른 이야기가 들어 있는 구성
- 특징: 외부 이야기가 액자의 역할을 하고 내부 이야기가 중심 내용이 됨.

2 ㉠~㉤에 대한 설명으로 적절하지 않은 것은?

① ㉠: 연을 새에 비유하여 상황을 효과적으로 전달하고 있다.
② ㉡: 걱정스럽고 답답한 아들의 심리가 드러나고 있다.
③ ㉢: 아들의 진학 문제에 대한 어머니의 생각이 나타나 있다.
④ ㉣: 어머니는 아들이 연날리기를 통해 위로받는다고 생각하고 있다.
⑤ ㉤: 아들이 집을 떠나지 않기를 바라는 어머니의 마음이 나타나 있다.

수능형

3 〈보기〉를 참고하여 [A]에 사용된 표현 방법에 대한 이해로 적절한 것은?

> **보기**
> '비유'는 표현하려는 대상(원관념)을 직접 설명하지 않고 그것과 유사한 사물이나 현상(보조 관념)에 빗대어 표현하는 방법이고, '상징'은 표현하고자 하는 대상을 겉으로 드러내지 않고 구체적인 다른 대상으로 대신하여 표현하는 방법이다. 원관념과 보조 관념 사이의 유사성에 기초하는 것이 비유라면, 상징은 원관념을 드러내지 않고 보조 관념만으로 의미를 표현하는 것이다. 상징은 원관념이 드러나지 않아 의미가 모호하고 암시적이다.

① '아들'을 보조 관념, '연'과 '새'를 원관념으로 하는 비유를 활용하고 있다.
② '새'를 보조 관념으로 하여 원관념인 '아들'을 빗대어 표현하는 비유를 활용하고 있다.
③ 구체적 대상인 '새'를 통해 보조 관념인 '아들'을 상징하는 표현 방법을 활용하고 있다.
④ '새'는 하늘 여행을 꿈꾸는 자유로운 존재를 상징하고, '연'은 '새'의 보조 관념으로 쓰이고 있다.
⑤ '새'를 보조 관념, '연'을 원관념으로 하는 비유를 사용하였으며 '연'은 '아들'을 상징한다.

10

작품 안내

발단 형편이 어려운 어머니는 아들을 상급 학교에 못 보냄.

전개 아들은 하루 종일 연을 날리고, 어머니는 연을 보며 불안과 안도를 느낌.

위기 봄바람이 세게 불던 날, 어머니는 높이 뜬 아들의 연을 보며 불안감을 느낌.

절정 어머니는 실이 끊어져 날아간 연을 발견하고, 아들이 고향을 떠났음을 알게 됨.

결말 어머니는 하늘을 보며 떠난 아들의 안녕을 기원함.

그러던 어느 날이었다. / 하루는 결국 이변*이 일어나고 말았다.

그날은 유독 봄바람이 들녘을 설치던 날이었다.

어머니는 이날도 고개 너머 들밭 언덕에서 봄 무릇*을 캐고 있던 참이었다. 〈중략〉

무릇 싹을 찾아 헤매던 어머니의 발길이 자꾸만 헛디딤질을 되풀이했다. 연이 너무 높은 데다가 전에 없이 드센 바람기 때문에 마음이 놓이지 않는 탓이었다. 팽팽하게 하늘을 가로질러 올라간 연실 끝에서 드센 바람을 받고 심하게 오르내리는 연을 따라 어머니의 마음도 불안하게 흔들리고 있었다.

아니나 다를까.

불안감에 쫓기던 어머니가 어느 순간엔가 다시 그 하늘의 연을 찾았을 때였다.

연이 있어야 할 곳에 연의 모습이 보이질 않았다.

연은 어느새 실이 끊어져 날아간 것이었다. 빗살처럼 곧게 하늘로 뻗어 오르던 연실이 머리 위를 구불구불 힘없이 흘러 내려오고 있었다.

실이 뻗쳐 올라가 있던 쪽 하늘을 자세히 살펴보니, 아직도 한 점 까만 새처럼 허공 속으로 아득히 멀어져 가고 있는 것이 있었다. / 어머니는 아예 밭 언덕에 주저앉아 연의 흔적이 시야에서 사라질 때까지 그 하염없는* 눈길을 하늘에 못 박고 있었다.

그리고 그 연의 모습이 완전히 시야에서 자취를 감추고 난 다음에야 어머니는 비로소 가는 한숨을 삼키면서 천천히 다시 자리를 털고 일어났다.

하지만 이제 반나마 차오른 무릇 바구니를 옆에 끼고 마을 길을 돌아가고 있는 어머니는 방금 전에 무슨 아쉬운 배웅이라도 끝내고 돌아선 사람처럼 거동이 무척 차분했다. 연을 지킬 때처럼 초조한 눈빛도 없었고, 발길을 조급히 서둘러 가려는 기색도 아니었다. 〈중략〉

"아지매요. 건이 새끼 좀 빨리 쫓아가 봐야 혀요. 건이 새낀 아까 도회지* 돈벌이 간다고 읍내께로 튀었다니께요. 지는 도회지 가서 돈 벌어 온다고 연실 같은 건 내나 실컷 감아 가지라면서요……."

어머니가 흐느적흐느적 허기진 걸음걸이로 마을을 들어섰을 때였다. 아들놈의 연실을 감아 들이고 있던 이웃집 조무래기 놈이 제풀에 먼저 변명을 하고 나섰으나, 어머니는 이번에도 미리 모든 것을 짐작하고 있었던 것처럼 놀라는 빛이 없었다. 앞뒤 사정을 궁금해하거나 집을 나간 녀석을 원망하는 기색* 같은 것도 없었다. 아들의 뒤를 서둘러 쫓아 나서려기는커녕 걸음 한번 멈추지 않고 말없이 그냥 녀석의 곁을 지나쳐 갈 뿐이었다. 그러고는 내처* 그 텅 빈 초가의 사립문*을 들어서고 나서야 아들의 연이 날아간 하늘을 향해 어머니는 발길을 잠깐 머물러 섰을 뿐이었다.

하지만 이제 연의 흔적은 보이지 않았다. 텅 빈 하늘만 하염없이 멀어져 가고 있었다.

어머니는 다만 그 무심한 하늘을 향해 다시 한번 가는 한숨을 삼키며 허망스럽게 중얼거리고 있었다. / "아가, 어딜 가거나 몸이나 성하거라……."

* 이변 예상하지 못한 사태나 괴이한 변고.
* 무릇 백합과의 여러해살이풀.
* 하염없다 시름에 싸여 멍하니 이렇다 할 만한 아무 생각이 없다.
* 도회지 사람이 많이 살고 상공업이 발달한 번잡한 지역.
* 기색 마음의 작용으로 얼굴에 드러나는 빛.
* 내처 어떤 일 끝에 더 나아가.
* 사립문 사립짝을 달아서 만든 문.

4 윗글을 읽고 이해한 내용으로 적절하지 않은 것은?

① 아들은 봄바람이 심하게 불던 날 어머니를 떠났다.
② 어머니는 아들이 떠날 것을 알고 미리 대비하고 있었다.
③ 아들은 어머니에게 한마디 말도 없이 도회지로 떠나 버렸다.
④ 어머니는 실이 끊어진 연을 보고 아들의 상황을 짐작하였다.
⑤ 어머니는 아들이 자신을 떠난 것에 대해서 원망하지 않았다.

수능형

5 〈보기〉는 윗글에 나타난 어머니의 행동과 심리를 정리한 것이다. ㉠에 들어갈 내용으로 가장 적절한 것은?

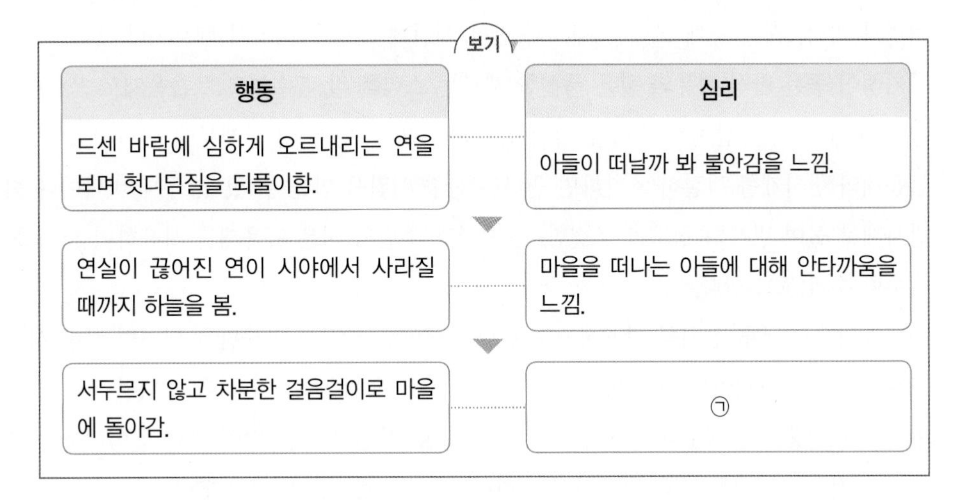
보기

행동	심리
드센 바람에 심하게 오르내리는 연을 보며 헛디딤질을 되풀이함.	아들이 떠날까 봐 불안감을 느낌.
연실이 끊어진 연이 시야에서 사라질 때까지 하늘을 봄.	마을을 떠나는 아들에 대해 안타까움을 느낌.
서두르지 않고 차분한 걸음걸이로 마을에 돌아감.	㉠

① 아들이 돌아올지도 모른다는 기대감을 나타내고 있다.
② 아들이 마을을 떠난 사실을 받아들이며 체념하고 있다.
③ 마을을 떠난 아들에 대한 간절한 그리움을 드러내고 있다.
④ 아들이 마을을 떠나게 방관*했다는 죄책감을 느끼고 있다.
⑤ 떠난 아들에 대한 마을 사람들의 반응에 대해 걱정하고 있다.

* **방관** 어떤 일에 직접 나서서 관여하지 않고 곁에서 보기만 함.

콘서트홀의 잔향 시간

콘서트홀에서 감미로운 노래와 웅장한* 오케스트라 연주에 휩싸이는 경험은 정말 매력적이다. 하지만 모든 콘서트홀이 늘 최고의 소리를 들려주는 것은 아니다. 어떤 콘서트홀에서 공연을 관람하느냐에 따라서 공연의 만족도가 달라질 수 있다. 왜냐하면 오케스트라와 가수 외에도 콘서트홀의 다양한 요소들이 공연의 질에 영향을 미치기 때문이다.

공연의 질을 좌우하는 중요한 요소 중 하나는 음이 지속되는 잔향*시간이다. 잔향 시간은 음 에너지가 최대인 상태에서 일백만 분의 일만큼의 에너지로 감소하는 데 걸리는 시간을 말한다. 콘서트홀 종류마다 알맞은 잔향 시간이 다르다. 오케스트라 전용 콘서트홀은 청중들이 풍성하고 웅장한 감동을 느낄 수 있도록 잔향 시간을 1.6~2.2초로 길게 설계하고, 오페라 전용 콘서트홀은 이보다는 소리가 덜 울려야 청중들이 대사를 잘 들을 수 있기 때문에 잔향 시간을 1.3~1.8초로 짧게 만든다. 예술의 전당에서, 주로 오케스트라가 공연하는 콘서트홀은 잔향 시간이 2.1초에 달하고, 오페라를 공연하는 콘서트홀은 잔향 시간이 1.3~1.5초이다. 그러면 이러한 콘서트홀의 잔향 시간을 조절하는 방법을 살펴보자.

잔향 시간을 조절하는 방법에는 먼저 콘서트홀의 크기를 고려하는 방법이 있다. 잔향 시간은 콘서트홀의 크기에 따라 달라지기 때문이다. 작은 콘서트홀에서는 무대에서 나가는 소리가 벽에 부딪히기까지의 시간이 짧다. 따라서 소리가 벽에 부딪히는 횟수가 많아지므로 소리 에너지가 빨리 줄어들어 잔향 시간이 짧아진다. 큰 콘서트홀은 작은 콘서트홀에 비해 무대에서 나가는 소리가 벽에 부딪히기까지의 시간이 길다. 따라서 소리가 벽에 부딪히는 횟수가 적으므로 소리 에너지가 천천히 줄어들어 잔향 시간이 길어진다.

다음으로 콘서트홀의 재료를 고려하여 잔향 시간을 조절하는 방법도 있다. 콘서트홀의 벽면과 바닥, 객석 등에 쓰이는 재료가 잔향 시간에 영향을 미치기 때문이다. 밀도가 낮고 통기성*이 좋은 합성 섬유와 같은 푹신한 재료는 소리를 잘 흡수하므로 흡음재로 쓰인다. 반면 돌이나 두꺼운 합판은 소리를 거의 흡수하지 않고 튕겨 내기 때문에 반사재로 쓰인다. 흡음재와 반사재를 적절히 조합하면 원하는 잔향 시간을 만들 수 있다. 무대 바닥이나 벽은 반사재를 붙여 반사의 정도를 조절한다. 객석과 주변의 벽은 흡음재를 사용하여 소리를 잘 흡수할 수 있도록 한다.

마지막으로 음향* 장치를 활용하기도 한다. 공연이 열릴 때 반사판을 더하면 잔향 시간을 조절할 수 있다. 피아노 독주*처럼 작은 소리를 울리게 해야 할 때 피아노 뒤편 무대에 음향 반사판을 병풍처럼 세운다. 그리고 이런 방법으로 잔향 시간을 많이 늘리기 어려울 때에는 최첨단 전기 음향 시스템을 활용하기도 한다. 곳곳에 숨겨진 마이크가 음을 받아 목적에 맞는 잔향 시간만큼 늘린 뒤 다시 스피커로 들려주는 것이다.

* **웅장하다** 규모 따위가 거대하고 성대하다.
* **잔향** 실내의 발음체에서 내는 소리가 울리다가 그친 후에도 남아서 들리는 소리. 실내 음향 효과를 내는 데 중요한 현상이다.
* **통기성** 공기가 통할 수 있는 성질이나 정도.
* **음향** 물체에서 나는 소리와 그 울림.
* **독주** 한 사람이 악기를 연주하는 것. 반주가 있을 때도 있고 없을 때도 있다.

1 **윗글의 내용과 일치하지 않는 것은?**

① 콘서트홀에서 열리는 공연은 다양한 요소들에 의해 공연의 질이 달라진다.
② 콘서트홀의 크기가 작을수록 소리 에너지가 천천히 줄어들어 잔향 시간이 길어진다.
③ 합성 섬유와 같은 푹신한 재료는 흡음재로 쓰이고, 돌이나 두꺼운 합판은 반사재로 쓰인다.
④ 작은 소리를 울리게 할 때는 음향 반사판을 악기 뒤편에 병풍처럼 세워서 잔향 시간을 조절한다.
⑤ 음이 지속되는 잔향 시간은 음 에너지가 최대인 상태에서 일백만 분의 일만큼의 에너지로 감소하는 데 걸리는 시간이다.

2 **윗글에 사용된 서술 방식에 대한 이해로 적절하지 않은 것은?**

① 내용을 구체화하기 위해 수치를 적절히 활용하고 있다.
② 독자의 이해를 돕기 위해 생소한 개념을 풀이하고 있다.
③ 대상의 종류를 크게 둘로 나누어 실제 예를 들어 설명하고 있다.
④ 현상이 발생하는 과정을 시간순으로 나열하여 내용을 전개하고 있다.
⑤ 중심 화제를 우선 제시하고 각 문단에서 구체적인 내용을 나열하고 있다.

3 **윗글의 내용을 바탕으로 할 때, 〈보기〉의 ㉠에 들어갈 내용으로 적절한 것은?**

보기
주로 오케스트라가 공연하는 콘서트홀은 청중들이 풍성하고 웅장한 감동을 느낄 수 있도록 (㉠) 잔향 시간이 길어지게 설계한다.

① 콘서트홀 뒤편에 있는 음향 반사판을 제거함으로써
② 콘서트홀의 크기를 크게 하여 소리 에너지가 천천히 줄어들게 함으로써
③ 콘서트홀의 높이를 낮게 하여 소리가 벽에 부딪히는 횟수를 늘림으로써
④ 콘서트홀의 객석과 주변의 벽에 반사재를 사용하여 소리가 반사되게 함으로써
⑤ 콘서트홀의 무대 바닥에 합성 섬유와 같은 푹신한 재료를 사용하여 소리가 흡수되게 함으로써

어휘 학습

1~4 빈칸에 들어갈 어휘를 〈보기〉에서 골라 문맥에 맞게 써 보자.

보기
단념하다 선하다 웅장하다 하염없다

1 그녀는 시험 걱정에 ( ) 걷다가 길을 잃었다.

2 그는 집안 사정이 어려워지는 바람에 유학을 ( ) 말았다.

3 돌아가신 할아버지의 모습이 아직도 눈에 ( ) 떠오른다.

4 조선 시대의 궁궐은 지금도 그 ( ) 모습을 자랑하고 있다.

5~7 빈칸에 알맞은 말을 넣어 밑줄 친 어휘의 뜻을 완성해 보자.

5 추수가 끝난 가을 들판에서는 적막만이 느껴졌다.
→ 고요하고 ( ).

6 리넨으로 만든 옷은 통기성이 좋아 여름에 인기가 많다.
→ ( )이/가 통할 수 있는 성질이나 정도.

7 영호는 집에 들어오자마자 피곤한 기색도 없이 저녁을 준비했다.
→ 마음의 작용으로 ( )에 드러나는 빛.

8~10 제시된 설명이 맞으면 ○에, 그렇지 않으면 ×에 표시해 보자.

8 예상하지 못한 사태나 괴이한 변고를 '이변'이라고 한다. (○ , ×)

9 두둑한 땅과 땅 사이에 길고 좁게 들어간 곳을 '이랑'이라고 한다. (○ , ×)

10 실내의 발음체에서 내는 소리가 울리다가 그친 후에도 남아서 들리는 소리를 '음향'이라고 한다. (○ , ×)

배경 지식

콘서트홀

콘서트는 음악을 연주하여 청중이 음악을 감상하게 하는 모임으로 음악회, 콘체르트라고도 불립니다. 이와 같은 콘서트가 열리는 장소가 바로 콘서트홀입니다. 음악당이라고도 불리는 콘서트홀은 음악을 연주하고 청중이 그것을 감상할 수 있도록 특별히 지은 건물 또는 공연을 하는 장소로, 음향 효과를 높인 음악 전용 극장을 말합니다.

콘서트홀은 음원(音源)에서 나온 음이 모든 방향으로 한꺼번에 퍼져야 하고, 나온 음이 방해 없이 들려야 하기 때문에 음향적인 측면을 고려하여 건축물을 설계하는 것이 중요합니다. 이러한 과학적인 음향 설계의 원리를 최초로 알아낸 사람은 미국의 음향 물리학자인 세이바인입니다. 잔향 시간의 중요성과 그 예측 공식을 발견한 그는 미국 보스턴 심포니 홀의 음향 건축에 자신이 발견한 잔향 시간과 음향 반사 등의 음향 설계를 실제적으로 도입하여 성공을 거두었고, 그 이후로 다른 콘서트홀을 지을 때도 음향 설계가 적극적으로 도입되었습니다.

우리나라의 대표적인 콘서트홀에는 예술의 전당 콘서트홀이 있습니다. 1988년 문을 연 예술의 전당 콘서트홀은 우리나라 최초의 클래식 음악 전용 공연장입니다. 중앙 무대를 둘러싸고 3층으로 이루어진 객석은 독특한 공간 설계로 섬세함에서 웅장함까지 모든 음의 영역을 소화하고 전달합니다. 또한 무대 뒤편의 객석은 합창 단원석으로도 활용되는데 이는 콘서트홀의 또 다른 볼거리입니다.

온화하고 풍성한 특유의 음향 특성을 자랑하며 그 자체로 거대한 악기라는 평을 듣고 있는 예술의 전당 콘서트홀은 세계 최고 수준의 공연 공간으로 전 세계의 클래식 연주자들로부터 큰 사랑을 받고 있습니다.

▲ 예술의 전당 콘서트홀

간단 확인

1. 콘서트홀은 다양한 예술 공연이 이루어지는 예술 전용 극장을 말한다. 

2. 세이바인은 잔향 시간의 중요성과 그 예측 공식을 최초로 발견한 미국의 음향 물리학자이다.  

고향 | 정지용

작품 안내

이 작품은 고향에 돌아온 화자가 느끼는 상실감을 표현한 시이다. 고향의 모습과 화자의 정서에 주목하며 시를 감상해 보자.

[A] ┌ 고향에 고향에 돌아와도
└ 그리던 고향은 아니러뇨.

산꿩이 알을 품고
뻐꾸기 제철에 울건만,*

마음은 제 고향 지니지 않고
머언 항구로 떠도는 구름.*

오늘도 뫼 끝*에 홀로 오르니
흰 점 꽃이 인정스레 웃고,

어린 시절에 불던 풀피리 소리 아니 나고
메마른 입술에 쓰디쓰다.*

[B] ┌ 고향에 고향에 돌아와도
└ 그리던 하늘만이 높푸르구나.

시어·시구 해설

* **산꿩이 알을 ~ 제철에 울건만** 변함없이 생명의 순환이 일어나고 있는 고향의 모습을 나타냄.
* **머언 항구로 떠도는 구름** 고향을 낯설게 여기며 방황하는 화자의 마음을 구름에 비유함.
* **뫼 끝** 산꼭대기.
* **메마른 입술에 쓰디쓰다.** 고향을 상실한 마음을 미각적 심상으로 표현함.

1 위 시에 대한 설명으로 가장 적절한 것은?

① 인간과 자연의 상황을 대비하여 화자의 정서를 드러내고 있다.
② 상승과 하강의 이미지를 교차하여 화자의 태도를 드러내고 있다.
③ 다양한 자연물의 속성을 이용하여 올바른 삶의 태도를 제시하고 있다.
④ 감각적 심상을 활용하여 화자가 추구하는 삶의 가치를 강조하고 있다.
⑤ 화자의 회상을 통해 대상에 대한 후회와 그리움의 정서를 표현하고 있다.

개념+ 감각적 심상

시를 읽을 때 시어를 통해 마음속에 떠오르는 구체적이거나 감각적인 이미지
- 시각적 심상: 눈으로 느낄 수 있는 이미지
- 청각적 심상: 귀로 느낄 수 있는 이미지
- 미각적 심상: 혀로 느낄 수 있는 이미지
- 후각적 심상: 코로 느낄 수 있는 이미지
- 촉각적 심상: 피부로 느낄 수 있는 이미지

수능형

2 〈보기〉를 참고하여 위 시를 감상한 내용으로 적절하지 않은 것은?

보기

일반적으로 고향을 소재로 하는 시는 고향에 대한 그리움이나 고향의 아름다운 자연 또는 고향의 변화로 인한 안타까움을 표현한다. 반면 이 시는 고향에 돌아온 화자가 자신의 인식 변화로 인해 느끼는 불안한 정서를 형상화하고 있어 고향을 소재로 하는 시들과 다른 특징을 보인다.

① '그리던 고향'은 화자가 마음속에 품고 있었던 그리운 고향의 모습을 의미한다.
② '마음은 제 고향 지니지 않고'는 자연은 그대로지만 고향을 낯설어하는 화자의 변화를 나타낸다.
③ '떠도는 구름'은 고향에 돌아오기 전 현실에 안주*하지 않고 이상을 추구하던 화자의 모습을 의미한다.
④ '풀피리 소리 아니 나고'는 어린 시절 순수했던 모습이 아닌 달라진 화자의 현재 상황을 암시한다.
⑤ '하늘만이 높푸르구나'는 변해 버린 화자가 느끼는 고향에 대한 거리감과 상실감을 나타낸다.

* 안주 현재의 상황이나 처지에 만족함.

3 [A]와 [B]에 대한 이해로 적절한 것은?

① [A]에서 느낀 화자의 상실감은 [B]에서 더욱 심화되어 강조되고 있다.
② [A]에 나타난 화자의 상실감은 [B]에서 자연을 통해 다시 회복되고 있다.
③ [A]에서 느낀 화자의 부담감은 [B]에서 이상향을 추구하는 계기가 된다.
④ [A]에서 느낀 화자의 안타까움은 [B]에서 대상에 대한 원망으로 나타난다.
⑤ [A]에 나타난 화자의 그리움은 [B]에서 만남을 위한 강한 의지로 나타난다.

창의성 형성

현대 사회에 필요한 자질*로 창의성이 언급되고는 한다. 그런데 창의성이 어떻게 만들어지는지에 대해서는 정확하게 알려져 있지 않다. 이에 대해 ㉠칙센트미하이*가 제시하는 견해에 주목*할 만하다. 그는 무의식적 사고를 통해 새로운 아이디어가 생길 수 있으며, 이 아이디어가 사회적 인정을 받아 영향력을 발휘할 때 비로소 창의성이 만들어진다고 본다.

칙센트미하이는 개인이 새로운 아이디어를 떠올릴 때 무의식적 사고 과정을 꼭 거친다고 말한다. 우리가 의식하지 못하는 사이에도 머릿속에서는 다양한 정보들이 조합*을 이루는데, 이 중 잘 들어맞는 조합이 생기면 그 순간에 깨달음을 얻어 새로운 아이디어가 생긴다는 것이다. 의식적 사고는 논리적 관계에 따라 정보를 선형적*으로 하나씩 처리하여 사고의 범위가 제한적이다. 반면, 무의식적 사고는 여러 줄기의 정보들을 동시에 처리하여 사고의 범위가 훨씬 넓기 때문에 예전에는 연관성을 갖지 못했던 정보들도 뜻하지 않게 조합을 이룰 수 있다. 흔히 사람들이 갑자기 아이디어가 떠올라 '아하!' 하고 무릎을 탁 치는 순간이 있는데, 이것이 무의식적 사고의 결과인 것이다.

그런데 칙센트미하이는 이렇게 개인이 만들어 낸 아이디어만으로는 창의성이 형성된 것으로 볼 수 없다고 한다. '현장', '영역'과의 상호 작용을 거쳐야만 창의성이 형성된다는 것이다. 개인이 만들어 낸 아이디어는 각 분야의 전문가들로 구성된 사회인 현장의 평가를 받게 된다. 현장은 개인의 아이디어를 평가하고 그중 가치 있는 것을 선택하여 세상에 알리는 역할을 한다. 그리고 현장의 선택을 받은 아이디어는 상징적 지식 체계인 영역으로 편입*되어 영역을 새롭게 한다. 이 새로운 영역은 다시 개인과 사회 구성원들에게 영향을 미치게 된다. 이러한 과정을 거칠 때 비로소 창의성이 형성된다는 것이다. 결국 칙센트미하이는 한 개인이 만들어 낸 아이디어가 아무리 새롭다고 해도 현장의 인정을 받아 영역에 편입되지 못하면 창의성이 형성되지 않았다고 본다.

그렇다면 현장의 인정을 받을 수 있는 아이디어를 만들기 위해 우리는 어떤 노력을 해야 할까? 한 가지는 현장의 전문가 집단과 교류*하거나 영역의 지식 체계를 이해하려고 노력하는 것이다. 현장과의 교류를 통해 전문가들로부터 새로운 영향을 받을 수 있고, 영역에 대해 호기심을 가지면 새로운 문제 제기도 가능해진다. 다른 한 가지는 무의식적 사고의 활성화이다. 이는 외부 자극에 주의 집중하는 의식적 작업을 최소화하여 고정된 관점을 버리는 것이다. 문제 해결이 어려울 때에 그 문제에 전념*하기보다는 일을 잠시 내버려 둔 채 다른 일을 하거나 한가하게 시간을 보내는 것이 도움이 된다.

* **자질** 어떤 분야의 일에 대한 능력이나 실력의 정도.
* **칙센트미하이** 미국의 심리학자. '긍정의 심리학' 분야의 선구자이며 창조성과 행복과의 관계를 연구함.
* **주목** 관심을 가지고 주의 깊게 살핌. 또는 그 시선.
* **조합** 여럿을 한데 모아 한 덩어리로 짬.
* **선형적** 선처럼 길게 일렬로 나아가는. 또는 그런 것.
* **편입** 이미 짜인 한 동아리나 대열 등에 끼어 들어감.
* **교류** 문화나 사상 따위가 서로 통함.
* **전념** 오직 한 가지 일에만 마음을 씀.

1 ㉠에 해당하는 내용으로 적절한 것은?

① 개인이 새로운 아이디어를 떠올릴 때 반드시 무의식적 사고 과정을 거치는 것은 아니다.

② 새로운 아이디어는 논리적 관계에 따라 정보를 선형적으로 처리할 때 갑자기 떠오르기도 한다.

③ 개인이 만들어 낸 아이디어가 새로워도 현장의 인정을 받지 못하면 창의성이 형성되었다고 볼 수 없다.

④ 현장은 개인의 아이디어를 평가하고 모든 아이디어를 영역에 편입시켜 영역을 새롭게 하는 역할을 한다.

⑤ 외부 자극에 주의 집중하는 의식적 작업을 통해 문제에 전념할 때 새로운 아이디어를 떠올릴 수 있다.

수능형

2 윗글을 바탕으로 〈보기〉를 해석한 내용으로 적절하지 않은 것은?

보기

14세기 피렌체의 산타 마리아 노벨라 대성당은 거대한 돔을 만들지 못해 80년간 지붕 없이 방치되었다. 매년 건축가들이 건축 감독 위원회에 계획서를 제출했지만 실격 판정을 받았다. 그러던 중 '건축가 A'가 로마 양식에 호기심을 갖고 연구한 결과 큰 무게를 버틸 수 있는 설계안을 고안했다. 감독 위원회는 그의 설계안을 인정하였고, 마침내 돔이 완성되었다. 이후 이 성당의 돔은 많은 건축가들에게 영감을 주는 새로운 양식이 되었고, 유럽에서 가장 창의적인 건축물 중 하나로 평가받았다. '건축가 B'도 이 돔을 기초로 성 베드로 대성당의 천장을 설계했다.

① '건축가 A'가 완성한 노벨라 대성당의 돔이 새로운 양식이 되었다는 것은 개인의 아이디어가 영역을 새롭게 한 것임을 보여 준다.

② '건축가 A'가 80년간 방치된 노벨라 대성당의 돔을 설계했다는 것은 문제 해결이 어려울 때 한가하게 시간을 보내는 것이 도움이 됨을 보여 준다.

③ '건축가 A'가 로마 양식을 연구하여 노벨라 대성당의 돔 설계안을 고안한 것은 영역에 대한 호기심을 갖는 과정에서 아이디어가 생겨남을 보여 준다.

④ '건축가 A'의 아이디어가 감독 위원회로부터 인정받아 노벨라 대성당의 돔으로 완성된 것은 창의성의 형성에 '현장'의 역할이 필요함을 보여 준다.

⑤ '건축가 B'가 노벨라 대성당의 돔 양식을 기초로 성 베드로 대성당의 천장을 설계한 것은 새로운 영역이 다시 개인에게 영향을 미칠 수 있음을 보여 준다.

어휘 학습

1~4 빈칸에 들어갈 어휘를 〈보기〉에서 찾아 써 보자.

> 보기
> 발휘 언급 전념 조합

1 그는 백발백중의 활 솜씨를 ( )했다.

2 공부에만 ( )하더니 시험에 합격하였다.

3 그는 이번 사태에 대하여 아무런 ( )이/가 없다.

4 자동차에는 수만 개의 부품이 ( )되어 있다.

5~7 밑줄 친 어휘의 뜻을 〈보기〉에서 찾아 기호를 써 보자.

> 보기
> ㉠ 문화나 사상 따위가 서로 통함.
> ㉡ 이미 짜인 한 동아리나 대열 등에 끼어 들어감.
> ㉢ 어떤 사물이나 현상에 대한 자기의 의견이나 생각.

5 이 문제에 대하여 그들은 서로 견해를 달리하고 있다.
( )

6 여러 민족의 이주나 정복은 문화의 교류를 촉진하였다.
( )

7 암호 화폐도 제도권으로 편입하여 관리해야 한다는 필요성이 제기되었다.
( )

8~10 제시된 초성을 참고하여 다음 뜻에 해당하는 어휘를 써 보자.

8 ㅈㅊ: 알맞은 시절. → ( )

9 ㅈㅁ: 관심을 가지고 주의 깊게 살핌. 또는 그 시선. → ( )

10 ㅈㅈ: 어떤 분야의 일에 대한 능력이나 실력의 정도. → ( )

배경 지식

정지용의 작품 세계

충북 옥천에서 출생한 정지용(1902~1950)은 1930년대에 이미 한국 현대 시의 새로운 시대를 개척한 선구자라는 평가를 받은 시인이었습니다.

일본의 대학에서 영문학을 전공하고 귀국한 뒤 영어 교사로 활동하였고, 1930년에는 박용철, 김영랑, 이하윤 등과 함께 동인지 『시문학』을 발간하였습니다. 1933년에는 김기림, 이효석, 이태준 등 순수 문학을 지향하는 아홉 명의 문인과 함께 구인회를 결성하기도 하였습니다. 또 그해 『카톨릭 청년』의 편집 고문으로 있으면서 이상의 시를 소개하여 그를 시단에 등장시켰고, 1939년에는 『문장』의 추천 위원으로 활동하면서 조지훈, 박두진, 박목월의 청록파를 등단시켰습니다.

정지용은 모더니즘의 영향을 받아 이미지를 중시하면서도 향토적 정서를 형상화한 순수 서정시를 주로 창작하였습니다. 그는 동양 철학과 전통문화에도 관심이 많아 서구적인 표현에 한국적인 정서를 깃들인 작품들을 많이 창작했습니다. 또한 무엇보다도 정지용의 시를 대표하는 말은 '섬세하고 정확한 시어 구사'와 '선명하고 감각적인 이미지'입니다. 감정을 절제하면서 잘 다듬은 언어를 사용해 대상을 감각적으로 표현한 그의 시는 일찍부터 많은 시인들에게 영향을 주었습니다.

절제된 시어와 참신한 이미지로 대상을 선명하게 묘사하여, 한국 현대 시의 새로운 경지를 열었다고 평가받는 그의 대표 작품으로는 「고향」, 「향수」, 「바다」, 「유리창」, 「장수산」 등이 있습니다.

▲ 정지용 동상

간단 확인

1. 모더니즘의 영향을 받은 정지용은 서구적 정서를 담은 시를 많이 창작하였다. 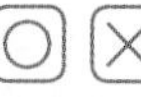 
2. 정지용은 절제된 시어와 참신한 이미지를 활용해 대상을 감각적으로 표현한다는 평가를 받는다. 

12 문학

고무신 | 오영수

작품 안내

- 발단: 산기슭 마을에 엿장수가 찾아오자 아이들은 신이 남.
- 전개: 영이와 윤이가 남이의 옥색 고무신을 엿과 바꿔 먹자 남이는 엿장수에게 고무신을 돌려 달라고 성화를 부리고, 그 후 엿장수는 남이를 보려고 동네에 자주 나타남.
- 위기: 남이 아버지가 남이의 혼사를 위해 남이를 데리러 오고, 떠나는 날이 되어 남이는 주인집 식구들과 작별 인사를 함.
- 절정: 남이가 떠나기 직전, 때마침 동네에 나타난 엿장수에게 엿을 사서 아이들에게 줌.
- 결말: 엿장수는 옥색 고무신을 신고 떠나는 남이를 울음 고개에서 바라봄.

[앞부분 줄거리] 귀환 동포가 모여 사는 산기슭 마을에 엿장수가 찾아오자 무료하게 지내던 마을 아이들은 엿장수의 방문에 즐거워한다. 어느 날 남이가 일하는 주인집 아이들은 철수가 남이에게 추석치레*로 사 준 옥색 고무신을 엿장수에게 가져다주고 엿으로 바꾸어 먹는다. 남이는 이 사실을 알고 아이들을 혼낸다.

"아부지!" / 하고는 채 대답도 듣기 전에,

"아지마가 오늘 윤이 때리고 날 꼬집고 했어!" / 한다. 철수는 밥을 씹다 말고, 5

"응, 정말?" / "그래!" / 하고는 팔을 걷어 보이나 꼬집힌 흔적은 보이지 않았다.

그러자 작은놈도 밑이 타진 바지를 젖히고 볼기짝을 가리키면서,

"에게, 에게, 때려……." / 하는 것을 보아 거짓말은 아닌 것 같다. 의외의 일이었다.

그것은 식모아이* 분수로서 함부로 애들을 때리고 꼬집었든가 하는 무슨 명분*을 가려서가 아니라, 남이가 이 집에 온 이후 오늘까지 한 번이라도 애들에게 손찌검을 하거나 또 했다거나 하는 것을 보지도 듣지도 못했기 때문이었다. 〈중략〉 10

엿장수가 엿판을 길목에 내리자 남이는 가시처럼 꼭 찌르는 소리로, / "보소!"

엿장수는 놀란 듯 힐끗 한 번 돌아보고는 담을 싼 아이들을 헤치고 남이에게로 오는데 남이는 ㉠입을 쌜쭉하면서 대뜸, / "내 신 내놓소!"

했다. 엿장수는 걸음을 멈추고 한참 동안 남이를 바라보다 말고 은근한 말투로, 15

"신은 웬 신요?"

하고는 상대편의 의심을 받을 만큼 히죽이 웃어 보이자, 남이는 ㉡눈이 까칠해 가지고,

"잡아떼면 누가 속을 줄 아는가 베!"

그러나 엿장수는 ㉢수양버들 봄바람 맞듯 연신 히죽거리며,

"뭘요? ㉣그믐밤에 홍두깨도 분수가 있지." 20

남이는 발끈하고, / "신 말이오!" / "신을요?"

"어제 우리 집 아이들을 꾀어 간 옥색 고무신 말이오!"

엿장수는 머리를 벅벅 긁으며, / "꾀기는 누가……."

하고는 한 걸음 앞으로 다가서서 길 아래위를 살핀 다음 낮은 소리로,

"그 신이 당신 신이던교?" / "누구 신이든 내 봐요, 빨리!" 25

엿장수는 또 머리를 긁으면서,

"당신 신인 줄 알았으면야, 이놈이 미친놈이 아닌 담에야……."

하고 지나치게 고분거리는데 남이는 한결같이 ㉤앙살*을 부린다.

"내 봐요, 빨리!"

엿장수는 손짓으로 어르듯 달래듯, 30

"가만있소. 도가*에 가 보고 신이 있으면야 갖다 주고말고. 만일 신이 없으면 새 신이라도 사다 줄게요. 염려 마소!"

* 추석치레 추석날에 모양을 내는 일.
* 식모아이 남의 집에 고용되어 주로 부엌일을 맡아 하는 어린 여자.
* 명분 일을 꾀할 때 내세우는 구실이나 이유 따위.
* 앙살 엄살을 부리며 버티고 겨루는 짓.
* 도가 동업자들이 모여서 계나 장사에 관해 의논하는 집. 여기서는 엿장수가 팔 엿을 받아 오는 곳을 뜻함.

1 **윗글의 인물에 대한 설명으로 적절한 것은?**

① 엿장수는 남이의 추궁*에 순박한 태도를 보인다.

② 남이는 엿장수가 아이들의 꼬임에 넘어갔다고 생각한다.

③ 아이들은 철수에게 거짓말을 하며 남이를 모함하고 있다.

④ 남이는 엿장수에 대한 이성적 관심을 은근히 내비치고 있다.

⑤ 철수는 남이가 아이들에게 이유 없는 적대감이 있다고 여긴다.

* **추궁** 잘못한 일에 대하여 엄하게 따져서 밝힘.

수능형

2 **윗글의 서술 방식에 대한 설명으로 적절하지 않은 것은?**

① 대화를 통해 인물의 성격이 잘 드러나도록 표현하고 있다.

② 아이들의 대화와 행동을 직접 제시하여 독자에게 현장감을 주고 있다.

③ 배경의 변화를 상세히 묘사하여 인물의 심리를 효과적으로 드러내고 있다.

④ 지역 방언을 사용하여 토속적인 분위기를 조성하고 인물에 생동감을 부여하고 있다.

⑤ '가시처럼 꼭 찌르는 소리'와 같은 비유적 표현을 활용하여 인물의 심리를 생생하게 드러내고 있다.

개념+ 소설의 배경

- 개념: 인물이 행동하거나 사건이 일어나는 시간, 공간, 사회, 시대 등 구체적 환경이나 장소
- 종류
  - 시간적 배경: 인물의 행동이 일어나고 사건이 벌어지는 구체적인 시간
  - 공간적 배경: 인물이 행동하거나 사건이 벌어지는 구체적인 공간
  - 사회·문화적 배경: 인물이 생활하며 행동하는 시대 및 사회의 상황이나 풍습
- 역할: 소설의 분위기를 조성하고 인물의 심리를 대신 보여 주거나 사건이 전개되는 방향, 주제 등을 암시함.

3 **㉠~㉤의 의미로 적절하지 않은 것은?**

① ㉠: 입을 한쪽으로 배뚤어지게 하는 것을 말한다.

② ㉡: 사납고 공격적인 눈빛으로 쳐다보는 것을 의미한다.

③ ㉢: 능청스럽고 부드러운 태도를 의미한다.

④ ㉣: 별안간 엉뚱한 말이나 행동을 하는 것을 말한다.

⑤ ㉤: 차분하게 쏘아붙이는 것을 말한다.

12

작품 안내

발단 산기슭 마을에 엿장수가 찾아오자 아이들은 신이 남.

전개 영이와 윤이가 남이의 옥색 고무신을 엿과 바꿔 먹자 남이는 엿장수에게 고무신을 돌려 달라고 성화를 부리고, 그 후 엿장수는 남이를 보려고 동네에 자주 나타남.

위기 남이 아버지가 남이의 혼사를 위해 남이를 데리러 오고, 떠나는 날이 되어 남이는 주인집 식구들과 작별 인사를 함.

절정 남이가 떠나기 직전, 때마침 동네에 나타난 엿장수에게 엿을 사서 아이들에게 줌.

결말 엿장수는 옥색 고무신을 신고 떠나는 남이를 울음 고개에서 바라봄.

철수 아내가,

"보이소, ⓐ나도 스물한 살 때 이 집에 시집을 왔는데, 뭣이 그리 급해서……. 더구나 남이는 나이만 열여덟이지 원래 좀된 편이라 숙성한* 애들의 열대여섯밖에는 안 뵈는데……."

"아니올시더. 부모 갖고 살림 있으면야 한 해 두 해 늦어도 까딱없지요. 암, 까딱없고말고……."

"그렇잖아도 스무 살은 안 넘길 작정을 하고 또 그리 준비도 하고 있소."

스무 살이라는 말에 남이 아버지는 그만 질색*을 하면서,

"언머어이, 무슨 말인교? 당찮심더!" / 하고는 낯까지 붉히었다. 〈중략〉

골목에서 엿장수 가위 소리가 들려왔다. 남이는 재빨리 윤이를 업고, 영이의 손목을 잡은 채 밖으로 나갔다. 남이 아버지는 벌써 저만치 철수와 하직*을 하면서 내려가고, 엿장수는 막 철수네 집 앞에서 대문을 나서는 남이와 마주쳤다. 엿장수는 얼빠진 사람처럼 남이를 바라보는데 ⓑ남이의 눈에는 순간 어두운 그림자가 지나갔다.

남이는 윤이를 업은 채 허리를 굽히고, 몸을 약간 돌려 치맛자락을 걷고 빨간 콩 주머니에서 십 원짜리 두 장을 꺼내 엿장수를 주었다. 엿장수는 그제서야 눈을 돌려 남이와 돈을 번갈아 보다 말고, ⓒ신문지 조각에 엿을 네댓 가락 싸서 아무 말도 없이 돈과 함께 내민다.

남이는 약간 망설이다가 역시 암말도 없이 한 손으로 받아 가지고는 영이를 앞세우고 안으로 들어왔다. 엿장수는 멍하니 대문만 쳐다보고 있다가 침을 한 번 꿀꺽 삼키고 나서 엿판을 둘러메고는 혼잣말로,

"꽃놀이를 가면 자천 골짜기지. 그럼 한 걸음 앞서 울음 고개로 질러감 되겠지."

이렇게 중얼대면서 엿장수는 빠른 걸음으로 담 모퉁이를 돌아 울음 고개로 향해 갔다.

남이는 그 엿장수에게서 받은 엿을 영이에게 둘, 윤이에게 둘 각각 손에 쥐여 주고서도 한 동강*이 잘라 입에 넣고는 손수건으로 윤이 눈물 자국과 영이 코밑을 닦아 주고서야 보퉁이를 들고 일어섰다.

영이와 윤이는 엿 먹기에 여념이 없었다.

철수 아내는 보퉁이 한 개를 들고 따라 나오면서 남이에게 귀엣말로 뭣을 일러 주고…….

이래서 남이는 떠나간다. 다만 한 가지 철수 내외에게 수수께끼는 마을 중턱에서 남이를 보내고 서서 그의 뒷모양을 바라보는데, 남이가 어이한* ㉠옥색 고무신을 신고 가는 것이다. 더구나 한 번도 신지 않은 새것을…….

철수 내외는 ⓓ서로 얼굴만 쳐다볼 뿐 도로 물어본달 수도 없고 해서 그만두었다.

보리밭 사이 조그만 언덕길로 옥색 고무신을 신은 남이는 갔다. 자천 골짜기로 꽃놀이를 가는 줄만 알았던 남이가 난데없는 영감 하나를 따라가고 있는 광경을 ⓔ엿장수는 울음 고개 위에서 멀거니 바라보고 있는 것을 남이 자신이야 알 리도 없었다.

* 숙성하다 나이에 비하여 지각이나 발육이 빠르다.
* 질색 몹시 싫어하거나 꺼림.
* 하직 먼 길을 떠날 때 웃어른께 작별을 고하는 것.
* 동강 짤막하게 잘라진 것을 세는 단위.
* 어이한 '어찌한'를 예스럽게 이르는 말. 여기서는 '어디서 생겼는지 알 수 없는'의 뜻으로 쓰임.

4 **윗글을 만화로 각색할 때 구성할 수 있는 장면으로 적절하지 않은 것은?**

① 영이와 윤이가 손에 엿을 쥐고 있는 장면
② 철수 아내가 남이에게 귀엣말을 하는 장면
③ 남이의 혼사와 관련해 철수 아내와 남이 아버지가 대화를 나누는 장면
④ 엿장수의 가위 소리가 들리자 남이가 서둘러 아이들을 데리고 밖으로 나가는 장면
⑤ 보리밭 사이 조그만 언덕길로 옥색 고무신을 신은 남이가 걸어가며 뒤를 돌아보는 장면

수능형

5 **〈보기〉를 참고할 때, ㉠에 대한 이해로 적절한 것은?**

보기

이 소설의 제목이기도 한 '고무신'은 철수가 남이에게 추석치레로 사 준 선물로 남이가 소중하게 여기는 물건이다. 이러한 고무신을 영이와 윤이가 엿으로 바꿔 먹는 바람에 남이는 고무신을 되찾고자 엿장수를 만나게 된다. 이를 계기로 엿장수는 남이를 보기 위해 마을에 자주 드나들며 남이에 대한 자신의 호감을 드러낸다. 결말 부분에서는 남이가 옥색 고무신을 신고 아버지를 따라 마을을 떠나는데 그 고무신은 철수 내외가 모르는 새 고무신이었다. 엿장수와 남이의 관계로 미루어 볼 때 남이가 떠날 때 신은 옥색 고무신은 엿장수가 남이를 위해 선물해 준 것임을 짐작할 수 있다.

① 추억이나 사랑과 관련된 소재라고 할 수 있겠군.
② 신발의 기능적 측면이 부각된 소재라고 할 수 있겠군.
③ 인물의 신분 상승 욕구를 상징하는 소재로 볼 수 있겠군.
④ 우리나라 전통 계승의 필요성을 강조하는 소재라고 할 수 있겠군.
⑤ 과거의 삶에 대한 성찰의 의미를 담고 있는 소재라고 할 수 있겠군.

6 **ⓐ~ⓔ에 드러난 등장인물의 심리로 적절하지 않은 것은?**

① ⓐ: 아쉬움 ② ⓑ: 안타까움 ③ ⓒ: 미안함
④ ⓓ: 의아함 ⑤ ⓔ: 슬픔

12 비문학

한계적 사고

우리는 어떤 일을 얼마나 더 할 것인지 선택해야 하는 순간에 자주 직면*한다. 옷을 한 벌 더 살 것인지 말 것인지 고민을 하기도 하고, 지금 잘 것인지 아니면 1시간 더 공부할 것인지 고민하기도 한다. 이러한 고민들은 결국 '그것을 좀 더 해야 하는가?'의 문제라고 볼 수 있는데, 이 문제의 해답은 그것을 좀 더 했을 때 추가로 발생하는 편익과 비용을 비교함으로써 찾을 수 있다. 5

'한계 편익'은 어떤 것을 더 할 때 추가로 발생하는 편익을 말하고, '한계 비용'은 어떤 것을 더 할 때 추가로 발생하는 비용을 말한다. 예를 들어 어떤 학생이 컴퓨터 게임을 1시간 더 할 때 추가적으로 느끼는 만족이 한계 편익이 되고, 컴퓨터 게임을 1시간 더할 때 추가적으로 발생하는 비용이 한계 비용이 된다.

한계 편익과 한계 비용의 개념을 알게 되면 의사 결정의 원리는 단순하게 정리된다. 한계 10 편익이 한계 비용보다 크면 그것을 해야 하고, 한계 편익이 한계 비용보다 작다면 그것을 하지 말아야 한다. 경제학자들이 강조하고 있는 "한계적으로 생각하라."라는 원리는 한계 편익과 한계 비용을 비교해서 의사 결정을 하라는 뜻이다.

그런데 이러한 의사 결정의 원리는 인간의 본능에서 벗어나지 않는다. 물과 다이아몬드 중 어느 것이 더 소중할까? 물 없이는 단 며칠도 살 수 없지만 다이아몬드는 평생 없이 살아 15 도 큰 문제가 없다. 이렇게 본다면 물이 다이아몬드보다 훨씬 소중하다. 하지만 ㉠ <u>1개의 다이아몬드와 1,000리터의 물 가운데 하나를 골라 가지라고 한다면 대부분의 사람들은 다이아몬드를 고를 것</u>이다. 사람들이 소중한 물을 선택하지 않고 다이아몬드를 선택하는 것은 다이아아몬드를 1개 얻었을 때의 한계 편익이 물 1,000리터를 얻었을 때의 한계 편익보다 훨씬 크기 때문이다. 이를 통해 인간은 본능적으로 한계적인 사고방식을 갖고 있다는 사실 20 을 확인할 수 있다.

개인이 직면하는 선택의 순간에서뿐만 아니라 사회적 선택을 할 때에도 한계적 사고가 필요하다. 정부에서 강물을 깨끗하게 만들기 위해 강물을 어느 정도까지 정화*해야 하는지 결정을 한다고 가정해 보자. 흐르는 강물을 식수로 쓸 수 있을 정도로 완벽하게 정화를 한다면 좋겠지만, 그렇게 정화를 하면 비용도 그만큼 많이 들어갈 것이다. 만약 경제학자라면 25 강물을 정화할 때 얻을 수 있는 한계 편익이 한계 비용보다 클 때까지만 강물을 적당히 정화해야 한다고 말할 것이다. 한계 비용이 한계 편익을 초과할 정도로 강물을 정화하는 것은 비경제적 행위라고 생각하기 때문이다. 그들은 무조건적인 개발이나 보전 같은 편협*한 사고에서 벗어나 한계적 사고를 통해 적정한 수준을 유지하려고 하는, 합리적인 선택을 하고 있는 것이다. 30

* **직면** 어떠한 일이나 사물을 직접 당하거나 접함.
* **정화** 불순하거나 더러운 것을 깨끗하게 함.
* **편협** 한쪽으로 치우쳐 도량이 좁고 너그럽지 못함.

1 **윗글을 읽고 이해한 내용으로 적절한 것은?**

① 주관적 만족감은 한계 편익으로 보기 어렵다.
② 환경 문제에도 한계적 사고가 적용될 수 있다.
③ 한계적 사고는 주로 개인의 선택 영역에만 적용된다.
④ 사람들은 한계 편익보다 한계 비용을 중시하는 경향이 있다.
⑤ 한계 편익이나 한계 비용을 정확하게 계산하는 것은 어렵다.

수능형

2 **윗글을 바탕으로 〈보기〉를 이해한 내용으로 적절하지 않은 것은?**

보기

어느 농부가 농약의 사용 여부를 두고 고민을 하고 있다. 농부가 농사를 지을 때 농약을 사용하지 않을 경우 $1m^2$당 5만 원의 수입이 예상되고, 농약을 사용할 경우 $1m^2$당 8만 원의 수입이 예상된다. 농약을 구매하는 비용이 $1m^2$당 4만 원이다.

① 농약 사용의 한계 편익은 3만 원이다.
② 농약 사용의 한계 비용은 4만 원이다.
③ 농약을 사용할 경우 한계 편익이 한계 비용보다 작다.
④ 농약 사용의 한계 편익이 4만 원으로 상승하면 농약을 사용하지 않는 것이 유리하다.
⑤ 농약을 사용하는 데 드는 한계 비용이 2만 원으로 하락하면 농약을 사용하는 것이 유리하다.

3 **㉠에 대해 경제학자들이 보일 반응으로 적절한 것은?**

① 특별한 원칙이 없이 선택했다는 점에서 비합리적인 선택이라고 할 수 있다.
② 많은 사람들이 비슷한 선택을 했다는 점에서 합리적인 선택이라고 할 수 있다.
③ 물질적인 가치를 추구했다는 점에서 윤리적으로 잘못된 선택이라고 할 수 있다.
④ 한계 편익을 고려하지 않고 선택했다는 점에서 바람직하지 않은 선택이라고 할 수 있다.
⑤ 자신에게 이익이 큰 것을 선택했다는 점에서 한계적 사고에 기반*한 선택이라고 할 수 있다.

* 기반 기초가 되는 바탕. 또는 사물의 토대.

어휘 학습

1~4 빈칸에 들어갈 어휘를 〈보기〉에서 찾아 써 보자.

보기
명분　숙성　직면　추궁

1 그는 나이에 비해 서너 살은 (　　　　　)해 보였다.

2 침략 전쟁은 어떤 (　　　　　)으로도 정당화될 수 없다.

3 네가 잘못을 시인한다니 더 이상 죄를 (　　　　　)하지는 않겠다.

4 어떤 문제에 (　　　　　)했을 때, 과감하게 대처할 수 있는 능동성을 가져라.

5~7 제시된 초성을 참고하여 다음 뜻에 해당하는 어휘를 써 보자.

5 ㅇㅅ: 엄살을 부리며 버티고 겨루는 짓. → (　　　　　)

6 ㄱㅂ: 기초가 되는 바탕. 또는 사물의 토대. → (　　　　　)

7 ㅍㅎ: 한쪽으로 치우쳐 도량이 좁고 너그럽지 못함. → (　　　　　)

8~10 다음 뜻에 해당하는 어휘를 골라 보자.

8 몹시 싫어하거나 꺼림. (정색 / 질색)

9 먼 길을 떠날 때 웃어른께 작별을 고하는 것. (이직 / 하직)

10 불순하거나 더러운 것을 깨끗하게 함. (정돈 / 정화)

한계 효용 체감의 법칙

소비자가 재화나 서비스를 소비함으로써 얻는 만족을 경제학자들은 '효용'이라고 부릅니다. 경제학에서는 소비자가 효용을 최대화한다고 말하지만, 사실 직접적으로 효용을 측정할 수는 없습니다. 왜냐하면 효용은 사람의 취향 안에 있기 때문입니다. 그렇지만 효용을 측정할 수 있다고 가정한다면 소비하는 재화의 양이 많아질수록 총효용은 증가합니다. 그렇기 때문에 대부분의 사람들은 항상 더 많은 양의 재화와 서비스를 원합니다.

그렇다면 소비하는 재화의 양이 하나씩 증가할 때마다 총효용은 얼마씩 증가할까요? 이에 답하기 위해 도입한 개념이 한계 효용입니다. 한계 효용은 소비하는 재화를 하나씩 증가시킬 때, 얻을 수 있는 효용의 증가분을 말합니다. 그런데 소비하는 재화의 양이 증가함에 따라 총효용은 증가하지만, 한계 효용은 감소합니다. 이를 경제학에서는 '한계 효용 체감의 법칙'이라 부릅니다.

한계 효용이 체감하는 성질을 잘 보여 주는 곳이 뷔페입니다. 사람들이 뷔페를 이용할 때 자신이 제일 좋아하는 한 가지 음식만 먹고 나온 적은 별로 없을 것입니다. 이는 한계 효용 체감의 법칙 때문입니다. 아무리 좋아하는 음식이라도 한 입, 두 입 계속해서 먹게 되면, 한계 효용이 점차 감소하여 다른 음식이 주는 한계 효용보다 작아지는 상태에 이르게 됩니다. 이때 사람들은 다른 음식을 먹기 시작합니다. 아무리 맛있는 음식이라도 한계 효용이 매우 커서 끝없이 먹을 가치를 느낄 수 있는 음식은 없으며, 궁극적으로 사람들은 그 음식 먹기를 중단합니다.

간단 확인

1. 한계 효용은 소비하는 재화의 양이 하나씩 증가할 때마다 얻을 수 있는 효용의 증가분을 말한다. 
2. 소비자가 재화나 서비스를 소비할 때 한계 효용과 총효용은 모두 감소한다.  

사랑하는 별 하나 | 이성선

작품 안내

이 작품은 외롭고 괴로울 때 위로와 희망을 줄 수 있는 존재에 대한 소망을 노래한 시이다. 소재에 담겨 있는 상징적인 의미에 주목하며 시를 감상해 보자.

나도 별과 같은 사람이
될 수 있을까.
외로워 쳐다보면
눈 마주쳐 마음 비춰 주는
그런 사람이 될 수 있을까.

나도 꽃이 될 수 있을까.
세상일이 괴로워 쓸쓸히 밖으로 나서는 날에
가슴에 화안히* 안기어
눈물짓듯 웃어 주는
하얀 들꽃이 될 수 있을까.

가슴에 사랑하는 별 하나를 갖고 싶다.
외로울 때 부르면 다가오는
별 하나를 갖고 싶다.*

마음 어두운 밤 깊을수록
우러러* 쳐다보면
반짝이는 그 맑은 눈빛으로 나를 씻어
길을 비추어 주는*
그런 사람 하나 갖고 싶다.

시어·시구 해설

* **화안히** '환히'의 시적 허용. 표정이나 성격이 구김살 없이 밝게.
* **외로울 때 ~ 갖고 싶다** 외로울 때 따뜻하게 위로해 줄 사람을 갖고 싶음.
* **우러러** 위를 향하여 고개를 높이 쳐들어.
* **반짝이는 ~ 비추어 주는** 맑고 따뜻한 마음으로 '나'를 정화시키고, 삶의 희망을 주는.

1 위 시에 대한 이해로 적절한 것은?

① 1연의 '별'은 화자의 마음을 위로해 준 존재를 뜻해.
② 1, 2연의 '될 수 있을까'를 통해 화자의 확신을 느낄 수 있어.
③ 3연의 '사랑하는 별 하나'는 화자 자신을 의미함을 알 수 있어.
④ 4연의 '마음 어두운 밤'은 화자에게 시련의 시간을 뜻하는 것 같아.
⑤ 3, 4연의 '갖고 싶다'에서 세상일에 대한 화자의 원망을 느낄 수 있어.

개념+ 시적 화자

- 개념: 시 속에서 이야기하는 사람으로, 작가가 자신의 생각이나 느낌을 효과적으로 전달하기 위해 설정한 허구적인 대리인을 말함. 화자는 작품 표면에 직접 드러날 수도 있고 드러나지 않을 수도 있음.
- 역할: 시에서 화자는 시적 상황이나 시적 대상에 대한 정보를 전달해 주며, 작가를 대신하여 작품의 주제를 형상화함. 따라서 시를 감상할 때에는 먼저 시적 화자를 찾고, 그가 어떤 상황에서 무엇을 하고, 어떤 정서를 나타내는지 파악해야 함.

2 위 시의 표현상 특징에 대한 설명으로 적절하지 않은 것은?

① 문장 구조의 반복을 통하여 운율을 형성하고 있다.
② 묻고 답하는 방식을 활용하여 시상을 전개하고 있다.
③ 상징적 시어를 사용하여 화자의 소망을 드러내고 있다.
④ 특정한 종결 표현을 사용하여 화자의 정서를 강조하고 있다.
⑤ 비유법을 사용하여 화자가 소망하는 대상을 구체화하고 있다.

수능형

3 위 시의 '꽃'과 〈보기〉의 '꽃'에 대한 설명으로 적절한 것은?

> 보기
>
> 내가 그의 이름을 불러 주기 전에는 / 그는 다만 / 하나의 몸짓에 지나지 않았다. //
> 내가 그의 이름을 불러 주었을 때 / 그는 나에게로 와서 / 꽃이 되었다. //
> 내가 그의 이름을 불러 준 것처럼 / 나의 이 빛깔과 향기에 알맞은 /
> 누가 나의 이름을 불러 다오. / 그에게로 가서 나도 / 그의 꽃이 되고 싶다. – 김춘수, 「꽃」

① 위 시의 '꽃'과 〈보기〉의 '꽃'은 모두 순수하고 소박한 존재이다.
② 위 시의 '꽃'과 〈보기〉의 '꽃'은 모두 사랑받고 싶어 하는 존재이다.
③ 위 시의 '꽃'과 〈보기〉의 '꽃'은 모두 변하지 않는 자연을 상징하는 존재이다.
④ 위 시의 '꽃'은 위안을 주는 존재이고, 〈보기〉의 '꽃'은 슬픔을 주는 존재이다.
⑤ 위 시의 '꽃'은 상대에게 위로가 되는 존재이고, 〈보기〉의 '꽃'은 상대에게 특별한 의미가 되는 존재이다.

13 비문학

빛의 산란과 하늘 색

낮 동안 하늘은 왜 파랗게 보일까? 그리고 이렇게 파랗던 하늘이 해 질 무렵이면 붉어지는 이유는 무엇일까? 누구나 한 번쯤 궁금했을 현상이다. 이러한 의문의 해답은 모두 '빛'에서 찾을 수 있다. 우리가 보는 모든 색은 빛에 따라 결정되기 때문이다.

빛은 대부분 태양에서 나오며 파장에 따라 크게 자외선*, 가시광선*, 적외선*으로 분류*된다. 태양에서 방출*된 빛 가운데 자외선은 거의 오존층에서 흡수되고, 적외선과 가시광선, 일부 자외선만이 지구상의 대기층으로 들어온다. 이때 빛이 질소, 산소, 먼지 등과 같은 대기 입자*나 분자와 부딪혀 사방팔방*으로 흩어지는 현상을 '빛의 산란*'이라고 한다. 특히 파장이 짧은 빛일수록 산란이 잘 일어나며, 가시광선은 우리가 보는 색에 직접적인 영향을 미친다. 가시광선은 보통 '빨주노초파남보'와 같이 무지개 색으로 표현되는데 빨간색 쪽으로 갈수록 파장이 길어지고 보라색 쪽에 가까울수록 파장이 짧아진다.

빛은 파장이 짧을수록 산란되기 쉬우므로 빨간색 쪽에 가까운 빛은 산란이 잘 일어나지 않고 반대로 보라색 쪽에 가까운 빛은 산란이 잘 일어난다. 그렇다면 가시광선이 하늘을 지날 때 어느 빛이 더 잘 산란될까? 당연히 보라색에 가까운 빛이 대기 입자와 부딪혀 산란이 잘 일어난다. 이렇게 산란된 보랏빛과 파란빛이 우리 눈에 들어오게 되는 것이다.

그런데 왜 하늘은 보라색이 아니고 파란색일까? 이 질문에는 두 가지 이유를 들 수 있다. 첫 번째 이유는 사람의 눈이 보랏빛보다 파란빛을 더 잘 보기 때문이다. 그래서 보랏빛과 파란빛이 함께 있으면 파란빛을 먼저 보게 되므로 하늘이 파랗게 보이는 것이다. 두 번째 이유는 보랏빛이 파란빛보다 파장이 짧아 산란이 더 잘 이루어지면서, 두꺼운 대기층 속에서 사방으로 흩어져 지표면까지 도달*하지 못하기 때문이다. 아무리 산란이 잘 되어도 산란된 빛이 우리 눈에 들어오지 못하면 그 빛을 볼 수 없다. 실제로 우리 눈에 들어오는 빛은 보랏빛보다 파란빛이 많기 때문에 하늘이 파랗게 보이는 것이다.

그렇다면 저녁 하늘이 붉은 이유는 무엇일까? 해가 질 무렵에는 태양의 위치가 기울어지면서 태양 빛이 통과하는 대기층의 두께도 달라진다. 낮에 비해 상대적으로 두꺼운 대기층을 통과하다 보니 파장이 짧은 보랏빛과 파란빛이 대부분 대기 속에서 산란되어 지표면까지 도달하지 못한다. 반면 파장이 긴 붉은빛과 노란빛은 두꺼운 대기층을 통과하여 지표면까지 도달하게 된다. 이때 우리 눈에 도달하는 붉은빛과 노란빛 중 붉은빛이 더 강하므로 저녁 하늘이 붉게 보이는 것이다. 동틀 무렵에 하늘이 붉게 보이는 것도 바로 이 때문이다.

* **자외선** 파장이 가시광선보다 짧은 전자기파.
* **가시광선** 사람의 눈으로 볼 수 있는 빛.
* **적외선** 파장이 가시광선보다 긴 전자기파.
* **분류** 종류에 따라서 가름.
* **방출** ① 비축하여 놓은 것을 내놓음. ② 입자나 전자기파의 형태로 에너지를 내보냄.
* **입자** 물질을 구성하는 미세한 크기의 물체.
* **사방팔방** 여기저기 모든 방향이나 방면.
* **산란** 파동이나 입자선이 물체와 충돌하여 여러 방향으로 흩어지는 현상.
* **도달** 목적한 곳이나 수준에 다다름.

1 윗글에 대한 설명으로 가장 적절한 것은?

① 대상에 대한 잘못된 통념을 근거를 들어 비판하고 있다.
② 특정 현상이 나타나는 원인에 대한 다양한 견해를 열거하고 있다.
③ 중심 소재와 관련된 핵심 개념을 정의한 후 그 가치를 평가하고 있다.
④ 묻고 답하는 방식을 활용하여 특정 현상이 나타나는 이유를 설명하고 있다.
⑤ 대립적 속성을 지닌 대상을 비교하여 중심 소재가 지닌 특성을 부각*하고 있다.

* 부각 어떤 사물을 특징지어 두드러지게 함.

2 윗글의 내용과 일치하지 않는 것은?

① 붉은빛은 노란빛보다 파장이 더 짧다.
② 사람이 보는 색은 모두 빛에 따라 결정된다.
③ 사람의 눈은 보랏빛보다 파란빛을 더 잘 본다.
④ 빛이 대기 중의 먼지와 부딪히면 산란을 일으킨다.
⑤ 빛은 파장이 짧을수록 산란이 잘 일어나는 속성이 있다.

수능형

3 윗글을 바탕으로 〈보기〉에 대해 이해한 내용으로 적절하지 않은 것은?

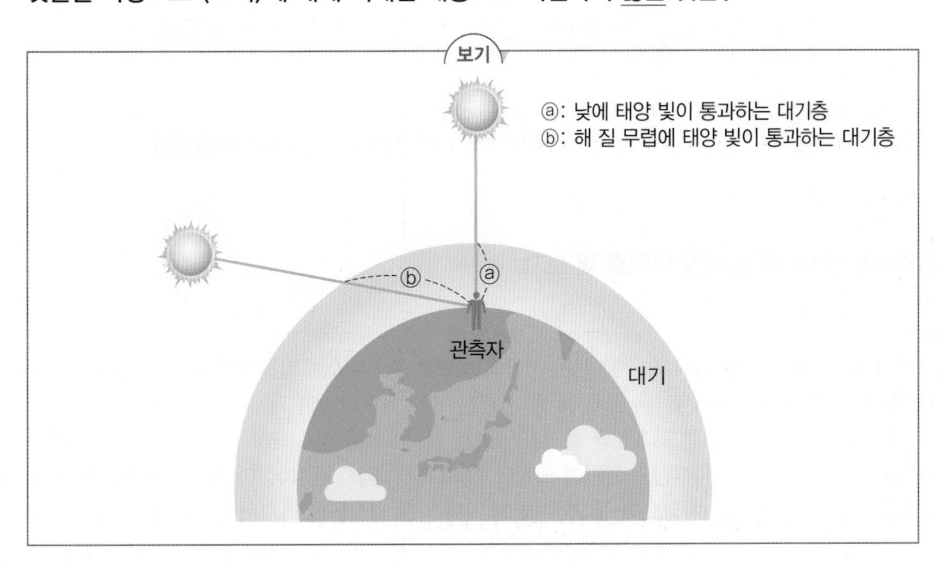

① ⓐ에서 산란된 파란빛은 관측자의 눈까지 도달하게 된다.
② 동틀 무렵에 가시광선은 ⓐ보다 더 먼 거리를 통과하여 관측자에게 도달한다.
③ 파란빛과 보랏빛은 파장이 짧아 ⓑ에서는 산란이 일어나지 않는다.
④ 붉은빛은 파장이 길기 때문에 ⓑ를 통과해 관측자의 눈까지 도달하게 된다.
⑤ ⓑ가 ⓐ보다 두껍기 때문에 파란빛이 관측자의 눈까지 도달하지 못한다.

13

어휘 학습

1~3 제시된 초성과 뜻을 참고하여 빈칸에 들어갈 어휘를 써 보자.

1 ㅎㅎ: 표정이나 성격이 구김살 없이 밝게.
예 아기는 아빠를 보고 (   ) 웃었다.

2 ㅅㅂㅍㅂ: 여기저기 모든 방향이나 방면.
예 소문을 듣고 사람들이 (   )에서 몰려들었다.

3 ㅂㅊ: 비축하여 놓은 것을 내놓음.
예 은행의 자금 (   )로 기업의 숨통이 조금 트였다.

4~6 〈보기〉의 글자를 조합하여 다음 뜻에 해당하는 어휘를 써 보자.

보기

달 도 분 자 류 입

4 종류에 따라서 가름. → (   )

5 목적한 곳이나 수준에 다다름. → (   )

6 물질을 구성하는 미세한 크기의 물체. → (   )

7~10 〈보기〉의 ㉠~㉣에 들어갈 어휘를 써 보자.

보기

오늘은 빛에 대해서 알아보겠습니다. (㉠)은 사람의 눈으로 볼 수 있는 빛을 말합니다. 이 빛은 우리가 일상생활에서 물체를 보고 색깔을 구분할 수 있게 해 줍니다. (㉡)은 파장이 가시광선보다 짧은 전자기파입니다. 이 빛은 사람의 눈으로 볼 수는 없으나 살균 효과가 있어서 식기나 식품의 살균에 쓰이며, 사람의 피부를 까맣게 그을리게 하고 주근깨나 기미, 피부암의 원인이 되기도 합니다. (㉢)은 파장이 가시광선보다 긴 전자기파입니다. 이 빛도 사람의 눈으로 볼 수 없으며, 앞의 두 빛에 비해 강한 열작용을 가져서 열선이라고도 불립니다. 한편 빛이 물체와 충돌하여 여러 방향으로 흩어지는 현상을 빛의 (㉣)이라고 하는데, 파장이 짧은 빛일수록 이 현상이 잘 일어난다는 특징이 있습니다.

7 ㉠ → (   )

8 ㉡ → (   )

9 ㉢ → (   )

10 ㉣ → (   )

구름이 하얗게 보이는 이유

구름은 아주 작은 물방울들이 모여 이루어집니다. 연구 결과에 따르면 1m^3(세제곱미터)당 약 0.5g의 물방울을 포함하고 있다고 합니다. 이를 밀도로 계산하면 대략 0.0000005g/㎖입니다. 이처럼 미세한 물방울이라면 우리 눈에 보이지 않아야 하는데 구름은 어떻게 보이는 것일까요?

결론부터 말하자면 구름이 보이는 까닭은 '빛의 산란' 때문입니다. 미세한 물방울들이 대기 중의 입자와 분자들과 같은 역할을 하면서 빛을 대부분 산란시킵니다. 그리고 사방으로 복잡하게 산란된 빛이 서로 겹치면서 우리 눈에 흰색으로 보이는 것입니다.

사람 눈에 보이는 빛은 가시광선으로, 파장에 따라 빨간색에서 보라색까지 색깔이 다르게 나타납니다. 빛의 여러 가지 색 중에서 빨간색, 초록색, 파란색을 빛의 삼원색이라고 하는데 이 세 빛을 합치면 흰색이 됩니다. 색의 삼원색인 빨간색, 노란색, 파란색을 합치면 검은색이 되는 것과는 매우 다른 모습을 보입니다. 이처럼 구름이 희게 보이는 현상에는 바로 '빛의 산란'과 '빛의 삼원색'이라는 두 가지 과학 원리가 숨어 있습니다.

한편 아주 맑은 날에 구름이 얇게 떠 있는 경우가 있습니다. 이때 구름을 잘 보면 하늘빛이 투영되어 흰색보다 파란색에 가깝습니다. 반면 날이 흐리고 구름이 두꺼운 경우에는 빛이 구름을 통과하지 못해 회색처럼 어두운 색을 띱니다. 우리는 흔히 하늘을 파란색, 구름을 흰색이라고 생각하지만 사실 하늘과 구름 색은 빛의 산란에 따라 그때그때 변하는 것입니다.

간단 확인

1. 구름이 눈에 보이는 것은 구름 속 미세한 물방울들이 빛을 산란시키기 때문이다.  
2. 빛의 삼원색은 빨간색, 노란색, 파란색으로 이 세 빛이 합쳐져 검은색이 된다. 

홍길동전 | 허균

작품 안내

- **발단** 천한 신분으로 자신의 능력을 펼치지 못하는 길동은 출가를 결심함.
- **전개** 길동은 자신의 능력을 알아보는 도적 무리를 만나 그 우두머리가 되고 무리의 이름을 활빈당이라고 함.
- **위기** 길동이 탐관오리의 재물을 탈취해 백성을 구제하자, 조정에서 체포령을 내리나 길동을 잡지 못함.
- **절정** 길동을 잡는 데 실패한 임금은 길동을 병조 판서로 임명하고, 길동은 활빈당을 이끌고 조선을 떠남.
- **결말** 길동은 율도국을 정벌하고 그곳의 왕이 되어 태평성대를 이룸.

어느 가을철 9월 보름께가 되자, 달빛은 처량하게 비치고 맑은 바람은 쓸쓸히 불어와 사람의 마음을 울적하게 하였다. 그때 ㉠길동은 서당에서 글을 읽다가 문득 책상을 밀치고 탄식하기를,

"대장부가 세상에 나서 공맹(孔孟)을 본받지 못할 바에야, 차라리 병법이라도 익혀 대장인을 허리춤에 비스듬히 차고 동정서벌*하여 나라에 큰 공을 세우고 이름을 만대에 빛내는 것이 장부의 통쾌한 일이 아니겠는가. 나는 어찌하여 일신(一身)이 적막하고, 부형이 있는데도 아버지를 아버지라 부르지 못하고 형을 형이라 부르지 못하니 심장이 터질지라, 이 어찌 통탄할 일이 아니겠는가!" / 하고, 말을 마치며 뜰에 내려와 검술을 익히고 있었다.

그때 마침 공*이 또한 달빛을 구경하다가, 길동이 서성거리는 것을 보고 즉시 불러 물었다.

"너는 무슨 흥이 있어서 밤이 깊도록 잠을 자지 않느냐?"

길동은 공경하는 자세로 대답했다.

"소인은 마침 달빛을 즐기는 중입니다. 그런데 만물이 생겨날 때부터 오직 사람이 귀한 존재인 줄 아옵니다만, 소인에게는 귀함이 없사오니, 어찌 사람이라 하겠습니까?"

㉡공은 그 말의 뜻을 짐작은 했지만, 일부러 책망하는 체하며,

"네 무슨 말이냐?" / 했다. 길동이 절하고 말씀드리기를,

"소인이 평생 설워하는 바는, 소인이 대감 정기를 받아 당당한 남자로 태어났고, 또 낳아 길러 주신 부모님의 은혜를 입었음에도 불구하고, 아버지를 아버지라 못 하옵고 형을 형이라 못 하오니, 어찌 사람이라 하겠습니까?"

하고, 눈물을 흘리며 적삼을 적셨다. 공이 듣고 나자 비록 불쌍하다는 생각은 들었으나, 그 마음을 위로하면 마음이 방자해질까* 염려되어, 크게 꾸짖어 말했다.

"재상 집안에 천한 종의 몸에서 태어난 자식이 너뿐이 아닌데, 네가 어찌 이다지 방자하냐? 앞으로 다시 이런 말을 하면 내 눈앞에 서지도 못하게 하겠다."

이렇게 꾸짖으니 길동은 감히 한마디도 더 하지 못하고, 다만 땅에 엎드려 눈물을 흘릴 뿐이었다. 공이 물러가라 하자, 그제서야 길동은 침소로 돌아와 슬퍼해 마지않았다. 길동이 본래 재주가 뛰어나고 도량*이 활달한지라, 마음을 가라앉히지 못해 밤이면 잠을 이루지 못하곤 했다.

하루는 길동이 ㉢어미 침소에 가 울면서 아뢰었다.

"소자가 모친과 더불어 전생연분*이 중하여 금세(今世)에 모자가 되었으니, 그 은혜가 지극하옵니다. 그러나 소자의 팔자가 기박하여 천한 몸이 되었으니 품은 한이 깊사옵니다. 장부가 세상에 살면서 남의 천대를 받음이 불가한지라, 소자는 자연히 설움을 억제하지 못하여 모친 슬하*를 떠나려 하오니, 엎드려 바라건대 모친께서는 소자를 염려하지 마시고 귀체를 잘 돌보십시오." / 그 어미가 듣고 나서 크게 놀라 말했다.

"재상가의 천생이 너뿐이 아닌데, 어찌 마음을 좁게 먹어 어미 간장을 태우느냐?"

* **동정서벌** 동쪽을 정복하고 서쪽을 친다는 뜻으로, 이리저리로 여러 나라를 정벌함을 이르는 말.
* **공** 상대편 남자를 높여 부르는 말. 여기서는 길동의 아버지인 홍 판서를 가리킴.
* **방자하다** 어려워하거나 조심스러워하는 태도가 없이 무례하고 건방지다.
* **도량** 사물을 너그럽게 용납하여 처리할 수 있는 넓은 마음과 깊은 생각.
* **전생연분** 이 세상에 태어나기 이전부터 맺은 인연.
* **슬하** 무릎의 아래라는 뜻으로, 어버이나 조부모의 보살핌 아래.

1 **윗글의 갈등 양상에 대해 분석한 내용으로 적절하지 <u>않은</u> 것은?**

① 길동과 당대의 사회 제도 사이의 외적 갈등이 나타난다.
② 길동은 자신의 갈등을 해결할 수 없어서 출가를 결심한다.
③ 길동은 입신양명이 어렵고 호부호형을 할 수 없음을 한탄한다.
④ 길동이 갈등을 겪게 되는 근본적인 원인은 적서 차별* 때문이다.
⑤ 길동은 홍 판서의 정기를 받아 당당한 남자가 되지 못함을 괴로워한다.

* **적서 차별** 본처에게서 태어난 적자와 첩에게서 태어난 서얼을 차별하는 것.

2 **㉠~㉢에 대한 이해로 적절하지 <u>않은</u> 것은?**

① ㉠은 자신이 처한 현실을 적극적으로 바꾸고자 하는 욕망이 있다.
② ㉡은 길동에게 연민을 느끼지만, 속마음을 숨기고 일부러 길동을 책망하고 있다.
③ ㉢은 길동의 출가 결심을 듣고 현실의 상황을 받아들이지 않는 길동을 염려하고 있다.
④ ㉡, ㉢은 ㉠과 달리 현실 순응적인 삶의 태도를 드러내고 있다.
⑤ ㉡, ㉢과 대화할 때 ㉠은 자신을 가리키는 동일한 호칭을 쓰면서 가족애를 드러내고 있다.

수능형

3 **〈보기〉는 윗글에 나타난 당대의 사회상에 대해 토의한 내용이다. 알맞은 의견을 제시한 학생끼리 짝지은 것은?**

보기

윤제: "재상가의 천생이 너뿐이 아닌데"라는 말에서 당시 서얼이 많았음을 짐작할 수 있어.
여원: 이런 서얼들은 재주가 뛰어나도 입신양명하는 데에는 제약이 있었던 것 같아.
서현: 그래도 공맹의 학문을 공부하는 것을 보면 과거를 통해서 문관으로 출세할 수 있는 길은 열려 있었던 것이 아닐까?
성수: 종이 양반의 자식을 낳고 첩이 되는 것을 보면 당시 엄격한 신분 질서가 급격히 무너지고 있었던 것 같아.

① 윤제, 여원 ② 윤제, 서현 ③ 여원, 서현
④ 여원, 성수 ⑤ 서현, 성수

작품 안내

발단 천한 신분으로 자신의 능력을 펼치지 못하는 길동은 출가를 결심함.

전개 길동은 자신의 능력을 알아보는 도적 무리를 만나 그 우두머리가 되고 무리의 이름을 활빈당이라고 함.

위기 길동이 탐관오리의 재물을 탈취해 백성을 구제하자, 조정에서 체포령을 내리나 길동을 잡지 못함.

절정 길동을 잡는 데 실패한 임금은 길동을 병조 판서로 임명하고, 길동은 활빈당을 이끌고 조선을 떠남.

결말 길동은 율도국을 정벌하고 그곳의 왕이 되어 태평성대를 이룸.

길동 등이 임금에게 아뢰었다. / "신의 아비가 나라의 은혜를 많이 입었사온데, 신이 어찌 감히 나쁜 짓을 하오리까마는, 신은 본래 천한 종의 몸에서 났는지라, 그 아비를 아비라 못 하옵고 그 형을 형이라 못 하와 평생 한이 맺혔기에, 집을 버리고 도적의 무리에 참여하였사옵니다. 그러나 백성은 추호*도 범하지 않고 각 읍 수령이 백성들을 들볶아 착취한 재물만 빼앗았을 뿐입니다. 이제 십 년이 지나면 조선을 떠나 갈 곳이 있사오니, 엎드려 빌건대 성상께서는 근심하지 마시고 신을 잡으라는 공문을 거두어 주십시오."

하고, 말을 마치며 여덟 명이 한꺼번에 넘어지므로, 자세히 보니 다 풀로 만든 허수아비였다. 임금이 더욱 놀라며 진짜 길동을 잡으라는 공문을 다시 팔도에 내렸다.

길동이 허수아비를 없애고 두루 다니다가 사대문에 글을 써 붙였는데, 그 글에다,

"소신 길동은 아무리 하여도 잡지 못할 것이오니, 병조 판서 벼슬을 내리시면 잡히겠습니다." / 고 하였다. 〈중략〉 하루는 길동이 공중으로부터 내려와 절하고 말했다.

"제가 지금은 진짜 길동이오니, 형님께서는 아무 염려 마시고 결박*하여 서울로 보내십시오." / 감사가 이 말을 듣고는 손을 잡고 눈물을 흘리면서 말했다.

"이 철없는 아이야. 너도 나와 동기인데 부형의 가르침을 듣지 않고 온 나라를 떠들썩하게 하니, 어찌 애닯지 않으랴. 네가 이제 진짜 몸이 와서 나를 보고 잡혀가기를 자원하니 도리어 기특한 아이로다."

하고, 급히 길동의 왼쪽 다리를 보니, 과연 혈점이 있었다. 즉시 팔다리를 단단히 묶어 죄인 호송용 수레에 태운 뒤, 건장한 장교 수십 명을 뽑아 철통같이 싸고 풍우같이 몰아가도, 길동의 안색은 조금도 변치 않았다. 여러 날 만에 서울에 다다랐으나, 대궐 문에 이르러 길동이 한 번 몸을 움직이자, 쇠사슬이 끊어지고 수레가 깨어져, 마치 매미가 허물 벗듯 공중으로 올라가며, 나는 듯이 운무*에 묻혀 가 버렸다. ㉠장교와 모든 군사가 어이없어 다만 공중만 바라보며 넋을 잃을 따름이었다. 어쩔 수 없이 이 사실을 보고하니, 임금이 듣고,

"천고*에 이런 일이 어디 있으랴?"

하며, 크게 근심을 했다. 이에 여러 신하 중 한 사람이 아뢰기를,

"길동의 소원이 병조 판서를 한번 지내면 조선을 떠나겠다는 것이라 하오니, 한번 제 소원을 풀면 저 스스로 은혜에 감사하오리니, 그때를 타 잡는 것이 좋을까 하옵니다."

고 했다. 임금이 옳다 여겨 즉시 길동에게 병조 판서를 제수*하고 사대문에 글을 써 붙였다.

그때 길동이 이 말을 듣고 즉시 고관의 복장인 사모관대에 서대*를 띠고 덩그런 수레에 의젓하게 높이 앉아 큰길로 버젓이 들어오면서 말하기를,

"이제 홍 판서 사은*하러 온다."

고 했다. 병조의 하급 관리들이 맞이해 궐내에 들어간 뒤, 여러 관원들이 의논하기를,

"길동이 오늘 사은하고 나올 것이니 도끼와 칼을 쓰는 군사를 매복시켰다가 나오거든 일시에 쳐 죽이도록 하자."

* 추호 매우 적거나 조금인 것을 비유적으로 이르는 말.
* 결박 몸이나 손 따위를 움직이지 못하도록 동이어 묶음.
* 운무 구름과 안개를 아울러 이르는 말.
* 천고 아주 오랜 세월 동안.
* 제수 추천의 절차를 밟지 않고 임금이 직접 벼슬을 내리던 일.
* 서대 조선 시대에, 일품의 벼슬아치가 허리에 두르던 띠.
* 사은 받은 은혜에 대하여 감사히 여겨 사례함.
* 만수무강 아무런 탈 없이 아주 오래 삶.

하고 약속을 하였다. 길동이 궐내에 들어가 엄숙히 절하고 아뢰기를,

"소신의 죄악이 지중하온데, 도리어 은혜를 입사와 평생의 한을 풀고 돌아가면서 전하와 영원히 작별하오니, 부디 만수무강*하소서."

하고, 말을 마치며 몸을 공중에 솟구쳐 구름에 싸여 가니, 그 가는 곳을 알 수가 없었다.

4 윗글을 읽고 이해한 내용으로 적절하지 않은 것은?

① 길동이 탐관오리들을 징벌하는 의미로 재물을 빼앗았군.

② 길동의 신이한 도술에서 전기성, 비현실성이 느껴지는군.

③ 길동은 곤경에 처한 아버지와 형을 돕고자 하는 마음이 있었군.

④ 조정은 길동이 병조 판서를 제수받으러 오면 체포할 계획을 갖고 있었군.

⑤ 길동은 가슴에 품고 있던 평생의 한을 결국 풀지 못하고 조선을 떠나게 되는군.

수능형

5 〈보기〉를 바탕으로 윗글을 감상한 내용으로 적절하지 않은 것은?

보기

이 소설의 작가인 허균은 자신의 스승인 이달이 서얼 출신이었기에, 그로부터 적서 차별의 문제점을 인식하게 되었다. 또한 임진왜란 이후 문란한 정치로 인해 백성의 삶이 피폐해지고, 서민 의식이 발달하면서 평등 의식이 싹트기 시작한 점은 그가 작품을 쓰게 된 창작 동기로 작용하게 되었다. 이와 같은 시대 상황 속에서 창작된 「홍길동전」은 불합리한 사회 제도에 맞서서 적극적으로 저항하는 인물을 내세워 당시의 불평등한 사회 제도와 사회 부조리에 대한 비판적 시각을 보여 주고 있다.

① 허균이 이 글에서 적서 차별의 문제를 다룬 것은 스승의 영향을 받은 것이겠군.

② 임진왜란 이후의 정치적 혼란은 이 글에 나타나는 신분 차별 문제를 일으켰겠군.

③ 백성들의 피폐한 삶은 이 글에서 탐관오리가 백성들을 수탈하는 것으로 나타나는군.

④ 당시의 불합리한 사회 제도에 대한 저항을 길동의 영웅적 면모를 통해 보여 주는군.

⑤ 서민 의식이 발달하면서 싹튼 평등 의식은 이 글에서 신분 차별에 대한 저항 의식과 관련이 되겠군.

어휘

6 ㉠의 상황과 어울리는 한자 성어로 가장 적절한 것은?

① 고진감래(苦盡甘來)

② 속수무책(束手無策)

③ 천방지축(天方地軸)

④ 혈혈단신(孑孑單身)

⑤ 전전반측(輾轉反側)

개념+ 고전 소설의 특징

일대기적 구성	주인공의 출생부터 죽음에 이르기까지 시간적 순서에 따라 사건이 전개됨.
우연성	사건의 전개가 우연적으로 이루어짐.
비현실성, 전기성	현실에서 일어나기 힘든 일들이 일어남.
전형적, 평면적 인물	집단이나 계층을 대표하는 인물로(전형적), 처음부터 끝까지 성격이 변하지 않음(평면적).
권선징악의 주제	착한 사람은 복을 받고, 악한 사람은 벌을 받는다는 교훈을 지님.
행복한 결말	주인공이 원하는 바를 얻으며 이야기가 끝남.

14 비문학 풍력 발전기

풍력 발전은 바람의 힘을 이용하여 전기를 만들어 내는 방법으로, 바람 에너지를 전기 에너지로 바꿔 주는 장치가 풍력 발전기이다. 풍력 발전기는 날개, 변속* 기어와 발전기가 포함된 나셀, 타워로 구성되어 있다. 일반적으로 3개의 날개가 모여 로터*를 이루고, 이 로터의 중심축은 기어 박스*에 연결된 상태로 바람에 의해 회전한다. 운동 에너지를 전기 에너지로 전환하는 발전기는 전기 에너지를 운동 에너지로 전환하는 모터와 기본 구조가 같다. 5

로터에는 컴퓨터가 설치되어 있어서 바람의 세기와 방향을 분석하고 적절한 회전 운동을 얻기 위해 날개의 방향과 각도를 ㉠조절한다. 바람이 너무 강하게 불면 날개의 속도를 늦춰 장치가 ㉡손상되지 않도록 보호한다. 하지만 일반적으로 바람의 세기는 계속 변하고 날개의 회전 속도는 너무 느리기 때문에 기어 박스로 회전 속도를 조절한다. 그런데 풍력 발전기의 날개는 왜 3개일까? 그래야 최적의 효율을 낼 수 있기 때문이다. 날개가 회전하면 주변의 공기 흐름에 변화가 생기는데, 개수가 더 많으면 난류*의 영향으로 주변 날개가 영향을 받아 오히려 효율이 떨어진다. 날개들 사이의 간섭을 최소화하고 비용 대비 최대의 효용을 낼 수 있는 개수가 3개이다. 10

풍력 발전기의 크기는 다양하다. 지붕 위에 설치하는 작은 것도 있고, 벌판이나 바다에 세우는 거대한 것도 있다. 작은 풍력 발전기는 가정집에서 사용하는 전력의 일부를 ㉢충당하기에 적당하다. 반면에 커다란 발전기는 적게는 수 킬로와트에서 많게는 수 메가와트의 전기를 만든다. 1메가와트는 약 1,000가구에 전력을 공급할 수 있는 용량이다. 이와 같은 대규모 발전에 사용되는 풍력 발전기의 날개는 한 개의 길이가 보통 50미터 안팎이고, 타워의 높이는 날개의 약 두 배인 100~110미터이다. 풍력 발전기는 크기가 클수록 발전 효율이 증가하지만 기기의 성능이 아무리 좋아도 에너지원인 바람이 충분하지 않으면 ㉣소용없다. 그래서 바람이 많이 부는 곳을 찾아내는 일도 중요하다. 요즘은 호수, 협만*, 연안과 같은 수역*에 발전기를 설치해 전기를 얻는 추세*이다. 15 20

풍력 발전은 발전기를 제작하거나 발전기를 작동시켜 전기를 생산할 때에 온실가스를 거의 배출하지 않는다. 또 자원이 ㉤고갈될 일도 없다. 그러면서도 풍력 발전기 한 대당 2,000~3,000가구가 사용할 수 있는 엄청난 양의 전기 에너지를 만들어 낸다. 하지만 풍력 발전에는 해결해야 할 몇 가지 문제들이 있다. 발전기의 크기가 커지면서 날개와 바람의 마찰 때문에 생기는 소음이 사람들의 삶의 질이나 건강에 좋지 않은 영향을 끼치고 있다. 풍력 발전의 또 다른 문제는 회전하는 날개에 새가 충돌한다는 것이다. 이와 같은 풍력 발전의 한계를 극복하기 위해 과학자들은 꾸준히 연구하며 생태계에 미치는 영향을 최소화하기 위해 노력하고 있다. 25 30

* **변속** 속도를 바꿈.
* **로터** 회전 기계에서 회전하는 부분을 통틀어 이르는 말.
* **기어 박스** 주축(로터의 중심축)의 저속 회전을 발전용 고속 회전으로 변환하는 증속기.
* **난류** 지면이나 공기와의 마찰 따위로 말미암아 공기가 작은 소용돌이를 일으키며 불규칙하게 흐르는 현상.
* **협만** 빙하 침식 때문에 생긴 좁고 긴 만.
* **수역** 수면의 일정한 구역.
* **추세** 어떤 현상이 일정한 방향으로 나아가는 경향.

1 윗글을 읽고 답할 수 있는 질문이 아닌 것은?

① 풍력 발전의 장점과 단점에는 무엇이 있을까?
② 풍력 발전기 날개의 개수는 몇 개가 적당할까?
③ 풍력 발전기는 지금까지 어떻게 발전해 왔을까?
④ 대규모 풍력 발전기의 타워 높이는 어느 정도일까?
⑤ 풍력 발전기를 설치하는 데 적합한 장소는 어디일까?

수능형

2 윗글을 바탕으로 〈보기〉의 구조와 원리를 이해한 내용으로 적절하지 않은 것은?

보기

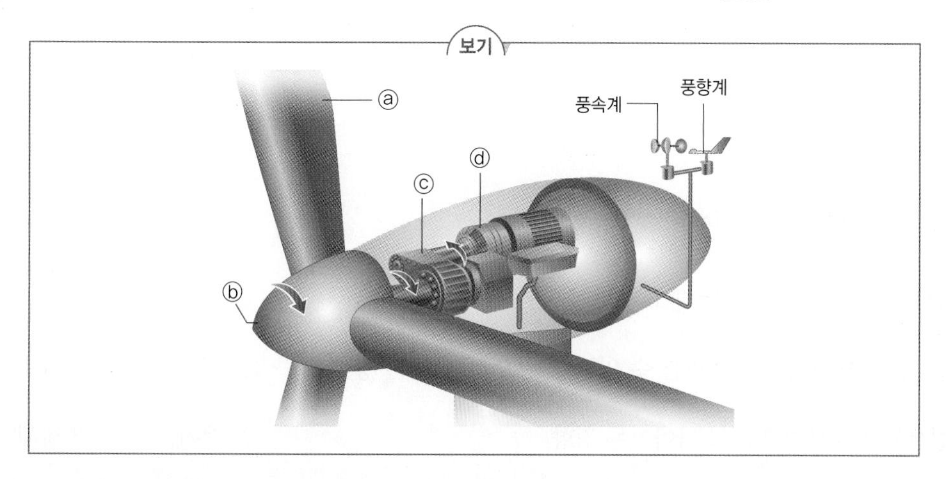

① ⓐ가 모여 ⓑ를 이룬다.
② ⓑ의 중심축은 ⓒ에 연결되어 있다.
③ ⓒ를 통해 ⓐ의 방향과 각도를 조절한다.
④ ⓓ에서 운동 에너지를 전기 에너지로 바꾼다.
⑤ ⓐ의 개수가 많아지면 난류의 영향으로 효율이 떨어진다.

어휘

3 ㉠~㉤을 바꾸어 쓴 말로 적절하지 않은 것은?

① ㉠: 맞춘다　② ㉡: 망가지지　③ ㉢: 남기기에
④ ㉣: 쓸모없다　⑤ ㉤: 떨어질

어휘 학습

1~4 〈보기〉의 글자를 조합하여 제시된 뜻에 해당하는 어휘를 써 보자.

보기

결 고 박 슬 천 추 하 호

1 아주 오랜 세월 동안. → (   )

2 매우 적거나 조금인 것을 비유적으로 이르는 말. → (   )

3 몸이나 손 따위를 움직이지 못하도록 동이어 묶음. → (   )

4 무릎의 아래라는 뜻으로, 어버이나 조부모의 보살핌 아래. → (   )

5~7 다음 뜻에 해당하는 단어에 ✓ 표를 해 보자.

5 어려워하거나 조심스러워하는 태도가 없이 무례하고 건방지다. □ 방심하다 □ 방자하다

6 사물을 너그럽게 용납하여 처리할 수 있는 넓은 마음과 깊은 생각. □ 도량 □ 아량

7 어떤 현상이 일정한 방향으로 나아가는 경향. □ 추세 □ 형세

8~10 제시된 초성을 참고하여 다음 뜻에 해당하는 어휘를 써 보자.

8 ㅁㅅㅁㄱ: 아무런 탈 없이 아주 오래 삶. → (   )

9 ㅈㅅㅇㅂ: 이 세상에 태어나기 이전부터 맺은 인연. → (   )

10 ㄷㅈㅅㅂ: 동쪽을 정복하고 서쪽을 친다는 뜻으로, 이러저리로 여러 나라를 정벌함을 이르는 말. → (   )

배경 지식

조선 시대의 신분 제도

조선 시대의 신분 제도는 법적으로는 양천 제도, 즉 양인과 천민으로 나뉘어 있었습니다. 그러나 사회적으로는 양인이 다시 양반, 중인, 상민으로 나뉘어 실제로는 양반, 중인, 상민, 천민의 네 계층으로 구분되었습니다.

▲ 김득신, 「반상도」 – 양반에게 인사하는 상민의 모습을 통해 신분 질서를 알 수 있음.

양반은 본래 지배층을 이루던 신분으로 관료 체제를 이루는 문반과 무반을 통칭하여 이르는 말이었으나, 점차 그 가족이나 후손까지 포괄하여 이르게 되어 점차 신분의 명칭으로 자리 잡게 되었습니다. 중인은 하급 관리 계층으로 기술관, 향리, 서리, 서얼 등이 이에 속합니다. 양반을 도와 관청에서 일하거나 전문직에 종사한 계층이지만 양반처럼 높은 관직에 오르기는 어려웠습니다. 상민은 일반 백성으로 농민, 상인, 수공업자이며 군역을 지고 세금의 의무를 졌습니다. 가장 최하층인 천민은 노비를 비롯하여 백정, 광대, 무당, 기생 등이 있었습니다.

조선의 제3대 왕인 태종은 왕위에 오른 뒤 적서 차별 제도를 두어 왕위 계승을 적자에서 장자 순으로 하도록 하였습니다. 이후 이 법이 양반들에게까지 확대되어 어머니가 본처냐 첩이냐에 따라 본처에게서 태어난 아들인 '적자'와 어머니가 첩인 아들인 '서얼'로 구분해 사회적으로 차별을 두었습니다. 여기서 서얼은 '서자'와 '얼자'를 줄인 말로 서자는 어머니가 양민인 자손이고, 얼자는 어머니가 천민인 자손을 뜻합니다. 이들은 양반 사대부 자손이면서도 차별 대우를 받아 아버지를 아버지라 부르지 못하고 '나리' 또는 '대감마님'이라고 불러야 했고, 재산을 물려받지도 못했습니다. 또 문과 시험에 응시할 수 있는 자격이 주어지지 않아 양반 사대부들이 천시하던 기술직에만 진출할 수 있었고, 관직에 오른다 하더라도 승진에 제한이 있었습니다.

간단 확인

1. 조선 시대의 신분 제도는 양천 제도를 바탕으로 사회적으로 양반과 천민으로 구분되었다. 

2. 서얼은 양반 사대부의 자손이지만 문과 시험 응시가 금지되어 기술직에만 진출할 수 있었다. 

괜찮아 | 장영희

작품 안내

이 작품은 몸이 불편한 글쓴이가 세상을 긍정적으로 바라보게 된 경험을 고백한 수필이다. 글쓴이가 경험을 통해 어떤 깨달음을 얻었는지 파악하며 감상해 보자.

초등학교 때 우리 집은 서울 동대문구 제기동에 있는 작은 한옥이었다. 골목 안에는 고만고만한 한옥 여섯 채가 서로 마주 보고 있었다. 그때만 해도 한 집에 아이가 보통 네댓은 됐으므로 골목길 안에만도 초등학교 다니는 아이가 줄잡아 열 명이 넘었다. 학교가 파할* 때쯤 되면 골목은 시끌벅적, 아이들의 놀이터가 되었다.

어머니는 내가 집에서 책만 읽는 것을 싫어하셨다. 그래서 방과 후 골목길에 아이들이 모일 때쯤이면 대문 앞 계단에 작은 방석을 깔고 나를 거기에 앉히셨다. 아이들이 노는 걸 구경이라도 하라는 뜻이었다.

딱히 놀이 기구가 없던 그때, 친구들은 대부분 술래잡기, 사방치기*, 공기놀이, 고무줄놀이 등을 하고 놀았지만 나는 공기놀이 외에는 그 어떤 놀이에도 참여할 수 없었다. 하지만 골목 안 친구들은 나를 위해 꼭 무언가 역할을 만들어 주었다. 고무줄놀이나 달리기를 하면 내게 심판을 시키거나 신발주머니와 책가방을 맡겼다. 그뿐인가. 술래잡기를 할 때는 한곳에 앉아 있어야 하는 내가 답답해할까 봐 어디에 숨을지 미리 말해 주고 숨는 친구도 있었다.

우리 집은 골목에서 중앙이 아니라 모퉁이 쪽이었는데 내가 앉아 있는 계단 앞이 늘 친구들의 놀이 무대였다. 놀이에 참여하지 못해도 난 전혀 소외감*이나 박탈감*을 느끼지 않았다. 아니, 지금 생각하면 내가 소외감을 느낄까 봐 친구들이 배려해 준 것이었다.

그 골목길에서의 일이다. 초등학교 1학년 때였던 것 같다. 하루는 우리 반이 좀 일찍 끝나서 나 혼자 집 앞에 앉아 있었다. 그런데 그때 마침 골목을 지나던 깨엿 장수가 있었다. 그 아저씨는 가위를 쩔렁이며, 목발을 옆에 두고 대문 앞에 앉아 있는 나를 흘낏 보고는 그냥 지나쳐 갔다. 그러더니 손수레를 두고 다시 돌아와 내게 깨엿 두 개를 내밀었다. 순간 아저씨와 내 눈이 마주쳤다. 아저씨는 아무 말도 하지 않고 아주 잠깐 미소를 지어 보이며 말했다. / "괜찮아." / 무엇이 괜찮다는 건지 몰랐다. 돈 없이 깨엿을 공짜로 받아도 괜찮다는 것인지, 아니면 목발을 짚고 살아도 괜찮다는 말인지……. 하지만 그건 중요하지 않다. 중요한 것은 내가 그날 마음을 정했다는 것이다. 이 세상은 그런대로 살 만한 곳이라고, 좋은 친구들이 있고 선의*와 사랑이 있고, '괜찮아'라는 말처럼 용서와 너그러움이 있는 곳이라고 믿기 시작했다는 것이다. 〈중략〉

"그만하면 참 잘했다."라고 용기를 북돋아 주는 말, "너라면 뭐든지 다 눈감아 주겠다."라는 용서의 말, "무슨 일이 있어도 나는 네 편이니 넌 절대 외롭지 않다."라는 격려의 말, "지금은 아파도 슬퍼하지 말라."라는 나눔의 말, 그리고 마음으로 일으켜 주는 부축의 말, 괜찮아.

그래서 세상 사는 것이 만만치 않다고 느낄 때, 죽을 듯이 노력해도 내 맘대로 일이 풀리지 않는다고 생각될 때, 나는 내 마음속에서 작은 속삭임을 듣는다. 오래전 내 따뜻한 추억 속 골목길 안에서 들은 말 — '괜찮아! 조금만 참아, 이제 다 괜찮아질 거야.'

아, 그래서 '괜찮아'는 이제 다시 시작할 수 있다는 (　　㉠　　)의 말이다.

* 파하다 일을 끝마치거나 그만두다.
* 사방치기 어린이 놀이의 하나. 땅바닥에 여러 공간을 구분해 그려 놓고, 그 안에서 납작한 돌을 한 발로 차서 차례로 다음 공간으로 옮기다가 정해진 공간에 가서는 돌을 공중으로 띄워 받아 돌아온다.
* 소외감 남에게 따돌림을 당하여 멀어진 듯한 느낌.
* 박탈감 재물이나 권리, 자격 따위를 빼앗겼다고 여기는 느낌이나 기분.
* 선의 착한 마음. 좋은 뜻.

1 윗글을 읽고 이해한 내용으로 적절하지 않은 것은?

① 어머니는 '나'가 친구들과 어울리며 생활하기를 바라셨다.
② '나'는 어렸을 때부터 다리가 불편하여 목발을 짚고 다녔다.
③ 친구들은 일부러 '나'가 직접 참여할 수 있는 놀이만을 하며 놀았다.
④ 깨엿 장수 아저씨는 '나'에게 세상은 살 만한 곳이라는 믿음을 주었다.
⑤ '나'는 세상을 살아가면서 부딪히는 어려움을 긍정적인 마음으로 이겨 낼 수 있었다.

수능형

2 〈보기〉에 대해 학생들이 할 수 있는 답변으로 적절하지 않은 것은?

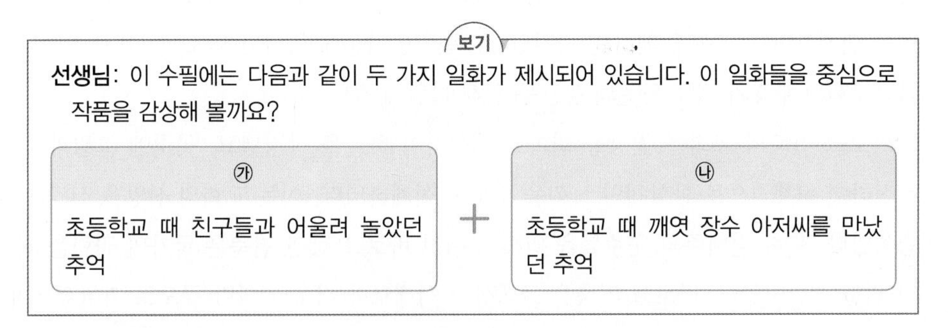
보기

선생님: 이 수필에는 다음과 같이 두 가지 일화가 제시되어 있습니다. 이 일화들을 중심으로 작품을 감상해 볼까요?

㉮		㉯
초등학교 때 친구들과 어울려 놀았던 추억	+	초등학교 때 깨엿 장수 아저씨를 만났던 추억

① ㉮는 ㉯가 원인이 되어 발생한 일화입니다.
② ㉮와 ㉯는 모두 글쓴이에게 긍정적인 영향을 준 일화들입니다.
③ ㉮와 달리 ㉯는 특별한 하나의 사건을 대상으로 하는 일화입니다.
④ ㉮와 달리 ㉯에는 이 글의 제목과 관련된 이유가 제시되어 있습니다.
⑤ ㉮와 ㉯의 일화의 원인이 되는 글쓴이의 처지는 동일하다고 볼 수 있습니다.

개념+ 일화(에피소드)

사전적인 의미로는 세상에 널리 알려지지 않은 흥미 있는 이야기라는 뜻이지만, 일반적으로는 구체적인 사건이 담긴 이야기를 말함. 수필은 글쓴이가 경험하거나 들은 이야기를 중심으로 전개되는 경우가 많기 때문에 여러 가지 일화가 제시되는데, 일화를 통해 얻은 깨달음이 수필을 통해 글쓴이가 전달하고자 하는 주제가 됨.

어휘

3 ㉠에 들어갈 단어로 가장 적절한 것은?

① 후회　② 만족　③ 배려
④ 의문　⑤ 희망

15 비문학 바로크 건축

중세 유럽에서는 높고 뾰족한 첨탑, 스테인드글라스를 특징으로 하는 고딕 건축이 발달하였고, 그 이후에는 르네상스 건축이 발달하였다. 16세기 말에 들어서는 새로운 건축 양식이 나타났는데 이를 바로크 건축이라고 한다. 바로크 건축은 엄격함과 우아함, 단정함을 원칙으로 하는 고전주의적 르네상스 건축에 대한 반발로, 보다 더 자유로운 것을 추구하기 위해 곡선을 많이 쓰고 장식을 많이 쓰는 건축이 발달하면서 시작되었다. 5

그러나 당시의 건축가들은 이러한 건축에 대해 불균형하고 기묘하며* 비뚤어진 것이라고 비아냥거렸다고 한다. 여기에서 보석공이 사용하던 '일그러진 모양의 진주'라는 뜻의 '바로크'라는 말이 사용되면서 하나의 양식을 일컫게 되었다. 이처럼 당시에는 퇴폐적인 건축 정도로 인식되었던 바로크 건축이 한 시대를 대표하는 건축 양식으로 자리 잡을 수 있었던 것은, 19세기 말에 이르러 바로크 건축에 대한 재평가가 이루어지면서부터이다. 10

그렇다면 바로크 건축이 발달하게 된 시대적 배경은 무엇일까? 바로크 건축이 등장하는 17세기는 경제적으로 초기 자본주의 사회가 성장하고 있었고, 절대 왕권을 중심으로 근대 국가의 체계가 확립된 시기였다. 또한 로마 가톨릭교회도 종교 개혁에 반발하여 반종교 개혁을 실시하면서 부흥*을 꾀하던 시기였다. 이러한 가운데 나타난 바로크 건축은 당연히 가톨릭교회의 부흥과 절대 왕권의 옹호*를 위해 발달해 갔다. 15

바로크 건축의 교회는 천장을 회화로 채색하여 하늘을 상징했고, 곳곳에 그림과 조각을 장식하여 전체적으로 환상적인 느낌을 주도록 설계하였다. 이는 교회의 신앙을 선전하기 위함이었다. 또한 절대주의 군주들을 위해 지어진 바로크 궁전 건축은 국가의 권력을 과시하기 위한 수단이었다. 바로크 건축은 르네상스 시대보다 더욱 커다란 규모로 지어졌으며, 무엇보다 르네상스 시대의 2차원적인 건축 구성에서 벗어나 3차원적 건축 기법에 의해 극적 효과를 창출하였다. 또한 직선보다 곡선이나 타원형이 즐겨 사용되었으며, 화려한 장식으로 치장하여 더욱 역동적으로 보이게 하였다. 20

대표적인 바로크 건축으로는 베르사유 궁전이 있다. 프랑스 절대 왕정*의 군주였던 루이 14세가 파리의 남서쪽 베르사유에 건립한 이 궁전은 바로크 건축의 백미*로 손꼽힌다. 그러나 루이 14세의 시대가 쇠퇴하고 귀족들의 밝고 유쾌한 향락 문화가 대두*하면서, 건축가들은 무거운 느낌을 주는 바로크적인 부조*에서 벗어나 경쾌하고 세밀한 느낌을 주는 부조로 실내 공간을 꾸미려고 하였다. 이에 따라 점차 개인의 사적 생활 위주의 소규모 공간을 창출하는 건축이 주류를 이루게 된다. 바로크 건축의 장중하고* 위압적인 느낌은 점차 세련되고 화려한 느낌을 주는 로코코 건축으로 발전하게 되었다. 25

* **기묘하다** 생김새 따위가 이상하고 묘하다.
* **부흥** 쇠퇴하였던 것이 다시 일어남. 또는 그렇게 되게 함.
* **옹호** 두둔하고 편들어 지킴.
* **절대 왕정** 군주가 국가 통치의 모든 권력을 장악하고 절대적인 권한을 가지는 정치 체제.
* **백미** 흰 눈썹이라는 뜻으로, 여럿 가운데에서 가장 뛰어난 사람이나 훌륭한 물건을 비유적으로 이르는 말.
* **대두** 머리를 쳐든다는 뜻으로, 어떤 세력이나 현상이 새롭게 나타남을 이르는 말.
* **부조** 조각에서, 평평한 면에 글자나 그림 따위를 도드라지게 새기는 일.
* **장중하다** 장엄하고 무게가 있다.

1 윗글을 읽고 알 수 있는 내용이 아닌 것은?

① 바로크 건축에 대한 당대의 평가
② 바로크 건축과 르네상스 건축의 차이점
③ 바로크 건축이 등장하게 된 시대적 배경
④ 바로크 양식이 적용된 대표적인 건축물
⑤ 바로크 건축에 대한 재평가가 이루어진 계기

2 윗글을 읽고 난 후의 반응으로 적절하지 않은 것은?

① 곡선이나 타원형을 사용하고 화려하게 장식하면 역동적인 느낌이 나겠군.
② 교회의 부흥과 왕권의 옹호를 위해 바로크 건축은 크고 화려하게 지어졌군.
③ 베르사유 궁전은 귀족들의 향락 문화를 고스란히 드러내는 바로크 건축의 백미군.
④ 한 시기에 나타나는 건축 양식은 이전 시기의 양식에 대한 반발로 시작되기도 하는군.
⑤ 엄격한 규칙이나 균형에서 벗어나 자유로운 시도를 한 건축물을 퇴폐적이라고 여기던 시기도 있었군.

수능형

3 윗글을 바탕으로 〈보기〉를 이해한 내용으로 적절하지 않은 것은?

보기

▲ 대표적인 바로크 건축물인 성 베드로 대성당

① 커다란 규모로 지어 장중하고 위압적인 느낌을 준다.
② 건물 내부와 외부를 조각으로 장식하여 화려한 느낌을 준다.
③ 건물 외부의 기둥을 곡선 형태로 배열하여 자유로운 느낌을 준다.
④ 2차원적 건축 구성을 통해 우아하고 단정한 극적 효과를 창출한다.
⑤ 건물 내부 곳곳에 그림을 장식하여 전체적으로 환상적인 느낌을 준다.

15

어휘 학습

1~3 제시된 초성과 뜻을 참고하여 빈칸에 들어갈 어휘를 써 보자.

1 ㅅㅇ: 착한 마음. 좋은 뜻.

예 네 말이 기분 나쁘게 들리지만 (   )(으)로 받아들이겠다.

2 ㅇㅎ: 두둔하고 편들어 지킴.

예 그는 노동자의 인권 (   )을/를 위해 발 벗고 나섰다.

3 ㅊㅊ: 전에 없던 것을 처음으로 생각하여 지어내거나 만들어 냄.

예 기술의 발전은 새로운 일자리의 (   )와/과 실업의 증가라는 결과를 가져왔다.

4~7 제시된 초성을 참고하여 다음 뜻에 해당하는 어휘를 써 보자.

4 ㅈㅈ하다: 장엄하고 무게가 있다. → (   )

5 ㄱㅁ하다: 생김새 따위가 이상하고 묘하다. → (   )

6 ㄷㄷ: 머리를 쳐든다는 뜻으로, 어떤 세력이나 현상이 새롭게 나타남을 이르는 말.
→ (   )

7 ㅂㅁ: 흰 눈썹이라는 뜻으로, 여럿 가운데에서 가장 뛰어난 사람이나 훌륭한 물건을 비유적으로 이르는 말. → (   )

8~10 다음 어휘의 뜻을 찾아 바르게 연결해 보자.

8 부조 •	• ㉠ 힘차고 활발하게 움직이는. 또는 그런 것.
9 역동적 •	• ㉡ 쇠퇴하였던 것이 다시 일어남. 또는 그렇게 되게 함.
10 부흥 •	• ㉢ 조각에서, 평평한 면에 글자나 그림 따위를 도드라지게 새기는 일.

고딕 건축

바로크 건축은 가톨릭교회의 부흥을 위해 발달한 근세의 건축 양식으로 당대 사람들의 신앙심이 담겨 있다는 점에서 중세의 고딕 양식과 맞닿아 있습니다.

고딕 건축은 13세기 초에 프랑스에서 발생하여 15세기까지 절정을 이루며 전 유럽에 전파된 것으로, 초기 기독교 시대부터 만들어진 중세 교회 건축 기술과 문화의 완성품이라 할 수 있는 건축 양식을 말합니다. 그렇다면 고딕 건축이 어떤 특징이 있기에 기독교 건축 문화의 완성품이라고 표현하는 것일까요? 이를 이해하기 위해서는 우선 고딕 건축이 발달했던 지역의 특성을 살펴볼 필요가 있습니다.

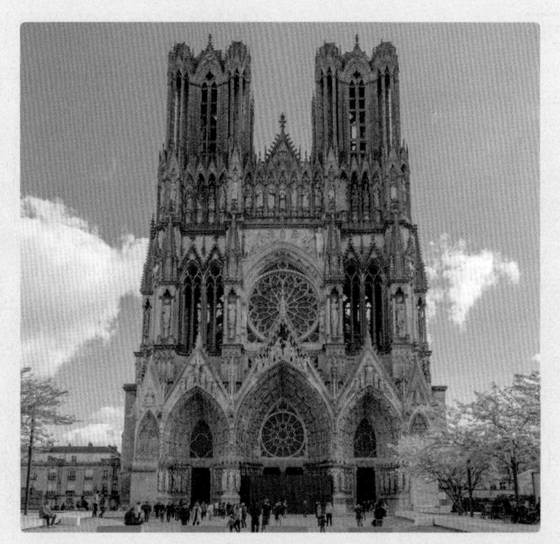

▲ 프랑스에 있는 랭스 대성당

고딕 건축이 발달한 곳은 유럽의 중북부 지방과 파리 등 비교적 부유한 사람들이 많이 살고 있던 지역으로 이곳 사람들은 경제력을 바탕으로 유명한 건축가를 데려와 비싼 재료로 건물을 지을 수 있었습니다.

기술적인 측면에서 고딕 건축의 특징을 살펴보면 꼭대기가 뾰족한 모양의 첨두 아치, 무거운 천장을 지탱하기 위해 고안한 리브 볼트, 지붕의 무게와 압력을 분산시키기 위해 설치한 것으로 벽을 지탱해 주는 플라잉 버트레스 세 가지를 들 수 있습니다.

고딕 건축은 이외에도 스테인드글라스를 사용한 창문의 수가 훨씬 많아지고, 공간이 넓어져 예술적이면서도 웅장한 분위기를 연출한다는 점이 특징이라 할 수 있습니다. 이러한 초기 고딕의 대표적인 건축물에는 파리의 노트르담 대성당, 부르주 대성당, 랭스 대성당, 아미앵 대성당, 샤르트르 대성당 등이 있습니다.

간단 확인

1. 고딕 건축은 전 유럽에 전파된 중세의 건축 양식으로 기독교 건축 문화의 완성품이라고 할 수 있다. ◯ ✕
2. 첨두 아치는 무거운 천장을 지탱하기 위해 고안되었다. ◯ ✕

코르니유 영감의 비밀

| 알퐁스 도데

작품 안내

- 도입: 피리 연주자에게 코르니유 영감의 이야기를 들음.
- 발단: 증기 방앗간의 등장으로 풍차 방앗간이 몰락함.
- 전개: 사람들이 찾지 않는데도 코르니유 영감의 풍차 방앗간은 돌아감.
- 위기: 결혼 허락을 받기 위해 코르니유 영감의 손녀인 비베트와 '나'(피리 연주자)의 아들이 풍차 방앗간을 찾아감.
- 절정: 코르니유 영감의 풍차 방앗간이 이제껏 빈 채로 돌아가고 있었다는 사실이 밝혀짐.
- 결말: 마을 사람들의 도움을 받아 코르니유 영감의 풍차 방앗간이 다시 돌아감.

코르니유 영감의 풍차 방앗간은 커다란 성과 같았다. 풍차는 날마다 돌고 있었지만 문은 굳게 닫혀 있었다. 마당에서 풀을 뜯어먹는 당나귀와 일광욕을 하는 고양이만이 지나가는 사람들의 눈에 뜨일 뿐이었다.

마을 사람들은 풍차 방앗간 옆에 얼씬도 못하게 하는 코르니유 영감을 두고 말이 많았다. 그들은 방앗간 안에 밀가루 대신 수많은 금화가 쌓여 있을 거라고 생각했다. 5

㉠'코르니유 영감이 금화들을 방앗간에 숨겨 놓았을까?'

모두들 코르니유 영감의 방앗간 속을 궁금해했다.

"아저씨, 피리를 불어 주세요." / "피리 소리에 맞추어 춤을 추고 싶어요."

마을에 축제가 시작되자 젊은이들은 내 피리 소리에 맞추어 흥겹게 춤을 추었다. 그곳에는 코르니유 영감의 손녀 비베트도 있었고, 내 아들 녀석도 있었다. 나는 그들이 서로 사랑 10 에 빠져 있다는 것을 눈치챘다.

나는 마음속으로 코르니유 영감을 존경하고 있었다.

㉡아름다운 비베트와 한 집에서 살게 된다고 생각하니 무척 흥분되었다. 나는 두 사람을 결혼시키기 위해서 코르니유 영감을 찾아갔다.

내가 풍차에 도착했을 때, 영감은 안에 있었다. 하지만 그는 문도 열어 주지 않았다. 내가 15 찾아온 이유를 설명하자, 영감은 할 일 없으면 집에 가서 피리나 불라고 호통*쳤다.

㉢"그렇게 장가가 가고 싶으면 증기 제분소*의 딸들이나 찾아가라고 해!"

코르니유 영감이 무례*하게 굴었기 때문에 나는 몹시 화가 났다. 나는 화를 삼키며 집으로 돌아왔다. 그리고 오늘 있었던 일들을 이야기했다.

㉣"할아버지가 그럴 리 없어요. 저희들이 직접 찾아가 보겠어요." 20

비베트와 아들 녀석이 코르니유 영감을 찾아갔을 때 영감은 외출하고 없었다. 그런데 웬일인지, 방아는 온통 먼지를 뒤집어쓰고 있었다.

"할아버지 방에 가 보자."

코르니유 영감이 쓰는 방도 텅 비어 있었다. 낡은 침대와 누더기나 다름없는 옷가지가 그 방에 있는 전부였다. 25

"저기 자루가 있어."

침대 한쪽 구석에 구멍이 난 자루가 몇 개 놓여 있었다. 비베트는 자루 속에 무엇이 들었는지 궁금해 열어 보았다. 그 속에는 밀가루같이 생긴 하얀 흙이 담겨 있었다.

"㉤이건 석회 가루잖아."

밀가루같이 생긴 하얀 흙, 그것이 코르니유 영감의 비밀이었다. 영감은 풍차의 명예*를 지 30 키기 위해 저녁이면 이 흙부스러기를 하얀 밀가루인 양 당나귀 등에 싣고 끌고 다녔던 것이다.

큰 길가에 들어선 증기 제분소가 코르니유 영감의 손님을 다 빼앗아 갔던 것이다. 영감의 풍차는 날마다 커다란 날개를 힘차게 돌리고 있었지만 맷돌은 텅텅 비어 있었다.

* **호통** 몹시 화가 나서 크게 소리 지르거나 꾸짖음. 또는 그 소리.
* **제분소** 곡식이나 약재 따위를 가루로 만드는 일을 전문으로 하는 곳.
* **무례** 태도나 말에 예의가 없음.
* **명예** 세상에서 훌륭하다고 인정되는 이름이나 자랑. 또는 그런 존엄이나 품위.

1 **윗글에서 확인할 수 있는 내용으로 적절하지 않은 것은?**

① 코르니유 영감은 비밀을 지키기 위해서 마을 사람들이 풍차 방앗간 근처에 오지 못하게 했다.
② 비베트와 '나'의 아들이 코르니유 영감을 찾아갔을 때 방아는 흰 밀가루를 뒤집어쓰고 있었다.
③ 증기 제분소가 생기면서 코르니유 영감의 풍차 방앗간은 일거리를 맡기던 손님을 다 빼앗겼다.
④ 코르니유 영감은 풍차의 명예를 지키기 위해서 밀 빻는 일이 있는 것처럼 풍차를 돌리고 있었다.
⑤ 비베트와 아들의 결혼에 대해 의논하고자 '나'가 풍차 방앗간을 방문했을 때 코르니유 영감은 '나'를 무례하게 대했다.

수능형

2 **〈보기〉는 윗글에 대한 감상문의 일부이다. 〈보기〉의 밑줄 친 부분과 가장 밀접한 소재로 적절한 것은?**

보기

이 작품은 산업 혁명을 전후하여 산업화, 기계화의 과정에서 일어나는 사회적 변화가 드러난다. '풍차 방앗간'은 자연적인 바람을 이용하여 곡물을 가루로 만들던 곳으로, 근대화에 맞서는 전통적인 삶의 방식을 상징한다. 이와 상반되게 산업화 이후의 변화를 보여 주는 근대화된 기계 문명을 상징하는 소재가 쓰이고 있다.

① 금화 ② 피리 ③ 구멍이 난 자루
④ 증기 제분소 ⑤ 맷돌

3 **㉠~㉤에서 짐작할 수 있는 인물의 심리로 적절하지 않은 것은?**

① ㉠: 마을 사람들은 풍차가 계속 돌았으므로 코르니유 영감이 돈을 많이 벌었을 것이라고 생각한다.
② ㉡: '나'는 자신의 아들과 비베트의 결혼에 대해서 적극적으로 찬성하는 마음을 지니고 있다.
③ ㉢: 코르니유 영감은 증기 제분소에 대한 반감과 분노를 은연중에 드러내고 있다.
④ ㉣: 코르니유 영감의 반응에 대한 비베트의 실망감이 직접적으로 드러나 있다.
⑤ ㉤: 비베트와 '나'의 아들은 밀가루가 아닌 석회 가루를 발견하고 의아해하면서 코르니유 영감의 비밀을 확인하고 있다.

16

작품 안내

- 도입 피리 연주자에게 코르니유 영감의 이야기를 들음.
- 발단 증기 방앗간의 등장으로 풍차 방앗간이 몰락함.
- 전개 사람들이 찾지 않는데도 코르니유 영감의 풍차 방앗간은 돌아감.
- 위기 결혼 허락을 받기 위해 코르니유 영감의 손녀인 비베트와 '나'(피리 연주자)의 아들이 풍차 방앗간을 찾아감.
- 절정 코르니유 영감의 풍차 방앗간이 이제껏 빈 채로 돌아가고 있었다는 사실이 밝혀짐.
- 결말 마을 사람들의 도움을 받아 코르니유 영감의 풍차 방앗간이 다시 돌아감.

나는 아이들에게서 들은 이야기를 마을 사람들에게 해 주었다. 코르니유 영감의 비밀은 이제 온 마을 사람들에게 알려졌다.

"불쌍한 코르니유 영감!" / "우리는 그런 것도 모르고 영감님을 비난했어."

마을 사람들은 불쌍한 코르니유 영감을 위해 밀을 자루에 담았다. 모두가 밀을 영감의 방앗간으로 가져가기로 한 것이다. 5

"영감님은 어떻게 하고 계실까?" / "이 많은 밀을 보면 깜짝 놀랄 거야."

밀을 실은 당나귀들이 풍차가 있는 언덕에 도착했을 때, 풍차의 문은 활짝 열려 있었다. 코르니유 영감은 풍차의 문을 활짝 열어 놓고 울고 있었다.

코르니유 영감은 외출에서 돌아와 누군가 풍차 안에 들어왔다는 것을 알게 되었던 것이다. 크게 상심*한 영감은 흙자루 위에 쭈그리고 앉아 울고 있었다. 10

"풍차의 체면*이 깎이다니……. 이 일을 어쩌면 좋아?"

코르니유 영감은 우리가 온 줄도 모르고 울고 있었다.

"이제는 죽는 수밖에 없어. 흑흑흑."

몇몇 사람은 영감을 따라 울었다. 나머지 사람은 옛날에 하던 것처럼 외쳤다.

"코르니유 영감님, 밀 좀 빻아 주세요." 15

마을 사람들은 밀을 풍차 방앗간 앞마당에 쏟아부었다. 마을 사람들이 가져온 밀이 차곡차곡 쌓이기 시작했다.

코르니유 영감은 울다가 말고 반갑게 달려 나왔다. 영감은 밀을 한 움큼* 움켜쥐고 울다가 다시 웃었다.

"밀이다. 밀이야!" / 신이 난 코르니유 영감은 소리쳤다. 20

"모두들 돌아올 줄 알았어. 증기 제분소 놈들은 모두 도둑이라니까!"

우리 모두는 코르니유 영감을 마을로 데려가려고 했다.

"기다려! 내 방아도 뭔가를 좀 먹어 봐야지."

코르니유 영감은 분주히* 움직였다. 방아에 쌓인 먼지를 털어 내고 마을 사람들이 가져온 밀을 쏟아부었다. 방아가 움직이자 조금 후 밀가루가 먼지처럼 피어올랐다. 25

우리 모두 불쌍한 코르니유 영감을 바라보며 눈물을 글썽거렸다.

그날부터 우리는 코르니유 영감의 풍차에서 일거리가 떨어지지 않도록 했다. 만약 우리가 코르니유 영감의 비밀을 영영 몰랐다면 어떻게 되었을까? 지금 생각해 보아도 그때 우리의 결정은 정말 옳았다는 생각이 든다.

그 일이 있은 후 얼마 지나지 않아 코르니유 영감은 세상을 떠났다. 영감이 죽자 풍차는 더 이상 돌지 않았다. 아무도 그 일을 맡아서 하려고 하지 않았기 때문이다. 할 수 없는 일이다. 모든 일에는 끝이 있는 법이니까. 30

이제 풍차 방앗간의 시대는 지나갔다.

* **상심** 슬픔이나 걱정 따위로 속을 썩임.
* **체면** 남을 대하기에 떳떳한 도리나 얼굴.
* **움큼** 손으로 한 줌 움켜쥘 만한 분량을 세는 단위.
* **분주히** 이리저리 바쁘고 수선스럽게.

4 윗글에 대한 설명으로 적절하지 않은 것은?

① 1인칭 관찰자의 시점에서 서술자가 본 내용을 전달하고 있다.
② 상징적인 소재를 대비하여 주제 의식을 효과적으로 부각하고 있다.
③ 산업화라는 시대적 변화에 맞서는 한 인간의 집념을 보여 주고 있다.
④ 타인을 배려하지 못하고 이기적으로 살아가는 사람들에 대한 비판이 드러난다.
⑤ 인물의 대화를 통해 상황에 따른 인물의 심리를 생동감 있게 제시하고 있다.

개념+ 소설의 서술 방식

- 서술: 서술자가 독자에게 인물, 사건, 배경 등을 직접 설명하는 방법. 해설적, 추상적, 요약적 표현으로 사건을 진행시킴.
- 묘사: 서술자가 인물, 사건, 배경 등을 그림을 그리듯이 구체적으로 표현하는 방법. 독자에게 생생한 이미지를 전달함.
- 대화: 등장인물이 주고받는 말. 사건을 전개시키면서 인물의 심리를 효과적으로 보여 줌.

5 윗글의 코르니유 영감에 대한 독자의 반응으로 적절하지 않은 것은?

① 비밀이 들통나자 코르니유 영감은 무척 비통해하는군.
② 코르니유 영감은 풍차 방앗간에 대한 애정을 가지고 있었군.
③ 코르니유 영감의 죽음으로 풍차 방앗간은 영원히 멈추게 되었군.
④ 코르니유 영감은 일거리가 있는 것처럼 보이려고 빈 풍차의 날개를 돌렸군.
⑤ 코르니유 영감은 마을 사람들의 도움을 받아야 하는 처지를 슬프게 생각하는군.

어휘

6 〈보기〉의 ㉠에 들어갈 한자 성어로 가장 적절한 것은?

보기

코르니유 영감의 비밀을 알게 된 마을 사람들은 코르니유 영감에게 일거리를 주기 위해 (　　㉠　　)(으)로 밀을 모아 영감에게 가져다준다. 이와 같은 마을 사람들의 도움이 있었기에 코르니유 영감은 풍차 방앗간을 다시 돌릴 수 있었다. 코르니유 영감의 풍차에 일거리가 떨어지지 않도록 밀을 모아 준 마을 사람들의 모습에서 공동체 정신이 드러난다.

① 소탐대실(小貪大失)　② 결초보은(結草報恩)
③ 견물생심(見物生心)　④ 각골난망(刻骨難忘)
⑤ 십시일반(十匙一飯)

16 비문학

승정원일기

우리나라에는 유네스코*가 인정한 세계 기록 유산*들이 있는데, 그중의 하나가 『승정원일기』이다. 『승정원일기』는 승정원의 업무 일지로, 조선 초기부터 작성되기 시작하였으나 화재로 인해 현재는 1623년부터 1910년까지의 기록만 남아 있다. 『승정원일기』의 가치는 다음과 같은 두 측면에서 살펴볼 수 있다.

무엇보다 『승정원일기』는 조선 시대에 국가의 정책이 어떻게 운영되었는지 이해하는 데 큰 도움을 준다. 승정원은 왕명의 출납*, 왕의 음식과 건강 관리, 경호 등을 담당하던 기관으로, 왕의 국정 운영을 보조하였다. 승정원의 관리인 주서는 왕을 그림자처럼 따라다니며 왕의 언행* 하나하나를 속기*로 적었을 뿐만 아니라 왕과 신하가 주고받은 이야기까지 낱낱이 기록했다. 이에 따라 『승정원일기』에는 국가 정책과 관련된 보고 내용과 왕의 지시 사항 등이 자세하게 기록되어 있다. 이러한 『승정원일기』를 통해 우리는 조선 시대에 정책이 결정되고 진행되는 과정 등을 매우 구체적이고 상세하게 파악할 수 있다.

『승정원일기』가 가지는 또 다른 가치는 기상 변화를 연구하는 데 귀중한 자료가 된다는 점이다. 『승정원일기』는 항상 날짜와 날씨로 시작한다. 여기에는 눈, 비, 안개, 맑음, 흐림 등을 기록하고 하루 중에 날씨 변화가 있었을 때에는 어떻게 변화했는지까지 기술*해 놓았다. 영조가 세종 대의 측우기를 복원*한 이후에는 강우량을 측정한 결과도 구체적으로 『승정원일기』에 제시되어 있다. 기상 변화는 매일 일어나는 것도 있지만 몇백 년 주기로 일어나는 것도 있어서 그 내용을 분석하려면 오랜 기간의 자료가 필요하다. 그런 측면에서 『승정원일기』에 기술된 날씨와 강우량에 대한 기록은 과거뿐만 아니라 오늘날의 기상 변화를 연구하는 데에도 귀중한 자료이다.

이처럼 『승정원일기』는 역사적인 기록물로서의 가치만이 아니라 (㉠) 오늘날의 우리에게도 큰 의미를 가진다. 선조들의 철저한 기록 정신이 담겨 있는 『승정원일기』는 우리가 자랑스럽게 여겨야 할 기록 유산이라 할 수 있다.

* **유네스코** 국제 연합 전문 기관의 하나. 교육, 과학, 문화의 보급과 국제 교류 증진을 통한 국제간의 이해와 세계 평화를 추구함.
* **세계 기록 유산** 유네스코가 1995년부터 훼손되거나 소멸될 위기에 처한 기록물의 보존과 이용을 위하여 선정한, 가치 있고 귀중한 기록 유산.
* **출납** 돈이나 물품을 내어 주거나 받아들임.
* **언행** 말과 행동을 아울러 이르는 말.
* **속기** ① 꽤 빨리 적음. ② 속기법으로 적는 일. 또는 그런 기록.
* **기술** 대상이나 과정의 내용과 특징을 있는 그대로 열거하거나 기록하여 서술함. 또는 그런 기록.
* **복원** 원래대로 회복함.

1 **윗글에 대한 설명으로 적절한 것은?**

① 『승정원일기』에 대한 과거와 현재의 평가를 비교하고 있다.
② 『승정원일기』가 기록된 과정을 시간적 순서에 따라 제시하고 있다.
③ 『승정원일기』의 가치를 크게 두 가지 측면으로 나누어 설명하고 있다.
④ 『승정원일기』라는 구체적 사례를 통해 기록 유산의 특성을 도출하고 있다.
⑤ 『승정원일기』가 세계 기록 유산으로 선정될 수 있었던 까닭을 열거하고 있다.

2 **『승정원일기』에 대한 이해로 적절하지 않은 것은?**

① 유네스코가 인정한 우리나라의 기록 유산이다.
② 조선 초기부터 작성되어 현재까지 그 기록이 모두 남아 있다.
③ 조선 시대 왕의 국정 운영을 보조하던 승정원의 업무 일지이다.
④ 영조 대 이후에는 강우량을 측정한 결과도 구체적으로 제시되어 있다.
⑤ 일지의 처음 부분은 항상 날짜와 날씨로 시작하며 하루 중 날씨 변화도 기술되어 있다.

3 **㉠에 들어갈 내용으로 가장 적절한 것은?**

① 기상 변화 예측에 필요한 유용한 자원으로서
② 오랜 기간에 걸쳐 기록된 선조들의 생활 기록으로서
③ 조선 시대의 생활과 문화를 연구할 수 있는 증거물로서
④ 과학 발전을 위한 선조들의 노력이 드러나는 기록물로서
⑤ 조선 시대의 정책 결정과 그 진행 과정을 파악하는 사료*로서

* **사료** 역사 연구에 필요한 문헌이나 유물. 문서, 기록, 건축, 조각 등을 이름.

어휘 학습

1~4 빈칸에 들어갈 어휘를 〈보기〉에서 찾아 써 보자.

보기
명예 무례 체면 호통

1 ( ) 차리지 말고 편히 앉아 마음껏 드세요.

2 아이들이 꽃을 꺾으려 해서 ( )을/를 쳤다.

3 그는 조국의 ( )을/를 걸고 경기에 출전했다.

4 처음 만나는 자리에서 '너'라니, 이런 ( )이/가 어디 있소?

5~7 제시된 초성을 참고하여 다음 뜻에 해당하는 어휘를 써 보자.

5 ㅂㅇ: 원래대로 회복함. → ( )

6 ㅊㄴ: 돈이나 물품을 내어 주거나 받아들임. → ( )

7 ㄱㅅ: 대상이나 과정의 내용과 특징을 있는 그대로 열거하거나 기록하여 서술함. 또는 그런 기록.
→ ( )

8~10 빈칸에 알맞은 말을 넣어 밑줄 친 어휘의 뜻을 완성해 보자.

8 언행은 반드시 일치해야 한다.
→ 말과 ( )을/를 아울러 이르는 말.

9 좋은 소식이 있을 테니 너무 상심하지 마세요.
→ ( )(이)나 걱정 따위로 속을 썩임.

10 그는 대변인의 말을 수첩에 속기하였다.
→ 꽤 ( ) 적다.

승정원

승정원은 의정부 · 육조 · 사헌부 · 사간원 · 홍문관과 함께 조선 시대의 중요한 정치 기구입니다. 정종 대에 창설된 기관인 승정원은 임금의 비서실이라고 할 수 있는 곳으로 주로 왕명의 출납을 맡아 보았습니다. 왕명을 신하나 여러 관청에 전달하는 일뿐 아니라 임금이 나랏일을 결정할 때 옆에서 조언하고, 상소를 비롯한 여러 문서들을 임금에게 전달하거나 보고하는 역할을 맡아 했습니다. 승정원은 기구의 책임을 맡은 관리인 도승지를 포함하여 여섯 명의 승지가 각 부처별로 업무를 나누어 담당했습니다.

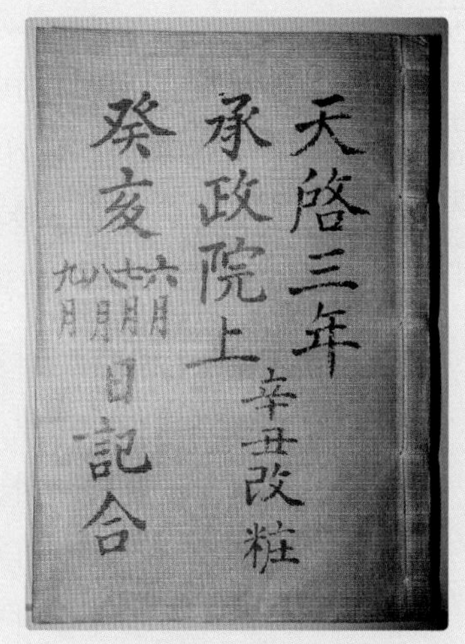

▲『승정원일기』의 표지

승정원에서 왕의 명령과 자신들의 업무를 기록한『승정원일기』는 '주서'라는 직책을 가진 관리가 맡았습니다. 주서는 사관과 함께 임금이 신하들과 나랏일을 논의하는 과정을 기록했습니다. 이 기록과 문서들을 모아 하루 동안 일어난 일을 정리해 일기로 작성하고, 이것을 한 달 단위로 정리하여 책으로 만든 것입니다. 현재 전해지고 있는『승정원일기』는 인조 때인 1623년부터 순종 때인 1910년까지 288년간의 기록인데, 당대의 정치, 경제, 사회, 문화 등을 망라한 아주 방대하고 상세한 내용으로 그 가치를 인정받고 있습니다.

한편, 승정원과 같은 비서 기관은 고려 시대에도 있었습니다. 중추원이라고 부르던 기관으로 이때에도 주된 역할은 왕명을 전달하는 것이었습니다. 이 역할을 조선 시대에 와서 승정원이 이어받은 것입니다. 승정원은 조선 고종 때인 1894년에 이름을 '승선원'으로 고쳐 부르기도 했습니다.

간단 확인

1. 승정원은 조선 시대에 왕명의 출납 업무를 맡아 담당하던 기관이다. 

2.『승정원일기』는 승정원의 책임을 맡은 관리인 도승지가 작성하였다. 

어느 날 자전거가 내 삶 속으로 들어왔다 | 성석제

작품 안내

이 작품은 글쓴이가 자전거를 배웠던 경험을 바탕으로 쓴 수필이다. 상황에 따른 글쓴이의 심리 변화와 경험을 통해 얻은 글쓴이의 깨달음에 주목하며 작품을 감상해 보자.

초등학교 6학년 겨울, 추첨으로 중학교를 배정*받고 보니 읍내에 둘 있는 중학교 중 공립이었고 아버지와 형이 졸업한 전통 있는 학교였다. 문제는 초등학교 때처럼 걸어서 다니기는 힘든 거리라는 점이었다. 버스가 다니지 않았고 자가용은 물론 없었다.

내 고향은 분지*여서 산으로 둘러싸인 읍내는 평탄했고 집집마다 자전거가 없는 집이 없었다. 그렇긴 해도 아이들을 위해 자전거를 사 주는 부모는 극소수였다. 대부분의 아이들은 성인용 자전거의 삼각 차체 사이에 다리를 집어넣고 페달을 밟아서 앞으로 진행하는, 곡예를 연상케 하는 자세로 자전거를 탔다. 나는 그런 아이들이 부럽기도 하고 경망*스러워 보이기도 해서 운동 신경이 둔하다는 핑계로 자전거를 탈 생각을 하지 않고 있었다. 그러나 이젠 선택의 여지*가 없었다.

내가 자전거를 배우기 위해 큰집에서 빌린 자전거는 읍내로 출퇴근하는 아버지의 자전거보다 더 무겁고 짐받이가 큰 '농업용' 자전거였다. 그 대신 자전거가 아주 튼튼해서 자전거를 배우자면 꼭 거쳐야 하는, '꼬라박기'를 무난히 감당해 낼 수 있을 듯 보였다. 내 몸이 그걸 견뎌 낼 수 있을지, 내 마음이 그 창피함을 견뎌 낼 수 있을지 의문스럽긴 했지만.

나는 오전에 자전거를 끌고 사람이 없는 운동장으로 갔다. 시멘트 계단 옆에 자전거를 세운 뒤 안장에 올라가서 발로 연단*을 차는 힘으로 자전거의 주차 장치가 풀리면서 앞으로 나가도록 했다. 바퀴가 두 번도 구르기 전에 자전거는 멈췄고 나는 넘어졌다. 같은 식의 시행착오가 수백 번 거듭되었다. 정강이와 허벅지에 멍 자국이 생겨났고 팔과 손의 피부가 벗겨졌다. 나중에는 자전거를 일으키는 일조차 힘이 들었다. 마지막으로 쓰러졌을 때 어둠이 다가오고 있는 걸 알고는 막막한 마음에 자전거 옆에 한참 누워 있다가 일어났다.

동네로 돌아오는 길에는 오십 미터쯤 되는 오르막이 있었다. 오르막에 올라서서 숨을 고르다가 문득 내리막을 달려 내려가면 자전거를 쉽게 탈 수 있지 않을까 하는 생각이 들었다. 내리막 아래쪽은 길이 휘어 있었고 정면에는 내가 어릴 적 물장구를 치고 놀던 도랑이 기다리고 있었다. 그리고 그 옆에는 다음 해 봄에 거름으로 쓸 분뇨를 모아 두는 '똥통'이 있었다. 내가 자전거를 통제하지 못하게 된다면 결말은 단순했다. 운 좋으면 도랑, 나쁘면 똥통.

그럼에도 불구하고 나는 돌을 딛고 자전거에 올라섰다. 어차피 가지 않으면 안 될 길, 나는 몸을 앞뒤로 흔들어 자전거를 출발시켰다. 자전거는 앞으로 나아가기 시작했다. 페달을 밟지 않고도 가속*이 붙었다. 나는 난생처음 봄을 맞는 장끼*처럼 나도 모를 이상한 소리를 내지르며 자전거와 한 몸이 되어 달려 내려갔다. 가슴이 터질 듯 부풀었고 어질어질한 속도감에 사로잡혔다. 어느새 내 발은 페달을 차고 있었고 자전거는 도랑과 똥통 옆을 지나고 있었다. 나는 삽시간*에 ㉠어른이 된 기분으로 읍내로 가는 길을 내달렸다.

그날 나는 내 근육과 뇌에 새겨진 평범한, 그러면서도 세상을 움직여 온 비밀을 하나 얻게 되었다. 일단 안장 위에 올라선 이상 계속 가지 않으면 쓰러진다. 노력하고 경험을 쌓고

* **배정** 몫을 나누어 정함.
* **분지** 해발 고도가 더 높은 지형으로 둘러싸인 평지.
* **경망** 행동이나 말이 가볍고 조심성이 없음.
* **여지** 어떤 일을 하거나 어떤 일이 일어날 가능성이나 희망.
* **연단** 연설이나 강연을 하는 사람이 올라서는 단.
* **가속** 점점 속도를 더함. 또는 그 속도.
* **장끼** 꿩의 수컷.
* **삽시간** 매우 짧은 시간.

도 잘 모르겠으면 자연의 판단 — 본능에 맡겨라.

그 뒤에 시와 춤, 노래와 암벽 타기, 그리고 사랑이 모두 같은 원리에 따라 움직인다는 것을 나는 깨달았다. 비록 다 배웠다, 안다고 할 수 있는 건 없지만.

1 **윗글을 읽고 이해한 내용으로 가장 적절한 것은?**

① '나'는 집에 자전거가 없어서 큰집에서 자전거를 빌려야 했다.
② '나'는 큰집에서 빌린 자전거를 타다가 고장을 낼까 봐 걱정하였다.
③ '나'가 자전거 타기에 성공한 것은 포기하지 않고 노력했기 때문이다.
④ '나'는 자전거를 배우기 위해 일부러 내리막이 있는 길을 선택해 집으로 갔다.
⑤ '나'는 처음부터 실패 없이 자전거를 잘 탈 것이라는 자신감을 가지고 있었다.

수능형

2 **〈보기〉를 바탕으로 윗글을 이해한 내용으로 적절하지 않은 것은?**

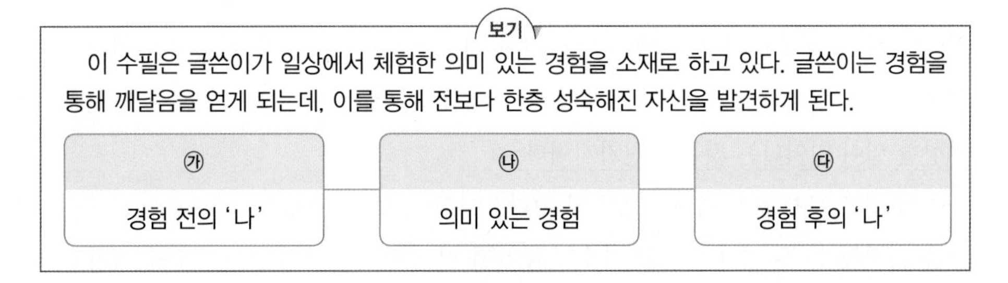
보기

이 수필은 글쓴이가 일상에서 체험한 의미 있는 경험을 소재로 하고 있다. 글쓴이는 경험을 통해 깨달음을 얻게 되는데, 이를 통해 전보다 한층 성숙해진 자신을 발견하게 된다.

㉮	㉯	㉰
경험 전의 '나'	의미 있는 경험	경험 후의 '나'

① ㉮에서 '나'는 자전거를 타는 친구들을 부러워하면서도 자전거를 탈 생각을 하지 않았다.
② '나'가 걷기 힘든 거리에 있는 읍내의 중학교에 다니게 된 것이 ㉯의 계기가 되었다.
③ ㉯에서 '나'는 무수히 많은 시행착오 끝에 의미 있는 결과를 만들어 낼 수 있었다.
④ ㉰에서 '나'는 상황에 따라 빨리 포기하는 것이 현명한 선택일 수도 있다는 깨달음을 얻었다.
⑤ ㉰에서 '나'는 ㉯를 통해 얻은 깨달음이 다른 일에도 적용될 수 있다는 것을 알게 되었다.

3 **㉠에 담긴 글쓴이의 심리로 가장 적절한 것은?**

① 두려움 ② 성취감 ③ 아쉬움
④ 고마움 ⑤ 부끄러움

다수결의 허점

고등학교 동창생 A, B, C는 다가올 휴가 여행 계획을 함께 세웠다. 그런데 각자 가고 싶은 여행지가 미국, 스페인, 호주로 모두 달랐다. 서로 양보하지 않아 다수결* 투표를 생각해 보았지만, 세 여행지가 각각 한 표씩 얻을 것이 뻔했다. 고민하던 그들은 각자 세 여행지를 좋아하는 순서대로 정리해 보기로 했다. 그 결과 A는 미국 > 스페인 > 호주 순, B는 스페인 > 호주 > 미국 순, C는 호주 > 미국 > 스페인 순이었다.

이때 A가 이렇게 제안*했다. 세 곳을 한꺼번에 투표하면 결론이 나지 않으니 먼저 스페인과 호주로 1차 투표를 한 후, 과반수*를 얻은 곳과 미국을 놓고 결선 투표를 하자는 것이었다. 나쁘지 않은 제안이라고 생각한 B와 C는 이에 동의했다. 먼저 스페인과 호주를 놓고 투표하자 A와 B가 스페인을, C가 호주를 선호*해 결국 스페인이 과반수를 득표했다. 이어서 미국과 스페인을 놓고 결선 투표를 한 결과 A와 C가 미국을, B가 스페인을 선호해 두 표를 얻은 미국을 최종 여행지로 선정했다.

그런데 왜 꼭 스페인과 호주로 1차 대결을 했을까? 만약 미국과 호주를 놓고 1차 투표를 했어도 결과가 같았을까? 이 경우라면 A는 미국을, B와 C는 호주를 선택할 것이므로 호주가 두 표로 이긴다. 그 후 호주와 스페인이 2차 대결을 하면 A와 B가 스페인을, C가 호주를 선택할 것이므로 스페인이 다수결로 최종 여행지가 된다. 뭔가 이상하지 않은가? 세 명의 선호가 바뀐 것도 아니고, 여행지가 달라진 것도 아니다. 단지 투표 순서만 바뀌었을 뿐인데 최종 여행지가 미국에서 스페인으로 달라졌다. ㉠미국과 스페인을 1차로 투표한다고 해도 이상한 일이 일어나는 것은 마찬가지이다.

이와 같은 문제는 18세기 프랑스의 수학자이자 정치 이론가였던 마르키스 드 콩도르세가 처음 지적했다. 두 대안을 놓고 다수결 투표를 할 경우 일반적으로 A가 B를 이기고, B가 C를 이기면, 당연히 A가 C를 이길 것으로 생각하기 쉽다. 왜냐하면 선호에 이행성*이 있다는 전제를 하고 있기 때문이다. 그러나 세 여행지 투표 사례에서 보았듯이 다수결 투표 방식이 항상 이것을 보장하지는 못한다. A가 B를 이기고, B가 C를 이기고, C가 A를 이기는 현상이 나타난다. 이를 '콩도르세의 역설' 또는 '다수결 투표의 모순*'이라고 부른다. 콩도르세의 역설이 우리에게 주는 교훈은 다수결 투표가 반드시 사회 구성원의 선호를 반영한다고 확신하기 어렵다는 것이다.

* **다수결** 회의에서 많은 사람의 의견에 따라 안건의 가부를 결정하는 일.
* **제안** 안이나 의견으로 내놓음. 또는 그 안이나 의견.
* **과반수** 절반이 넘는 수.
* **선호** 여럿 가운데서 특별히 가려서 좋아함.
* **이행성** 갑이 을보다 좋고, 을이 병보다 좋으면 반드시 갑을 병보다 좋아하는, 선호 관계의 성질.
* **모순** 어떤 사실의 앞뒤, 또는 두 사실이 이치상 어긋나서 서로 맞지 않음을 이르는 말.

1 윗글에 대한 설명으로 적절하지 않은 것은?

① 구체적 사례를 제시하여 독자의 이해를 돕고 있다.
② 의문문의 형식을 활용해 독자의 관심을 유발*하고 있다.
③ 구체적인 수치를 근거로 들어 내용의 신뢰성을 높이고 있다.
④ 중심 화제가 일반적 통념에 어긋나고 있음을 설명하고 있다.
⑤ 중심 화제와 관련한 문제점을 지적하고 시사점을 도출하고 있다.

* 유발 어떤 것이 다른 일을 일어나게 함.

2 ㉠에 대해 추론한 내용으로 적절하지 않은 것은?

① 미국과 스페인이 1차 투표를 하면 미국이 2차 투표에 진출한다.
② 2차 투표가 끝나면 결국 C가 가장 선호한 국가가 여행지로 선정된다.
③ A의 의견은 1차 투표에 영향을 끼치지만, 2차 투표에는 영향을 끼치지 못한다.
④ B의 의견은 1차 투표에 영향을 끼치지 못하지만, 2차 투표에는 영향을 끼칠 수 있다.
⑤ 1, 2차 투표 결과 최종 여행지로 미국이 선정되지만 A, B, C가 모두 호주보다 미국을 선호한 것은 아니다.

수능형

3 윗글을 바탕으로 〈보기〉를 이해한 내용으로 적절하지 않은 것은?

보기

세 명의 학생 갑, 을, 병이 다수결 투표로 점심 메뉴를 정하기 위해 '김밥, 순대, 떡볶이'에 대한 각자의 선호를 조사하였더니 다음과 같았다.

갑	을	병
김밥 > 순대 > 떡볶이	순대 > 떡볶이 > 김밥	떡볶이 > 김밥 > 순대

① 김밥과 순대로 1차 투표를 하면 갑이 가장 선호하는 음식이 선택된다.
② 김밥과 순대로 1차 투표를 한 후 2차 투표를 하면 병이 가장 선호하는 음식이 선택된다.
③ 김밥과 떡볶이로 1차 투표를 하면 을과 병이 다수가 된다.
④ 김밥과 떡볶이로 1차 투표를 한 후 2차 투표를 하면 을이 가장 선호하는 음식이 선택된다.
⑤ 순대와 떡볶이로 1차 투표를 한 후 2차 투표를 하면 을과 병이 다수가 된다.

17

어휘 학습

1~4 **빈칸에 공통적으로 들어갈 어휘를 〈보기〉에서 찾아 써 보자.**

보기

가속 배정 삽시간 선호

1 (   )에 퍼지다, (   )에 사라지다 ________

2 (   )이/가 붙다, 물체의 (   ) 운동 ________

3 (   )을/를 마치다, (   )을/를 받다 ________

4 국산품을 (   )하다, 이공계 (   ) 현상 ________

5~7 **다음 설명이 맞으면 ○에, 그렇지 않으면 ×에 표시해 보자.**

5 꿩의 암컷을 '장끼'라고 한다. (○ , ×)

6 '여지'는 물질적 · 공간적 · 시간적으로 넉넉하여 남음이 있는 상태를 의미한다. (○ , ×)

7 '모순'은 어떤 사실의 앞뒤, 또는 두 사실이 이치상 어긋나서 서로 맞지 않음을 이르는 말이다. (○ , ×)

8~10 **서로 관련이 있는 것끼리 연결해 보자.**

8 (   ) 떨지 말고 신중하게 생각해. • • ㉠ 제안 • • ⓐ 행동이나 말이 가볍고 조심성이 없음.

9 그가 주말에 함께 공부하자고 (   )했어. • • ㉡ 경망 • • ⓑ 해발 고도가 더 높은 지형으로 둘러싸인 평지.

10 대구는 (   )에 있는 대표적인 도시야. • • ㉢ 분지 • • ⓒ 안이나 의견으로 내놓음. 또는 그 안이나 의견.

배경 지식

공공 선택의 의사 결정 방법

사회 구성원의 선호에 따라 사회적으로 바람직한 대안을 선택하는 절차를 공공 선택이라고 합니다. 오늘날 민주주의 국가에서는 일반적으로 투표에 의해 공공 선택을 하는데 개인의 선호를 모아 사회의 선호로 도출하는 방법에는 만장일치 투표, 다수결 투표, 점수 투표 등 여러 가지가 있습니다.

첫 번째 만장일치 투표는 모든 사람의 찬성을 이끌어 내는 제도입니다. 투표 제도의 이상이라고도 볼 수 있습니다. 그러나 현실에서 모든 사람이 만족하는 정책은 찾기 어려워 만장일치 원칙을 적용하기는 거의 불가능합니다. 이런 의미에서 만장일치 투표는 역설적으로 독재와 통합니다. 단 한 사람이라도 반대하면 어떤 정책이나 제안도 부결되기 때문입니다.

두 번째 다수결 투표는 더 많은 표를 얻은 쪽의 의견을 수렴하는 방식으로 오늘날 의사 결정 대부분은 다수결 원칙을 적용합니다. 그러나 매우 민주적으로 보이는 다수결 투표에도 허점이 많습니다. 우선 다수결 투표는 사회의 효율성을 보장해 주지 못합니다. 투표를 통해 원하는 바를 달성한 유권자는 효용을 얻지만, 그렇지 못한 유권자는 효용을 잃습니다. 다수결 원칙이 이른바 다수의 횡포를 초래할 수 있다는 점도 문제입니다. 물론 사회 전체의 효율성을 제고하는 방향으로 투표 결과가 나올 수 있지만, 반대로 소수파를 희생시키면서 비효율적이며 불공정한 결정이 내려질 수도 있습니다.

마지막으로 점수 투표가 있습니다. 각 유권자가 가장 좋아하는 안에는 높은 점수를, 좋아하지 않는 안에는 낮은 점수를 부여해서 가장 많은 점수를 얻은 안을 선택하는 방식입니다. 투표자의 선호 강도가 제대로 반영되어 합리적인 의사 결정에 이를 수 있다는 장점이 있습니다. 하지만 투표자들이 자기가 좋아하는 안에 최고 점수를 주고 나머지에는 0점을 준다거나, 가장 선호하는 안보다 가장 싫어하는 안이 채택될 가능성이 높으면 비교적 덜 싫어하는 안에 고의로 높은 점수를 몰아주는 전략을 구사하여 결과에 큰 영향력을 행사할 수 있다는 한계가 있습니다.

간단 확인

1. 만장일치 투표는 이상적인 투표 방식으로 대다수의 민주주의 국가에서 활용한다. 
2. 점수 투표는 투표자의 선호 강도가 제대로 반영되는 투표 방식이다. 

18 문학

들판에서 | 이강백

작품 안내

발단 우애 좋은 형제가 사는 들판에 측량 기사와 조수들이 나타나 말뚝을 박고 밧줄을 침.

전개 형제간에 작은 갈등이 발생하자 측량 기사가 형제를 부추겨 들판에 벽을 쌓고 전망대를 세워 서로를 감시하게 함.

절정 땅을 빼앗으려는 측량 기사의 계략에 넘어간 형제가 서로에게 총을 쏘면서 대립함.

하강 행복했던 지난날을 회상하던 형제는 측량 기사의 계략을 깨닫고 자신들의 잘못을 후회함.

대단원 형제는 화해의 의미를 담은 민들레꽃을 통해 갈등을 해소하고 함께 벽을 허물며 화해함.

측량* 기사, 호루라기를 꺼내 분다. 조수들이 검은색 가죽 가방을 들고 나온다. 그리고 가방을 열어서 분해 상태의 장총을 꺼내 조립한다.

[A]
측량 기사 이게 뭔지 알아요? / 아우 총인데요.
측량 기사 아주 성능이 좋은 총이죠. 당신은 이 총으로 벽을 지켜야 합니다.
아우 벽을 지켜요? 5
측량 기사 (아우의 손에 총을 쥐어 주며) 지금은 외상으로 드릴 테니, 대금*은 나중에 땅으로 주세요.
조수들 (가방에서 총탄을 꺼내 놓으며) 여기 총알이 있어요.
측량 기사 당신의 안전을 위해서 아낌없이 쏘세요!

측량 기사와 조수들, 웃으며 퇴장한다. 벽의 오른쪽에서 형이 전망대 위로 올라간다. 탐조등*이 10 켜지면서 강렬한 불빛이 벽 너머를 비춘다.

형 아우야! 아우야!
아우 (강렬한 불빛을 받고 눈이 안 보여서 당황한다.) 누구예요?
형 나다, 나! / 아우 형님? / 형 그래! 내가 안 보여?
아우 왜 그런 불빛으로 나를 비추죠? / 형 네가 뭘 하는지 잘 보려고. 15
아우 나는 그 불빛 때문에 형님이 안 보여요!
형 그럼 내가 그쪽으로 넘어갈까?
아우 아뇨! 넘어오지 마요! 내 눈을 안 보이게 하고 넘어온다니 무슨 흉계*죠?
형 난 아무 흉계도 없어. 넘어간다.
아우 넘어오면 쏩니다! (허공*을 향해 위협적으로 총을 발사한다.) 이건 진짜 총이에요! 20

형, 요란한 총소리에 놀라 전망대에서 황급히 내려온다. 그는 두려움에 질린 모습이 되어 움츠리고 앉는다. 측량 기사, 가죽 가방을 든 두 명의 조수와 함께 등장한다.

[B]
측량 기사 저쪽 동생이 미쳤군요. 형님에게 총질을 하다니.
조수들 ㉠(웃으며) 완전히 미쳤어요.
형 무서워요……. 25
측량 기사 이젠 동생이 아니라, 적이라고 생각하는 게 좋겠어요. 철저히 무장*하고 자신을 지켜야지, 가만있다간 죽게 됩니다. (조수들에게) 여봐, 이분에게 총을 드려.
조수들 네.

조수들, 가죽 가방을 열고 장총의 분해품을 꺼낸다. 그리고 재빠르게 조립해서 형의 손에 쥐여 준다. 30

* **측량** 지표의 각 지점의 위치와 그 지점들 간의 거리를 구하고 지형의 높낮이, 면적 따위를 재는 일.
* **대금** 물건의 값으로 치르는 돈.
* **탐조등** 어떠한 것을 밝히거나 찾아내기 위하여 빛을 멀리 비추는 조명 기구.
* **흉계** 흉악한 꾀나 수단.
* **허공** 텅 빈 공중.
* **무장** 전투에 필요한 장비를 갖춤. 또는 그 장비.

수능형

1 〈보기〉의 질문에 대한 답으로 적절하지 <u>않은</u> 것은?

보기

연극에서 소품은 매우 다양한 역할을 합니다. 소품을 통해 인물의 심리나 인물들 간의 관계를 상징적으로 드러내기도 하고, 인물의 구체적인 행동을 유도하기도 하죠. 그리고 소품은 연극의 진행 방향을 암시하거나 복선 역할을 할 때도 있습니다. 또한 상황에 따라서는 무대 장치의 일부로 사용되기도 하죠. 그러면 이 희곡에서 '탐조등'은 어떤 역할을 하는지 발표해 볼까요?

① 불빛이 아우를 비춘다는 점에서 탐조등은 무대 조명의 역할을 한다고 볼 수 있습니다.
② 불빛 때문에 아우가 형을 볼 수 없다는 점에서 탐조등은 형제가 진실을 보는 것을 방해하는 역할을 합니다.
③ 불빛이 총을 쏘는 아우의 행동을 유도한다는 점에서 탐조등은 형제간의 갈등을 심화하는 소품이라고 볼 수 있습니다.
④ 강렬한 불빛이 어두운 무대를 밝힌다는 점에서 탐조등은 연극의 행복한 결말을 암시하는 역할도 하는 것으로 보입니다.
⑤ 형이 불빛으로 아우의 행동을 지켜본다는 점에서 탐조등은 서로를 감시하고 있는 형제의 상황을 상징적으로 보여 주는 소품입니다.

개념+ 복선
- 개념: 앞으로 일어날 사건을 미리 독자에게 넌지시 암시하는 서술로, 작가가 사건에 필연성을 부여하기 위해 의도적으로 만들어 낸 장치
- 효과: 독자는 복선을 통해 앞으로 일어날 사건을 예측하며, 작품 속 사건들이 긴밀히 연결되어 우연이 아니라 필연적으로 발생함을 이해할 수 있음. 이처럼 복선은 작품의 주제를 효과적으로 드러내고 이야기를 자연스럽게 만듦.

2 [A]와 [B]에 대한 설명으로 적절하지 <u>않은</u> 것은?

① [A]에서 측량 기사의 궁극적인 목적이 간접적으로 드러나고 있다.
② [B]에서 측량 기사는 형에게 아우를 대하는 태도를 바꿀 것을 요구하고 있다.
③ [A]에서 [B]로 진행되면서 극의 긴장감이 고조되고 있다.
④ [A]와 [B]에서 측량 기사와 조수들은 유사한 상황을 반복하고 있다.
⑤ [A]와 [B]에서 아우와 형은 측량 기사의 요구에 대조적인 반응을 보이고 있다.

어휘

3 연출가의 입장에서 ㉠과 관련하여 요구할 수 있는 웃음으로 가장 적절한 것은?

① 냉소(冷笑): 쌀쌀한 태도로 비웃음. 또는 그런 웃음.
② 미소(微笑): 소리 없이 빙긋이 웃음. 또는 그런 웃음.
③ 폭소(爆笑): 웃음이 갑자기 세차게 터져 나옴. 또는 그 웃음.
④ 실소(失笑): 어처구니가 없어 저도 모르게 웃음이 툭 터져 나옴. 또는 그 웃음.
⑤ 조소(嘲笑): 흉을 보듯이 빈정거리거나 업신여기는 일. 또는 그렇게 웃는 웃음.

작품 안내

발단 우애 좋은 형제가 사는 들판에 측량 기사와 조수들이 나타나 말뚝을 박고 밧줄을 침.

전개 형제간에 작은 갈등이 발생하자 측량 기사가 형제를 부추겨 들판에 벽을 쌓고 전망대를 세워 서로를 감시하게 함.

절정 땅을 빼앗으려는 측량 기사의 계략에 넘어간 형제가 서로에게 총을 쏘면서 대립함.

하강 행복했던 지난날을 회상하던 형제는 측량 기사의 계략을 깨닫고 자신들의 잘못을 후회함.

대단원 형제는 화해의 의미를 담은 민들레꽃을 통해 갈등을 해소하고 함께 벽을 허물며 화해함.

형 어쩌다가 이런 꼴이 된 걸까……. 아름답던 들판은 거의 다 빼앗기고, 나 혼자 벽 앞에 있어.

아우 내가 왜 이렇게 됐지? 비를 맞으며 벽을 지키고 있다니…….

형 부모님이 날 꾸짖는 거야, 저 ⓐ천둥소리는……. / 아우 빗물이 눈물처럼 느껴져…….

형과 아우, 탄식*하면서 나누어진 들판을 바라본다. 5

형 아아, 이 들판의 풍경은 내 마음속의 풍경이야. 옹졸한* 내 마음이 벽을 만들었고, 의심 많은 내 마음이 ⓑ전망대를 만들었어. 측량 기사는 내 마음속을 훤히 알고 있었지. 내가 들고 있는 이 총마저도 그렇잖아? 동생에 대한 내 마음의 불안함을 알고, 그는 마치 나 자신의 분신*처럼 내가 바라는 것만을 가져다줬던 거야.

아우 난 이 들판을 나눠 가지면 행복할 줄 알았어. 형님과 공동 소유가 아닌, 반절이나마 내 땅을 갖기를 바랐지. 그래서 측량 기사가 하자는 대로 했던 거야. 하지만 나에게 남은 건 벽과 총뿐……. 그는 나를 철저히 이용만 했어. 〈중략〉 10

형과 아우, 그들 사이를 가로막은 벽을 안타까운 표정으로 바라본다. 비가 그치면서 구름 사이로 한 줄기 ⓒ햇빛이 비친다.

형 하지만 내 마음을 어떻게 저 벽 너머로 전하지? 15

아우 비가 그치고, 산들바람*이 부는군.

형 저 벽을 자유롭게 넘어갈 수만 있다면……. 가만있어 봐. 민들레꽃은 씨를 맺으면 어떻게 되지? 바람을 타고 멀리멀리 날아가잖아?

아우 햇빛이 비치니까 샛노란 민들레꽃이 더 예쁘게 보여.

형 이 꽃을 꺾어서 벽 너머로 던져 주어야지. 동생이 이 민들레꽃을 보면, 진짜 내 마음을 알아줄 거야. 20

아우 ㉠형님에게 이 꽃을 드려야겠어. 벽 너머의 형님이 이 꽃을 받으면, 동생인 나를 생각하겠지.

형과 아우, 민들레꽃을 여러 송이 꺾는다. 그리고 벽으로 다가가서 ⓓ민들레꽃을 벽 너머로 서로 던져 준다. 형은 아우가 던져 준 꽃들을 주워 들고 반색*하고, 아우는 형이 던진 꽃들을 주워 들고 기뻐한다. 그들은 벽을 두드리며 외친다. 25

아우 형님, 내 말 들려요? / 형 ㉡들린다, 들려! 너도 내 말 들리냐? / 아우 들려요!

형 우리, 이 벽을 허물기로 하자! / 아우 네, 벽을 허물어요!

무대 조명, 서서히 꺼진다. 다만, 무대 뒤쪽의 들판 풍경을 그린 ⓔ걸개그림*만이 환하게 밝다. 막이 내린다. 30

* 탄식 한탄하여 한숨을 쉼. 또는 그 한숨.
* 옹졸하다 성품이 너그럽지 못하고 생각이 좁다.
* 분신 하나의 주체에서 갈라져 나온 것.
* 산들바람 시원하고 가볍게 부는 바람.
* 반색 매우 반가워함. 또는 그런 기색.
* 걸개그림 건물의 벽 따위에 걸 수 있도록 그린 그림.

수능형

4 〈보기〉를 바탕으로 윗글을 이해한 내용으로 적절하지 않은 것은?

보기

이 작품은 우리나라의 분단 문제를 상징적으로 보여 주는 희곡이다. 이 글에서 형제들이 부모에게 물려받은 들판은 한반도를 의미한다고 볼 수 있으며, 형제와 측량 기사는 각각 남한과 북한, 그리고 한국을 둘러싼 외세로 이해할 수 있다.

① 작가는 남북한의 화해를 통해 분단 문제를 해결할 수 있다고 보고 있어.
② 작가는 외부 세력의 이간질이 우리나라의 분단의 원인 중 하나라고 생각하고 있어.
③ 남북한의 이기심과 서로에 대한 의심이 분단이라는 결과를 초래했다고 볼 수 있어.
④ 형과 아우의 왕래를 방해하는 벽은 남북한이 단절된 현실을 상징적으로 보여 주는 소재야.
⑤ 남북한이 서로의 존재를 인정할 때 한반도의 평화가 유지될 수 있다는 작가의 생각을 알 수 있어.

5 ㉠과 ㉡에 대한 설명으로 가장 적절한 것은?

① ㉠은 과거 사건을 압축하는 말이고, ㉡은 미래의 사건을 암시하는 말이다.
② ㉠은 인물의 행동을 지시하는 말이고, ㉡은 인물의 심리를 드러내는 말이다.
③ ㉠은 무대 위에서 인물이 혼자 하는 말이고, ㉡은 다른 인물과 주고받는 말이다.
④ ㉠은 다른 인물의 행동을 유도하는 말이고, ㉡은 스스로의 결심을 다짐하는 말이다.
⑤ ㉠은 무대 위의 다른 인물이 들을 수 있는 말이고, ㉡은 관객들만 들을 수 있는 말이다.

개념+ 희곡의 대사
- 대화: 등장인물들 사이에 주고받는 말로, 사건을 진행시키는 역할을 함.
- 독백: 등장인물이 상대방 없이 하는 혼잣말로, 자기반성이나 내면의 고백을 담는 경우가 많음.
- 방백: 관객에게는 들리지만 무대 위 상대방에게는 들리지 않는 것으로 약속된 말로, 인물의 속마음을 관객들에게 직접 이야기할 때 쓰임.

6 ⓐ~ⓔ에 대한 설명으로 적절하지 않은 것은?

① ⓐ: 자신의 행동에 대한 형의 자책을 유도하는 역할을 한다.
② ⓑ: 형과 아우 사이의 갈등과 불신을 상징한다.
③ ⓒ: 갈등이 해소되고 화해의 분위기가 형성될 것임을 암시한다.
④ ⓓ: 형과 아우가 상대방에게 자신의 진심을 전달하는 매개체이다.
⑤ ⓔ: 측량 기사의 이간질로 들판이 나누어진 현실을 상기시킨다.

18 비문학

피의 기능

사람의 몸을 구성하는 요소 중 어느 하나 덜 중요한 게 없지만, 피는 특히 중요하다. 온몸에 산소를 공급하기 때문이다. 산소를 공급하는 피가 생명 유지에 중요하다는 것은 하나의 예로도 충분히 짐작할 수 있다. 교통사고가 일어나 생명이 위태로운 상황을 생각해 보자. 사고를 당한 사람은 응급 처치를 받아야 한다. 이때 가장 중요한 것은 가슴 압박을 하는 것이다. 숨을 쉴 때 들어온 산소는 핏속에 포함된 적혈구에 의해 운반되는데 피가 몸속에서 잘 돌지 못하면 세포나 조직에 산소를 공급할 수 없기 때문이다. 응급 상황에서는 산소가 몸의 세포로 전달되는 것이 중요하므로 가슴을 압박해 심장에서 빨리 피를 온몸으로 보낼 수 있도록 해야 한다.

피는 물보다 진한데 그 이유는 피에만 들어 있는 성분의 밀도*가 평균적으로 물보다 높기 때문이다. 핏속 물질은 크게 세포 성분인 것과 세포 성분이 아닌 것으로 구분할 수 있다. 피에 들어 있는 세포 성분을 통틀어 혈구라고 하며, 이는 피의 약 45%를 차지한다. 산소 운반을 하는 적혈구, 식균 작용*을 하는 백혈구, 혈액 응고*에 관여*하는 혈소판이 혈구에 해당한다. 피에서 세포 성분을 제외한 나머지를 혈장이라고 하며, 이는 피의 약 55%를 차지한다. 노란색의 액체 성분인 혈장에는 다양한 기능을 하는 여러 단백질이 녹아 있는데, 이 성분들과 세 혈구가 하는 일이 바로 피의 기능이 된다.

피는 온몸을 돌아다니다 보니 특정 부위에 필요한 특정 물질을 옮겨다 주는 기능이 발달해 있다. 세포와 조직에 산소를 운반하는 것은 물론이고 작은창자벽을 통해 들어온 영양소도 적당한 곳으로 옮겨 저장한다. 인체의 내분비샘*에서 분비된 호르몬도 피를 통해 운반되어야 제 기능을 하며, 피로 들어온 노폐물은 콩팥의 혈관에 이르러야 걸러져서 소변으로 배출될 수 있다. 특히 산소는 핏속에 있는 적혈구 안에 존재하는 헤모글로빈의 중심부와 결합해 옮겨지고, 철과 구리, 레티놀은 이들 각각의 물질과 결합하는 핏속의 운반 단백질에 의해 옮겨진다. 핏속에 녹여 옮기는 것보다 단백질과 결합해 옮기는 편이 효율적이기에 피는 여러 가지 운반 단백질을 포함하고 있다.

피의 또 다른 중요한 기능은 ㉠체온 조절이다. 추울 때 운동을 하면 근육의 수축* 작용으로 열이 나서 추위를 이겨 내기 쉬워진다. 이때 생긴 열은 피에 흡수되어 몸에서 열이 필요한 조직으로 다시 분배된다. 체온이 낮아질 때 소름이 돋는 것도 피부 표면으로 나가는 열을 가장 적게 하려고 혈관이 수축해 일어나는 현상이다. 피는 뇌를 비롯해 온도에 민감한 기관에 먼저 흘러가며, 체온이 높아지면 피부 표면 쪽으로 피가 몰리면서 열을 내보내 체온을 떨어뜨린다.

* **밀도** ① 일정한 면적이나 공간 속에 포함된 물질이나 대상의 빽빽한 정도. ② 어떤 물질의 단위 부피만큼의 질량.
* **식균 작용** 살아 있는 식세포가 몸 안에 있는 다른 세포나 입자들을 섭취하는 과정. 주로 몸 안의 세균이나 이물질을 잡아먹음.
* **혈액 응고** 혈관 밖으로 나온 피가 굳어지는 현상. 지혈 효과가 있어 생명을 유지하는 데 불가결함.
* **관여** 어떤 일에 관계하여 참여함.
* **내분비샘** 호르몬을 만들어 직접 몸속이나 핏속으로 보내는 조직이나 기관.
* **수축** ① 근육 따위가 오그라듦. ② 부피나 규모가 줄어듦.

1 윗글을 통해 답변할 수 있는 질문이 아닌 것은?

① 핏속에 있는 혈구와 혈장의 차이는 무엇일까?
② 체온을 조절하기 위해 피는 어떤 역할을 할까?
③ 피에 의해 운반되는 물질에는 어떤 것이 있을까?
④ 응급 상황에서 가슴을 압박하는 이유는 무엇일까?
⑤ 핏속에 있는 호르몬이 부족할 때 어떤 현상이 나타날까?

수능형

2 윗글을 바탕으로 〈보기〉를 이해한 내용으로 적절하지 않은 것은?

보기

백혈병이란 비정상적인 혈액 세포가 과도하게 증식하여 정상적인 백혈구와 적혈구, 혈소판의 생성을 방해하는 혈액암을 말한다. 정상적인 백혈구 수가 감소하면 면역이 저하되어 세균 감염에 의한 염증을 일으킬 수 있고, 적혈구 수가 감소하면 어지러움, 호흡 곤란 등을 일으킬 수 있다. 또 혈소판이 감소하면 출혈이 나타나기도 한다. 따라서 백혈병 환자가 적절한 치료를 받지 않으면 이러한 증상들에 의해 생명이 위험해진다.

① 백혈병은 피에 들어 있는 세포, 즉 혈구에 문제가 발생함으로써 생명을 위협하는 질병이다.
② 백혈병이 심해지면 인체의 다양한 조직과 세포에 대한 산소 공급이 원활하게 이루어지지 않는다.
③ 백혈병에 의해 출혈이 나타나는 것은 혈액 응고의 기능을 하는 정상적인 혈소판의 생성이 억제되기 때문이다.
④ 백혈병에 의해 면역 저하가 일어나는 것은 정상적인 백혈구의 과도한 증식으로 인해 백혈구의 식균 작용이 촉진되기 때문이다.
⑤ 백혈병에 의해 호흡 곤란이 나타나는 것은 비정상적인 혈액 세포로 인해 산소를 운반하는 정상적인 적혈구의 생성이 줄기 때문이다.

3 ㉠이 가능한 이유로 가장 적절한 것은?

① 피에는 혈구 성분보다 혈장 성분이 더 많기 때문이다.
② 피의 순환을 통해 인체에 있는 열이 이동하기 때문이다.
③ 피는 에너지 공급에 필요한 영양소를 운반하기 때문이다.
④ 피에는 여러 가지 물질을 운반하는 단백질이 존재하기 때문이다.
⑤ 피는 인체의 특정 부위가 필요로 하는 물질을 운반해 주기 때문이다.

18

어휘 학습

1~3 제시된 초성과 뜻을 참고하여 빈칸에 들어갈 어휘를 써 보자.

1 ㄱ ㅇ: 어떤 일에 관계하여 참여함.

예 남의 일에 더 이상 (　　　　　)하지 마시오.

2 ㅎ ㄱ: 텅 빈 공중.

예 그는 분이 풀리지 않는지 (　　　　　)에다 주먹을 휘둘러 댔다.

3 ㅎ ㄱ: 흉악한 꾀나 수단.

예 이번 일의 배후에는 어떤 (　　　　　)이/가 도사리고 있는 것 같다.

4~6 〈보기〉의 글자를 조합하여 제시된 뜻에 해당하는 어휘를 써 보자.

보기

고　금　대　량　응　측

4 물건의 값으로 치르는 돈. → (　　　　　)

5 액체 따위가 엉겨서 뭉쳐 딱딱하게 굳어짐. → (　　　　　)

6 지표의 각 지점의 위치와 그 지점들 간의 거리를 구하고 지형의 높낮이, 면적 따위를 재는 일. → (　　　　　)

7~10 다음 뜻에 해당하는 어휘를 골라 보자.

7 매우 반가워함. 또는 그런 기색. (반색 / 화색)

8 하나의 주체에서 갈라져 나온 것. (변신 / 분신)

9 한탄하여 한숨을 쉼. 또는 그 한숨. (탄성 / 탄식)

10 성품이 너그럽지 못하고 생각이 좁다. (옹색하다 / 옹졸하다)

배경 지식

미국과 소련에 의한 남북 분단

▲ 38선 앞에 서 있는 가족

우리나라는 1945년 8월 15일, 제2차 세계 대전에서 일본이 연합국에 항복하면서 일제의 식민 통치에서 벗어나 광복을 맞이하였습니다. 광복은 한국인이 독립하고자 노력한 것을 국제 사회가 인정한 것이었습니다. 하지만 광복은 연합국이 승리한 결과이기도 하였으므로 광복 이후 정부 수립에 미국과 소련의 영향을 받을 수밖에 없었습니다.

1945년 8월, 제2차 세계 대전 막바지에 소련은 일본에 전쟁을 선포하고 한반도 북쪽에서 일본군과 전투를 벌이며 빠르게 북부를 점령해 나갔습니다. 그러자 아직 한반도에 들어오지 않은 미국은 소련이 한반도를 단독으로 점령하는 것을 막기 위해 북위 38도선을 경계로 남북을 나누어 일본군의 무장을 해제하자고 소련에 제의하였습니다. 이에 소련이 동의하여 38도선 이북은 소련군이, 이남은 미군이 관할하게 됨으로써 한반도는 남북으로 분할 점령되었습니다.

미군은 서울에 들어와 실질적인 권력을 장악하고 통치하는 방식인 '군정'을 실시하였습니다. 미군정은 대한민국 임시 정부나 조선 건국 준비 위원회 등의 정치 단체를 부정하고 일제의 식민 통치 기구와 관료, 경찰을 그대로 유지하며 남한을 직접 통치하였습니다. 한편 소련군은 인민 위원회 등의 조직을 인정하고 행정권을 넘겨 북한을 간접 통치하는 방식을 취하였습니다.

38도선은 처음에는 일본군의 무장 해제를 위한 일시적 군사 분계선이었으므로 사람들은 자유롭게 통행을 하며 남과 북을 오갈 수 있었습니다. 하지만 이를 경계로 미·소 군정이 실시되고 남북에 각각 정부가 수립됨으로써 민족과 국토를 가르는 분단선으로 변해 갔습니다.

간단 확인

1. 우리나라는 광복 후 북위 38도선을 경계로 미군과 소련군에 의해 남북으로 분할 점령되었다. 
2. 미군정은 대한민국 임시 정부를 인정하고 남한을 간접 통치하는 방식을 취하였다. 

MEMO

빠른시작
빠작

중학 국어 문학×비문학 독해

빠작으로 내신과 수능을 한발 앞서 준비하세요.

지문 분석 워크북 + 정답과 해설

중학 국어

문학 × 비문학 독해 1

동아출판

지문 분석 워크북

01

동해 바다 - 후포에서

시의 내용

1 이 시의 내용을 정리해 보자.

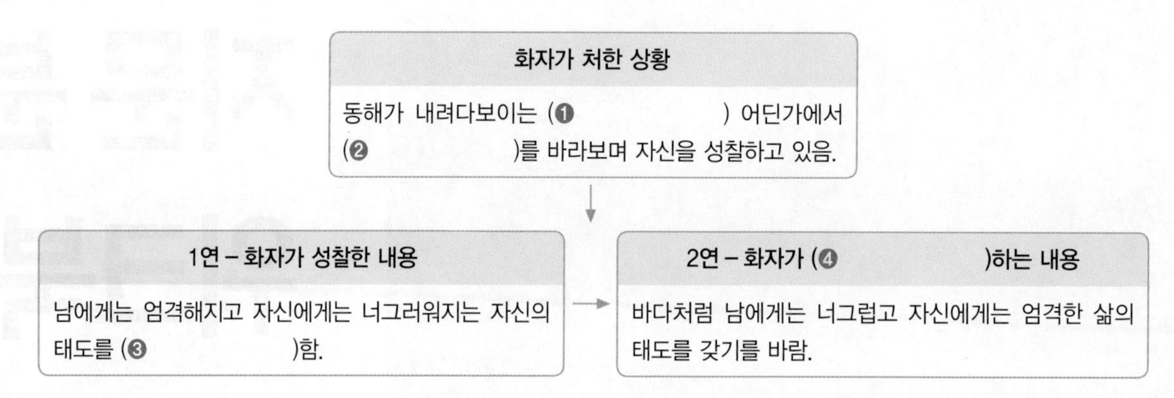

시어의 의미

2 이 시의 내용을 바탕으로 '돌'과 '동해 바다'의 의미를 정리해 보자.

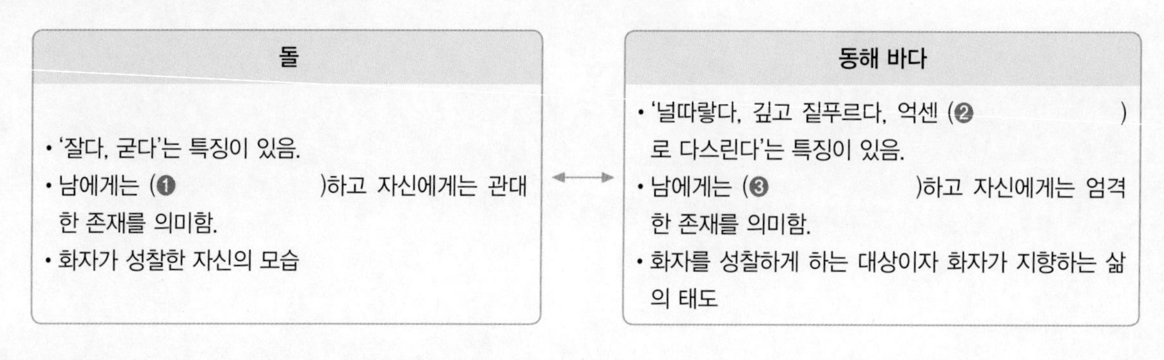

시의 표현

3 이 시에 사용된 표현 방법과 효과를 정리해 보자.

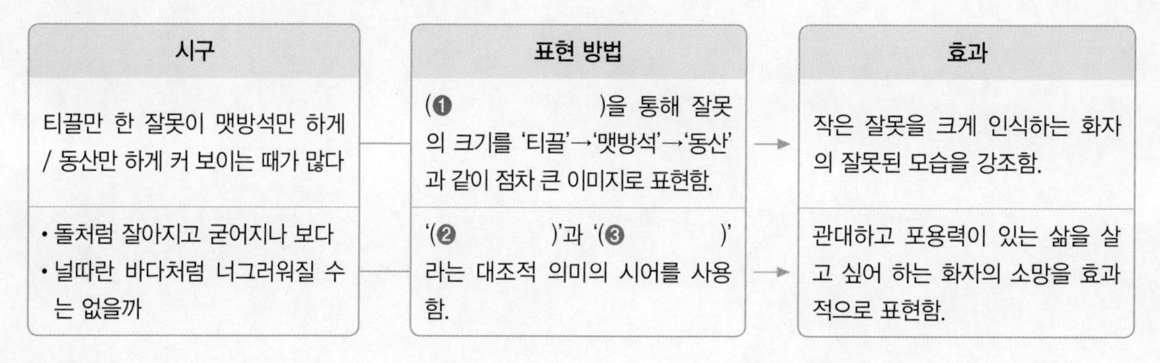

공자의 사상

문단 요약

1 각 문단의 중심 내용을 정리해 보자.

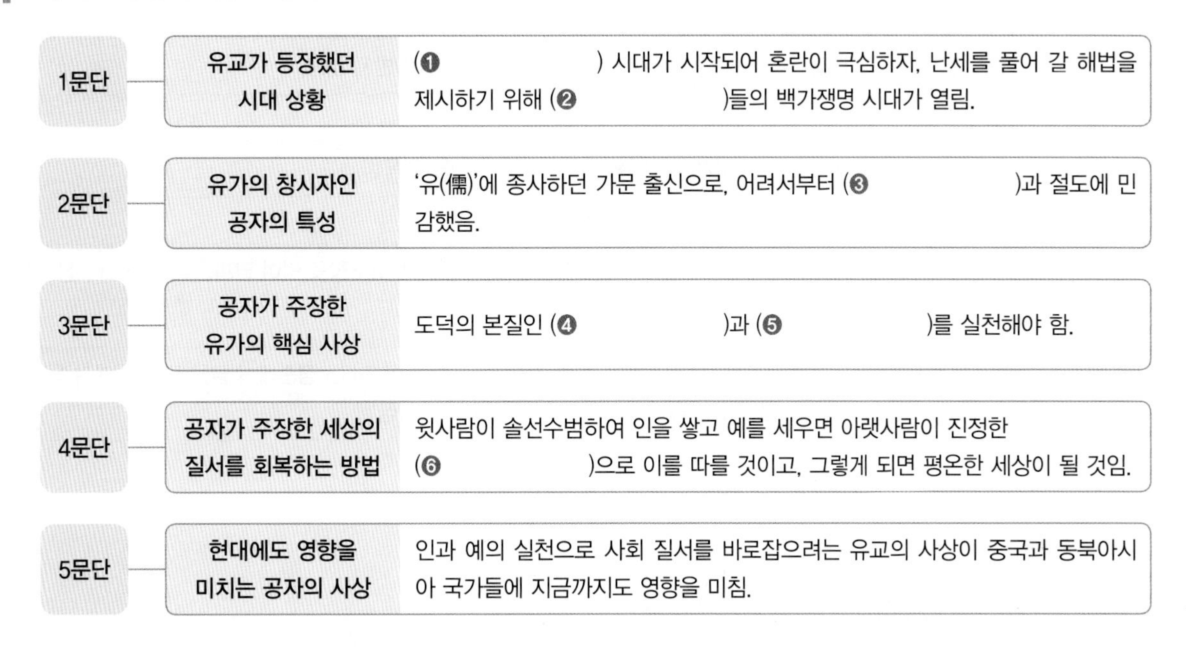

문단	항목	내용
1문단	유교가 등장했던 시대 상황	(❶) 시대가 시작되어 혼란이 극심하자, 난세를 풀어 갈 해법을 제시하기 위해 (❷)들의 백가쟁명 시대가 열림.
2문단	유가의 창시자인 공자의 특성	'유(儒)'에 종사하던 가문 출신으로, 어려서부터 (❸)과 절도에 민감했음.
3문단	공자가 주장한 유가의 핵심 사상	도덕의 본질인 (❹)과 (❺)를 실천해야 함.
4문단	공자가 주장한 세상의 질서를 회복하는 방법	윗사람이 솔선수범하여 인을 쌓고 예를 세우면 아랫사람이 진정한 (❻)으로 이를 따를 것이고, 그렇게 되면 평온한 세상이 될 것임.
5문단	현대에도 영향을 미치는 공자의 사상	인과 예의 실천으로 사회 질서를 바로잡으려는 유교의 사상이 중국과 동북아시아 국가들에 지금까지도 영향을 미침.

정보 확인

2 공자의 사상을 정리해 보자.

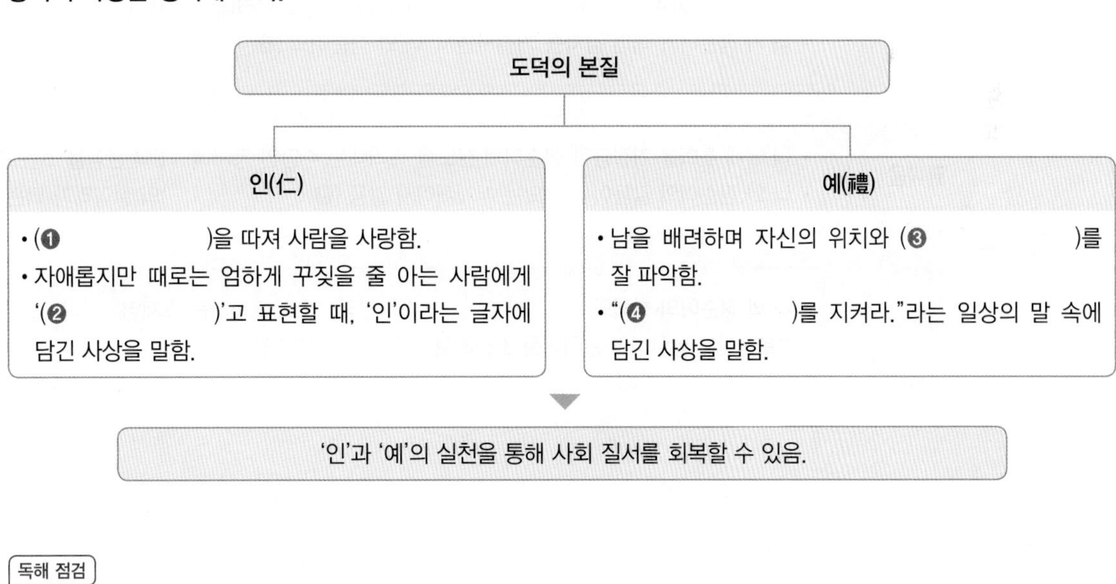

독해 점검

3 이 글의 내용을 떠올리며 다음 설명에 ○ 또는 ×로 답해 보자.

(1) 이 글은 유교의 창시자인 공자의 생애를 시간 순서로 제시하여 설명하고 있다. ( )

(2) 공자가 주장하는 '인'이란 옳고 그름을 따져서 사랑함을 의미한다. ( )

(3) 공자는 강제적으로라도 지켜야 하는 것이 '예'의 속성임을 강조하였다. ( )

02

동백꽃

소설의 구성

1 이 소설의 주요 내용을 시간 순서대로 정리해 보자.

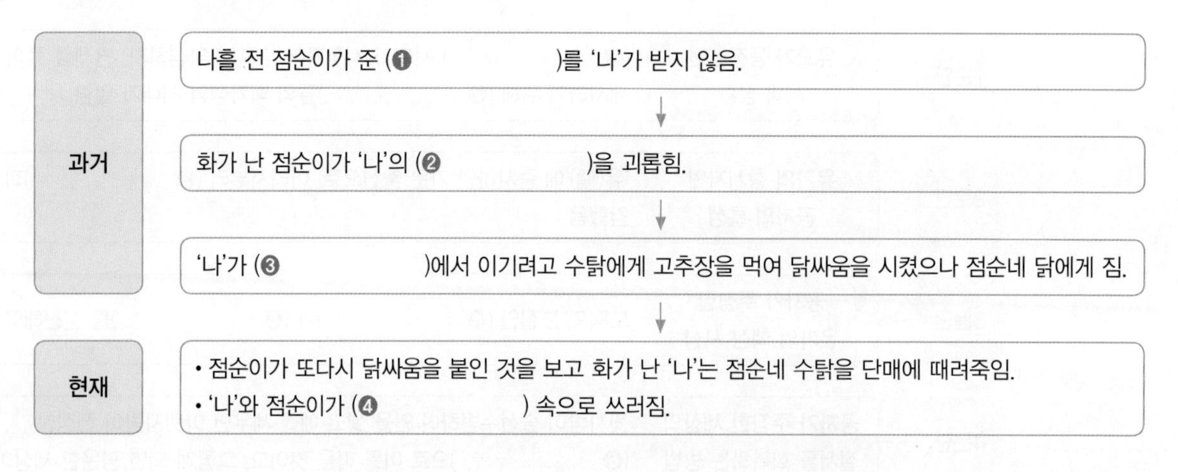

소재의 역할

2 이 소설 속 주요 소재의 역할을 정리해 보자.

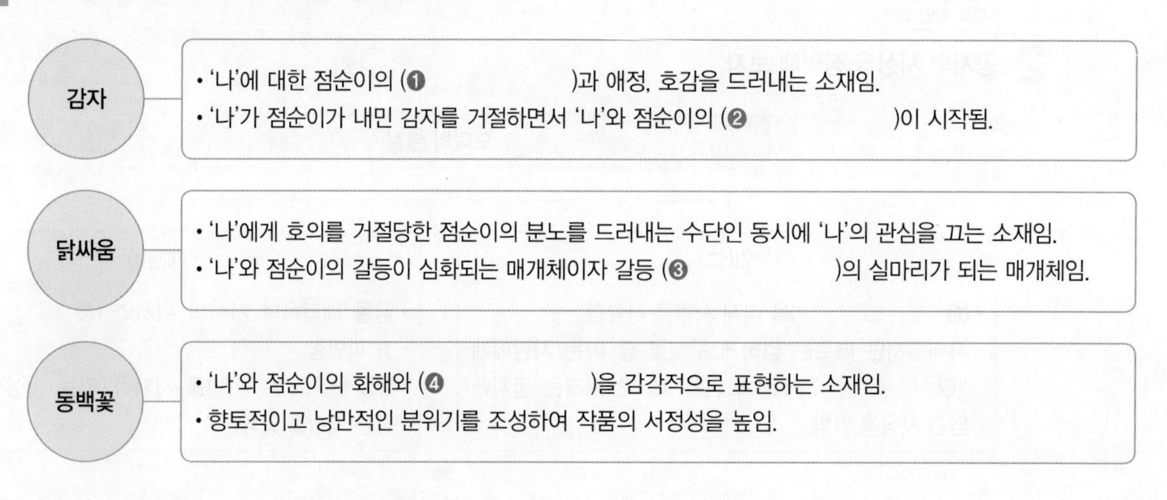

독해 점검

3 이 소설의 내용을 떠올리며 다음 설명에 ○ 또는 ×로 답해 보자.

(1) 이 소설은 산골 마을에 사는 남녀의 순박한 사랑 이야기를 그리고 있다. ( )

(2) 점순이가 어수룩한 '나'의 마음을 눈치채지 못해 모든 사건이 시작되었다. ( )

(3) 붉은 동백꽃은 '나'와 점순이의 사랑이 열정적으로 변하고 있음을 보여 주는 소재이다. ( )

공유 경제

문단 요약

1 각 문단의 중심 내용을 정리해 보자.

문단	중심 내용	세부 내용
1문단	공유 경제의 개념과 대표적 사례	• 공유 경제: 각자가 (❶)해서 사용하던 것을 서로 나누며 더 효율적으로 사용하는 경제 행위와 그 시스템 • 대표적 사례: (❷) 공유 서비스, 자동차 공유 서비스
2문단	공유 경제가 주목받는 이유	(❸)을 더 효율적으로 배분하는 시스템이기 때문임.
3문단	공유 경제와 정보 통신 기술의 관계	근래에 들어 공유 경제가 부각된 것은 정보 통신 기술의 (❹)과 밀접한 관계가 있음.
4문단	공유 경제의 문제점	• 공유 경제의 취지에 어긋나는 비공인 사업자들이 출현하면서 (❺)의 관리와 규제의 사각지대에 놓이게 됨. • 사람들의 (❻)가 줄어들어 내수 경제에 부정적인 영향을 줄 수 있음.
5문단	공유 경제에 대한 전망	공유 경제는 거부할 수 없는 시대적 흐름으로 매우 빠르게 (❼)하고 있음.

정보 확인

2 공유 경제의 긍정적 측면과 부정적 측면을 정리해 보자.

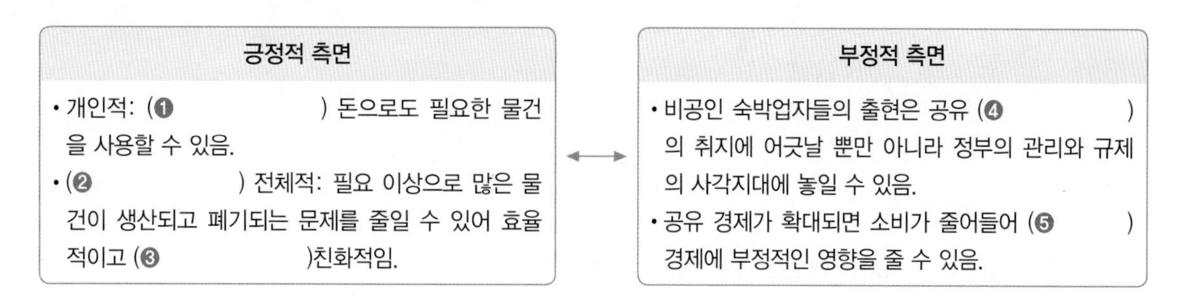

긍정적 측면	↔	부정적 측면
• 개인적: (❶) 돈으로도 필요한 물건을 사용할 수 있음. • (❷) 전체적: 필요 이상으로 많은 물건이 생산되고 폐기되는 문제를 줄일 수 있어 효율적이고 (❸)친화적임.		• 비공인 숙박업자들의 출현은 공유 (❹)의 취지에 어긋날 뿐만 아니라 정부의 관리와 규제의 사각지대에 놓일 수 있음. • 공유 경제가 확대되면 소비가 줄어들어 (❺) 경제에 부정적인 영향을 줄 수 있음.

독해 점검

3 이 글의 내용을 떠올리며 다음 설명에 ○ 또는 ×로 답해 보자.

(1) 이 글은 공유 경제의 문제점을 설명하고 그 대안을 구체적으로 제시하고 있다. ( )

(2) 도서관은 공유 경제의 개념이 예전부터 존재했음을 알게 해 주는 대표적 사례이다. ( )

(3) 정보 통신 기술의 발달은 공유 경제가 성장하는 데 부정적인 영향을 주었다. ( )

03

고래를 위하여

시의 내용

1 이 시의 내용을 정리해 보자.

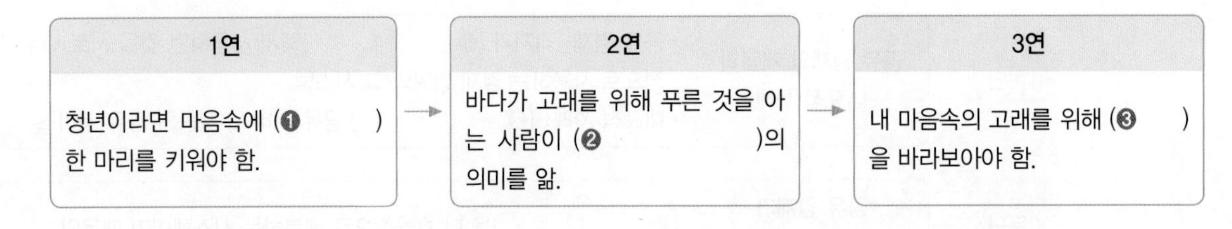

시어의 의미

2 이 시의 내용을 바탕으로 시어의 상징적 의미를 정리해 보자.

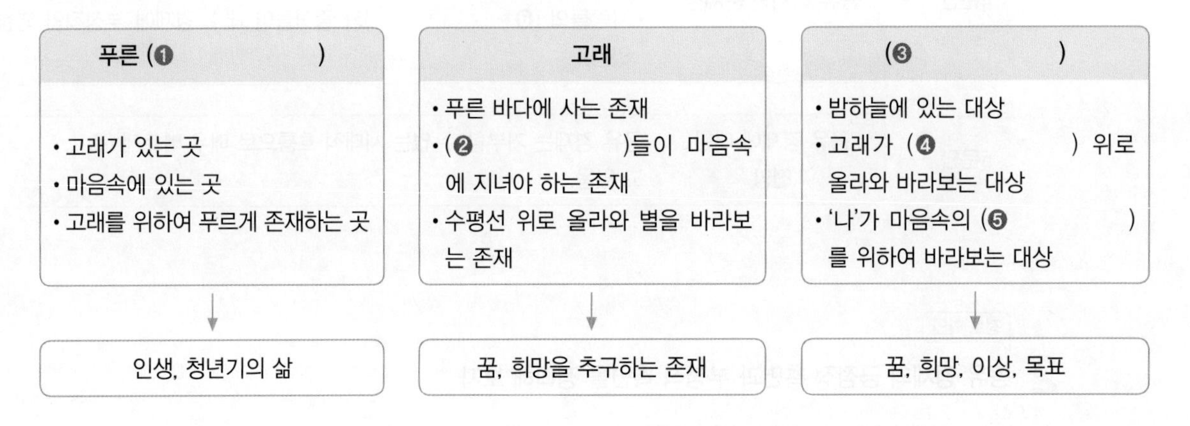

시의 주제

3 삶에 대한 화자의 태도를 바탕으로 이 시의 주제를 정리해 보자.

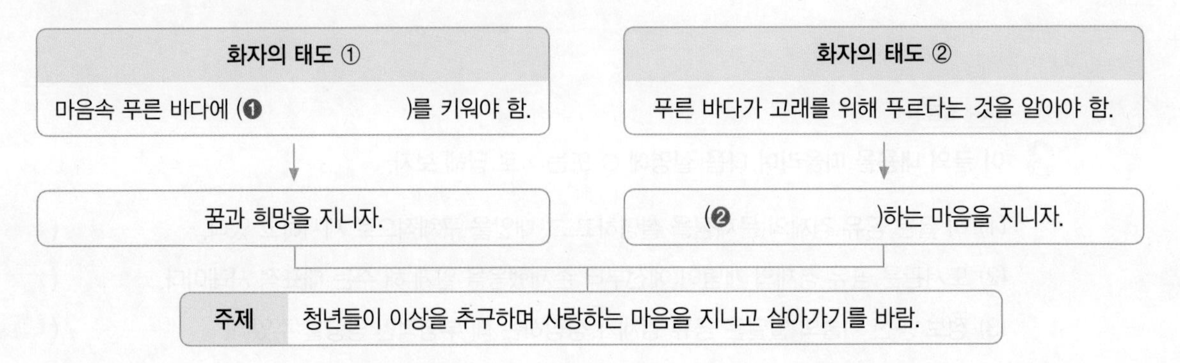

운석의 가치

문단 요약

1 각 문단의 중심 내용을 정리해 보자.

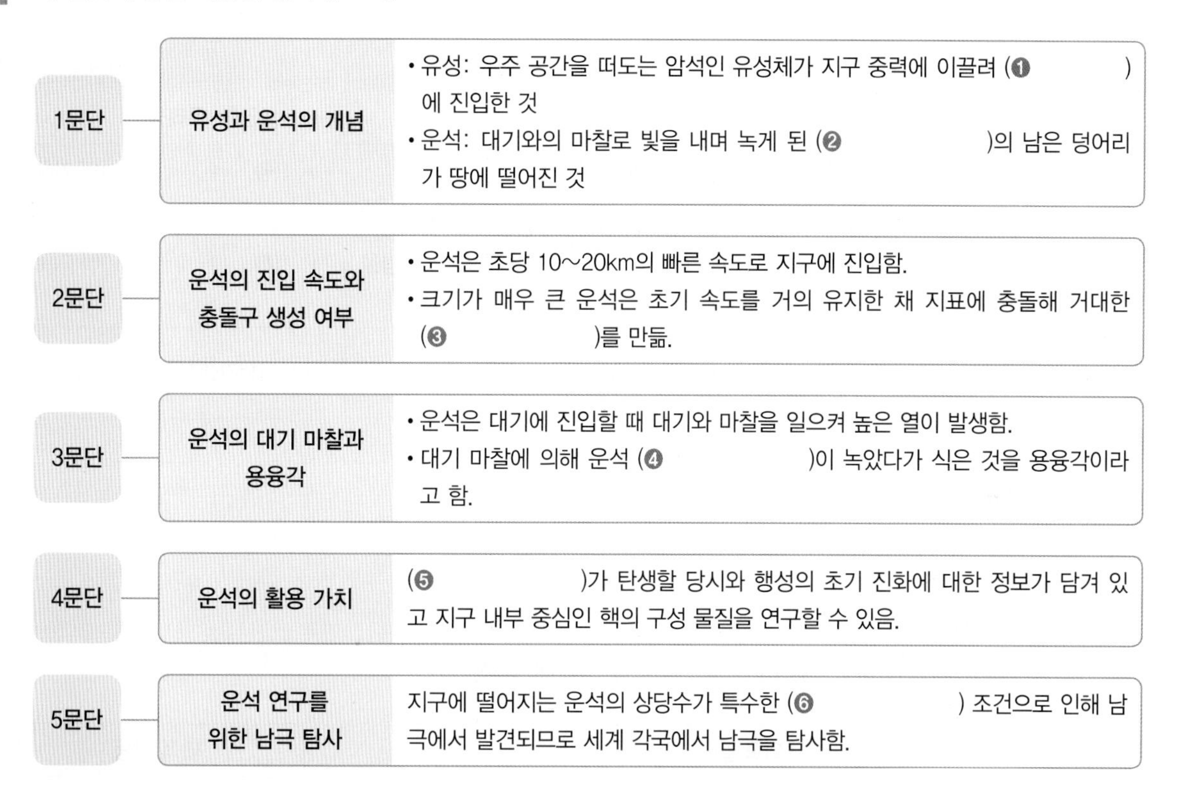

문단	중심 내용	세부 내용
1문단	유성과 운석의 개념	• 유성: 우주 공간을 떠도는 암석인 유성체가 지구 중력에 이끌려 (❶) 에 진입한 것 • 운석: 대기와의 마찰로 빛을 내며 녹게 된 (❷)의 남은 덩어리가 땅에 떨어진 것
2문단	운석의 진입 속도와 충돌구 생성 여부	• 운석은 초당 10~20km의 빠른 속도로 지구에 진입함. • 크기가 매우 큰 운석은 초기 속도를 거의 유지한 채 지표에 충돌해 거대한 (❸)를 만듦.
3문단	운석의 대기 마찰과 용융각	• 운석은 대기에 진입할 때 대기와 마찰을 일으켜 높은 열이 발생함. • 대기 마찰에 의해 운석 (❹)이 녹았다가 식은 것을 용융각이라고 함.
4문단	운석의 활용 가치	(❺)가 탄생할 당시와 행성의 초기 진화에 대한 정보가 담겨 있고 지구 내부 중심인 핵의 구성 물질을 연구할 수 있음.
5문단	운석 연구를 위한 남극 탐사	지구에 떨어지는 운석의 상당수가 특수한 (❻) 조건으로 인해 남극에서 발견되므로 세계 각국에서 남극을 탐사함.

정보 확인

2 연구 자료로써의 운석의 활용 가치를 정리해 보자.

태양계가 탄생할 때 생겨난 운석	태양계가 생성된 이후의 운석	소행성의 핵에서 떨어져 나온 (❷)
태양계 탄생 당시에 어떤 일이 있었는지 알 수 있는 정보가 담겨 있음.	소행성이나 화성과 같은 (❶)의 초기 진화에 대한 기록이 보존되어 있음.	지구의 내부 중심인 (❸)이 어떤 물질로 구성되어 있는지 연구할 수 있음.

독해 점검

3 이 글의 내용을 떠올리며 다음 설명에 ○ 또는 ×로 답해 보자.

(1) 이 글은 운석의 특성과 활용 가치에 대해 설명하고 있다. ( )

(2) 운석의 용융각 이외의 부분은 운석이 지구 대기에 진입할 때 녹았다가 식은 것이다. ( )

(3) 북극의 빙하에서 운석을 찾기 위해 세계 각국은 앞다투어 탐사에 나서고 있다. ( )

04

하늘은 맑건만

인물의 심리

1 주요 사건에 따른 문기의 심리를 정리해 보자.

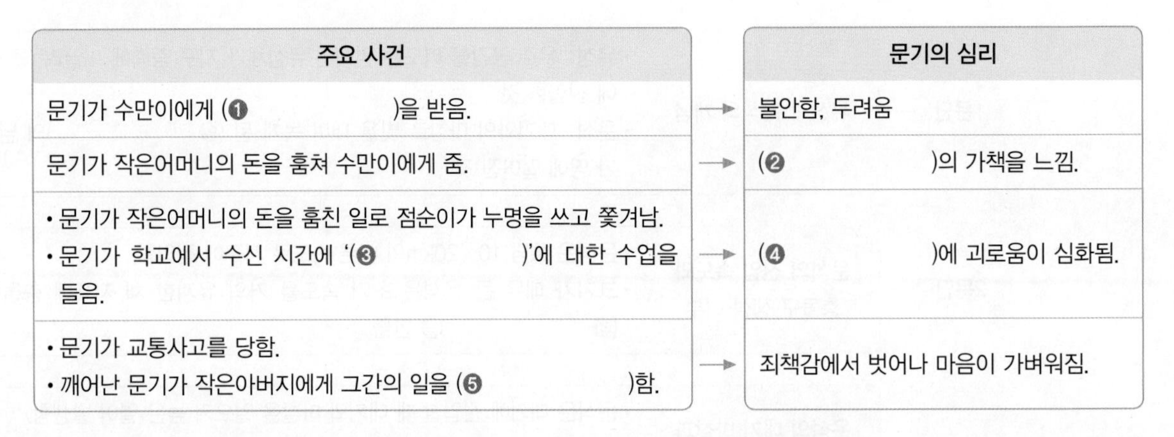

주요 사건		문기의 심리
문기가 수만이에게 (❶)을 받음.	→	불안함, 두려움
문기가 작은어머니의 돈을 훔쳐 수만이에게 줌.	→	(❷)의 가책을 느낌.
• 문기가 작은어머니의 돈을 훔친 일로 점순이가 누명을 쓰고 쫓겨남. • 문기가 학교에서 수신 시간에 '(❸)'에 대한 수업을 들음.	→	(❹)에 괴로움이 심화됨.
• 문기가 교통사고를 당함. • 깨어난 문기가 작은아버지에게 그간의 일을 (❺)함.	→	죄책감에서 벗어나 마음이 가벼워짐.

소설의 주제

2 주요 갈등을 바탕으로 이 소설의 주제를 파악해 보자.

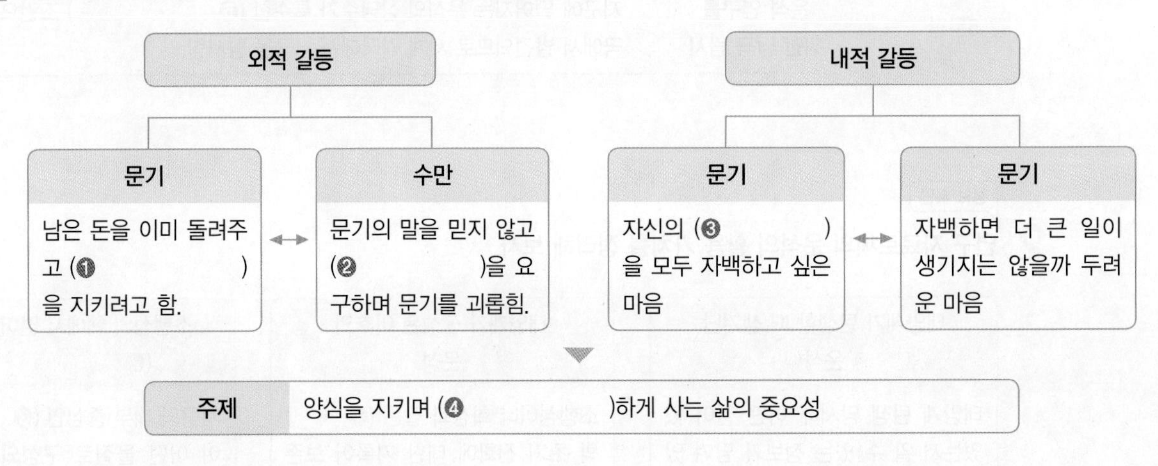

독해 점검

3 이 소설의 내용을 떠올리며 다음 설명에 ○ 또는 ×로 답해 보자.

(1) 이 소설은 한 소년이 갈등을 겪으면서 성장하는 모습을 그리고 있다. ( )

(2) 문기를 둘러싼 부도덕한 어른들로 인해 문기는 바람직한 성장에 어려움을 겪는다. ( )

(3) 문기가 범한 두 번째 허물은 수만이의 협박에 못 이겨 작은어머니의 돈을 훔친 것이다. ( )

블루투스의 원리

문단 요약

1 각 문단의 내용을 정리해 보자.

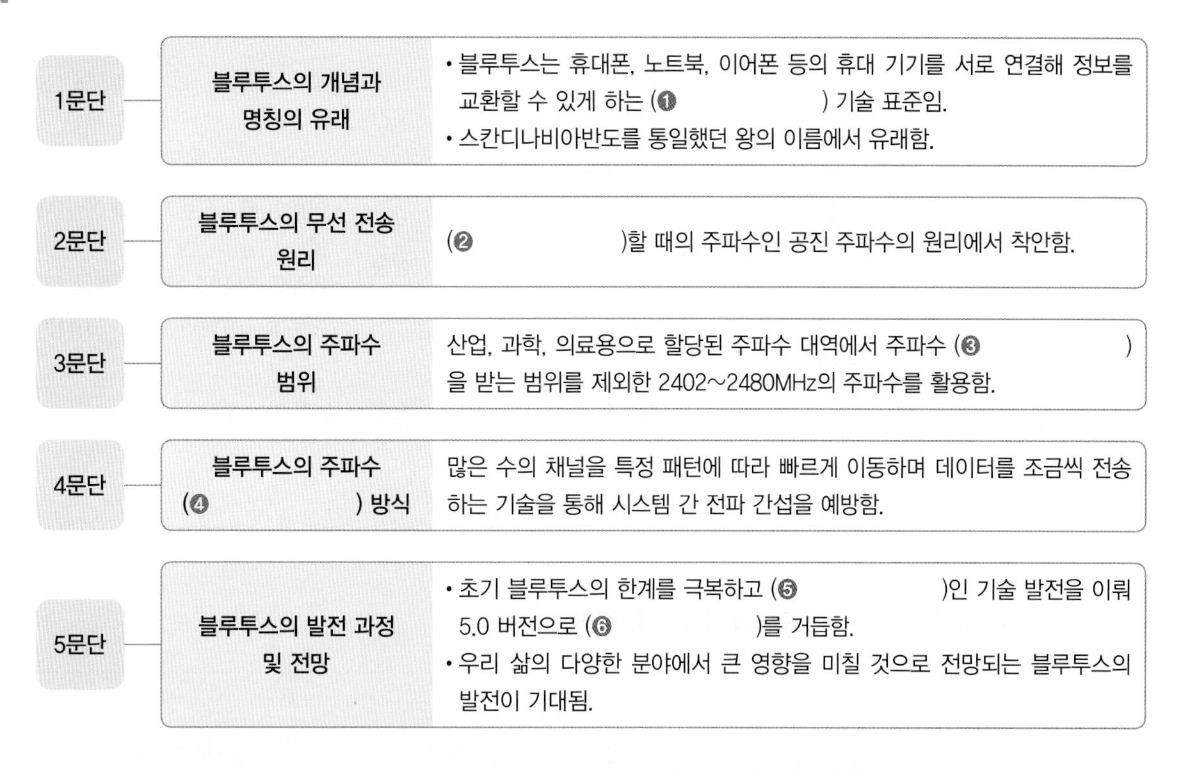

문단	내용	정리
1문단	블루투스의 개념과 명칭의 유래	• 블루투스는 휴대폰, 노트북, 이어폰 등의 휴대 기기를 서로 연결해 정보를 교환할 수 있게 하는 (❶) 기술 표준임. • 스칸디나비아반도를 통일했던 왕의 이름에서 유래함.
2문단	블루투스의 무선 전송 원리	(❷)할 때의 주파수인 공진 주파수의 원리에서 착안함.
3문단	블루투스의 주파수 범위	산업, 과학, 의료용으로 할당된 주파수 대역에서 주파수 (❸)을 받는 범위를 제외한 2402~2480MHz의 주파수를 활용함.
4문단	블루투스의 주파수 (❹) 방식	많은 수의 채널을 특정 패턴에 따라 빠르게 이동하며 데이터를 조금씩 전송하는 기술을 통해 시스템 간 전파 간섭을 예방함.
5문단	블루투스의 발전 과정 및 전망	• 초기 블루투스의 한계를 극복하고 (❺)인 기술 발전을 이뤄 5.0 버전으로 (❻)를 거듭함. • 우리 삶의 다양한 분야에서 큰 영향을 미칠 것으로 전망되는 블루투스의 발전이 기대됨.

정보 확인

2 블루투스의 원리를 정리해 보자.

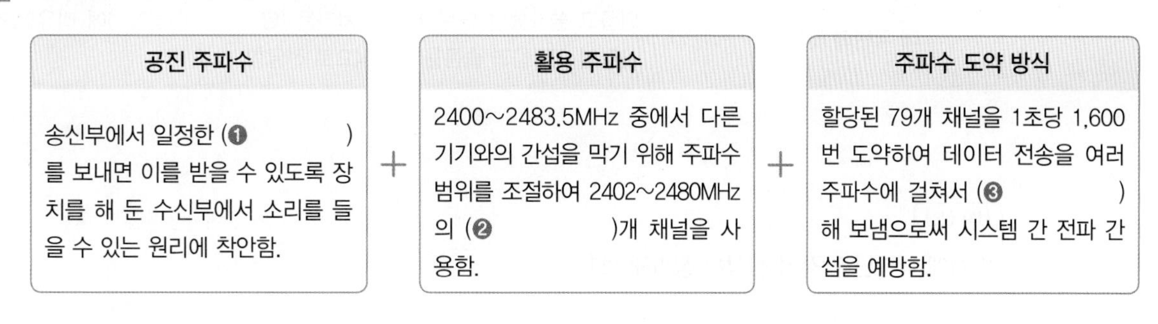

공진 주파수	+	활용 주파수	+	주파수 도약 방식
송신부에서 일정한 (❶)를 보내면 이를 받을 수 있도록 장치를 해 둔 수신부에서 소리를 들을 수 있는 원리에 착안함.	+	2400~2483.5MHz 중에서 다른 기기와의 간섭을 막기 위해 주파수 범위를 조절하여 2402~2480MHz의 (❷)개 채널을 사용함.	+	할당된 79개 채널을 1초당 1,600번 도약하여 데이터 전송을 여러 주파수에 걸쳐서 (❸)해 보냄으로써 시스템 간 전파 간섭을 예방함.

독해 점검

3 이 글의 내용을 떠올리며 다음 설명에 ○ 또는 ×로 답해 보자.

(1) 이 글은 블루투스의 무선 전송 원리에 대해 설명하고 있다. ( )

(2) 블루투스라는 명칭은 스칸디나비아반도의 왕의 이름에서 유래하였다. ( )

(3) 블루투스는 초기부터 대용량 데이터의 전송에 적합하게 개발되었다. ( )

05

엄마 걱정

시의 내용

1 이 시의 내용을 정리해 보자.

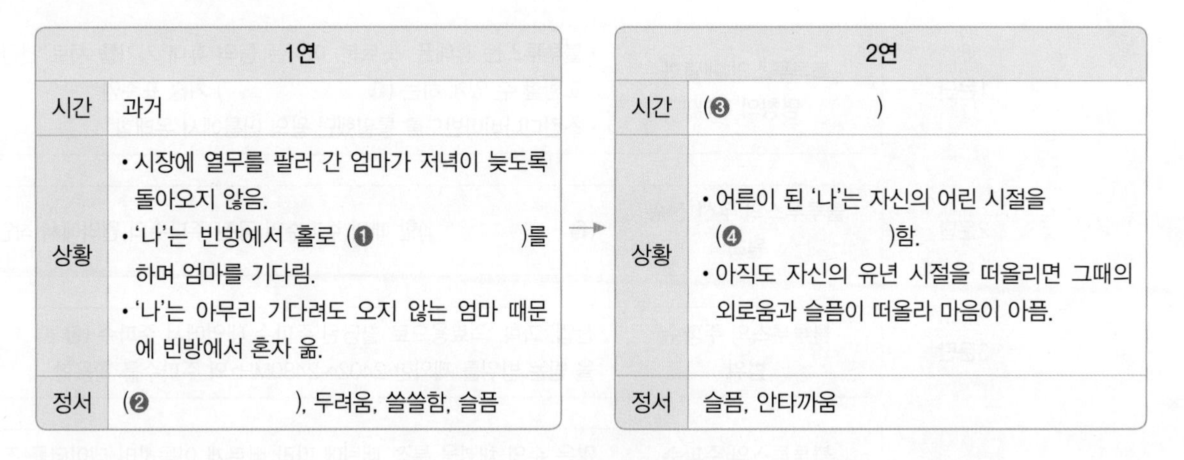

1연	
시간	과거
상황	• 시장에 열무를 팔러 간 엄마가 저녁이 늦도록 돌아오지 않음. • '나'는 빈방에서 홀로 (❶)를 하며 엄마를 기다림. • '나'는 아무리 기다려도 오지 않는 엄마 때문에 빈방에서 혼자 욺.
정서	(❷), 두려움, 쓸쓸함, 슬픔

→

2연	
시간	(❸)
상황	• 어른이 된 '나'는 자신의 어린 시절을 (❹)함. • 아직도 자신의 유년 시절을 떠올리면 그때의 외로움과 슬픔이 떠올라 마음이 아픔.
정서	슬픔, 안타까움

시의 표현

2 이 시에 쓰인 비유적 표현과 그 효과를 정리해 보자.

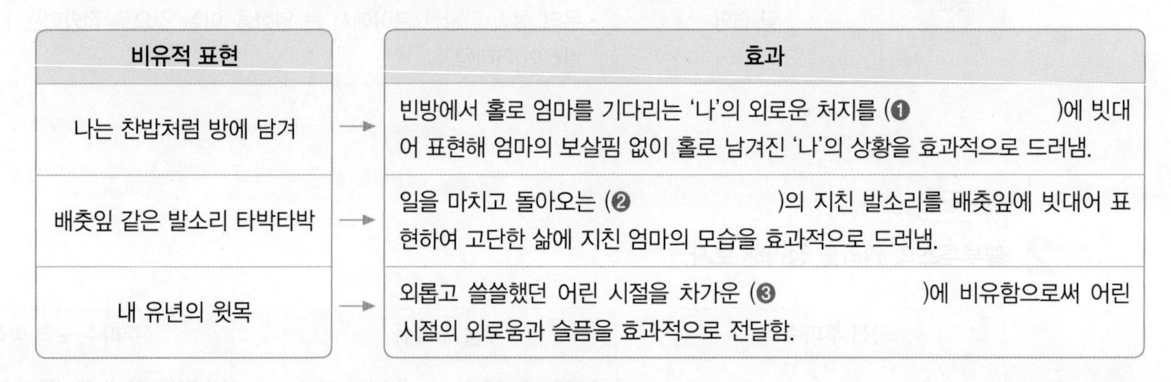

비유적 표현	효과
나는 찬밥처럼 방에 담겨 →	빈방에서 홀로 엄마를 기다리는 '나'의 외로운 처지를 (❶)에 빗대어 표현해 엄마의 보살핌 없이 홀로 남겨진 '나'의 상황을 효과적으로 드러냄.
배춧잎 같은 발소리 타박타박 →	일을 마치고 돌아오는 (❷)의 지친 발소리를 배춧잎에 빗대어 표현하여 고단한 삶에 지친 엄마의 모습을 효과적으로 드러냄.
내 유년의 윗목 →	외롭고 쓸쓸했던 어린 시절을 차가운 (❸)에 비유함으로써 어린 시절의 외로움과 슬픔을 효과적으로 전달함.

시의 심상

3 이 시에 나타난 감각적 심상을 정리해 보자.

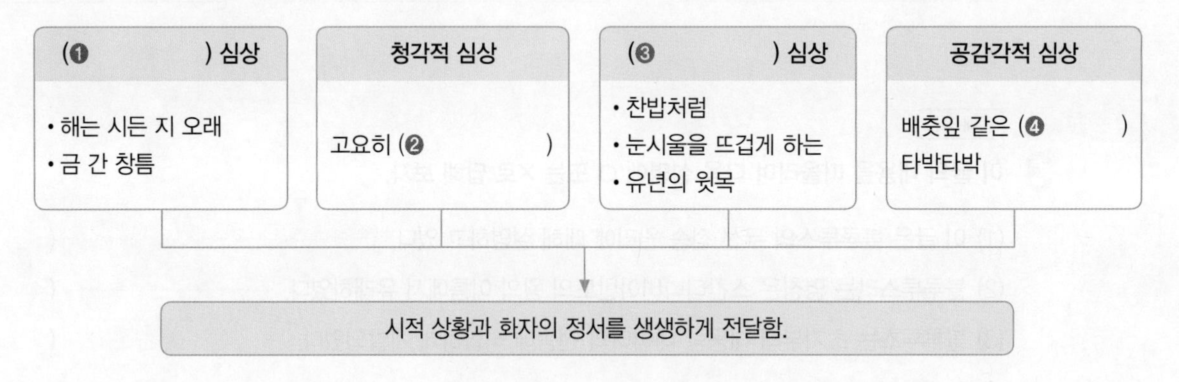

(❶) 심상	청각적 심상	(❸) 심상	공감각적 심상
• 해는 시든 지 오래 • 금 간 창틈	고요히 (❷)	• 찬밥처럼 • 눈시울을 뜨겁게 하는 • 유년의 윗목	배춧잎 같은 (❹) 타박타박

↓

시적 상황과 화자의 정서를 생생하게 전달함.

마르셀 뒤샹

문단 요약

1 각 문단에 드러난 뒤샹의 주장을 정리해 보자.

1문단	미술이 가치 있는 내용을 담은 우아하고 아름다운 것이라는 생각은 (❶) 이다.
2문단	예술가가 비예술적 재료인 (❷)를 선택해 미술 작품으로 부르면 그것은 엄연한 미술이다.
3문단	미술에서 가장 중요한 것은 제작 과정이 아니라 (❸)이다.
4문단	역겨운 물건이라는 고정 관념만 버리면 소변기에서도 아름다움을 느낄 수 있다.
5문단	(❹)이 지닌 아름다움을 예술가가 인식할 능력만 있다면 작가가 직접 만들었는지 아닌지는 중요하지 않다.
6문단	아이디어도 엄연한 미술이며 (❺)만 있으면 누구나 예술가가 될 수 있다.

정보 확인

2 미술에 대한 전통적 인식과 대비되는 뒤샹의 견해를 정리해 보자.

미술에 대한 전통적 인식	뒤샹의 견해
• 미술은 (❶) 있는 내용을 담은 우아하고 아름다운 것임. • 미술에서 중요한 것은 미술 재료를 가지고 공들여 만드는 (❷)임. • 예술품에는 작가의 (❸)과 (❹)가 담겨 있어야 함.	• 비예술적 재료인 오브제도 (❺)의 선택에 의해 엄연한 미술이 됨. • 아이디어도 엄연한 미술이므로 미술에서 중요한 것은 (❻)임. • 이미 완벽하게 아름다운 기성품이 있다면 굳이 새로운 작품을 만들 필요가 없음.

독해 점검

3 이 글의 내용을 떠올리며 다음 설명에 ○ 또는 ×로 답해 보자.

(1) 이 글은 기존 미술의 역사와 관습을 부정한 뒤샹의 혁명적 발상을 제시하고 있다. ( )

(2) 뒤샹은 오브제도 작가의 땀과 정서를 담으면 예술이 된다고 주장했다. ( )

(3) 뒤샹은 기성품도 예술품이 될 수 있다는 것을 「샘」이라는 작품을 통해 드러냈다. ( )

06

이상한 선생님

인물의 태도

1 **이 소설에 나타난 해방 전과 후의 박 선생님의 태도 변화를 정리해 보자.**

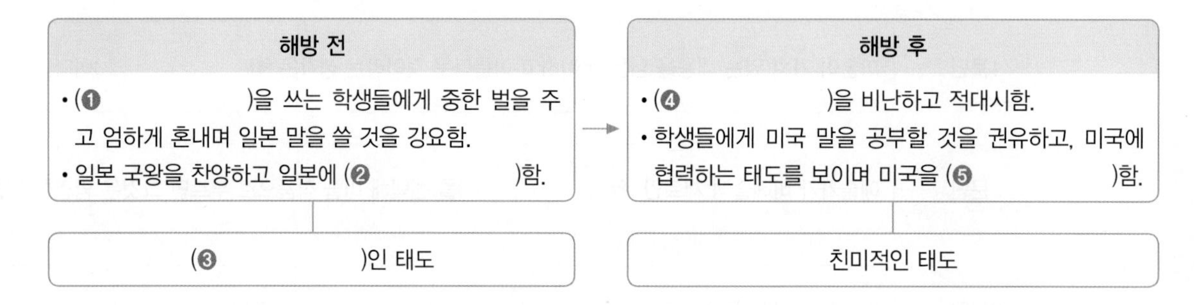

소설의 주제

2 **서술상 특징과 그 효과를 바탕으로 이 소설의 주제를 파악해 보자.**

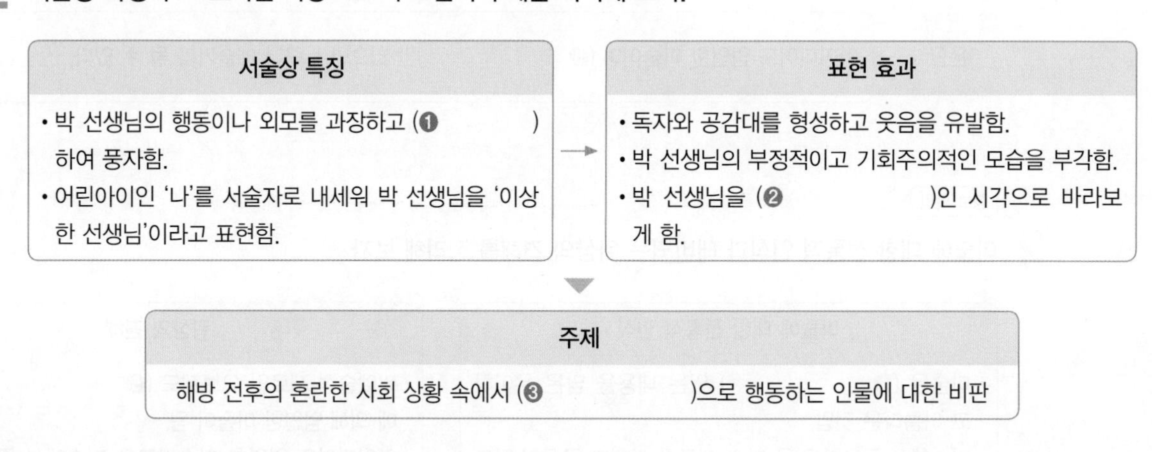

독해 점검

3 **이 소설의 내용을 떠올리며 다음 설명에 ○ 또는 ×로 답해 보자.**

(1) 이 소설은 해방 전후의 혼란한 사회를 살아가는 기회주의자를 비판하고 있다. ( )

(2) 박 선생님과 강 선생님은 조선말을 사용하는 학생들에 대해 상반된 태도를 보인다. ( )

(3) 박 선생님이 시대 변화에 적응하지 못하는 모습을 보면서 '나'는 이상하다고 생각한다. ( )

상향 가정법과 하향 가정법

문단 요약

1 각 문단의 중심 내용을 정리해 보자.

1문단	의사 결정 후 (❶) 결과가 나타났을 때의 일반적인 반응
2문단	상향 가정법적 사고와 하향 가정법적 사고의 (❷)과 특징
3문단	가정법적 사고가 사람들의 (❸)에 미치는 영향
4문단	(❹) 가정법적 사고와 (❺) 가정법적 사고의 의의

정보 확인

2 상향 가정법적 사고와 하향 가정법적 사고를 정리해 보자.

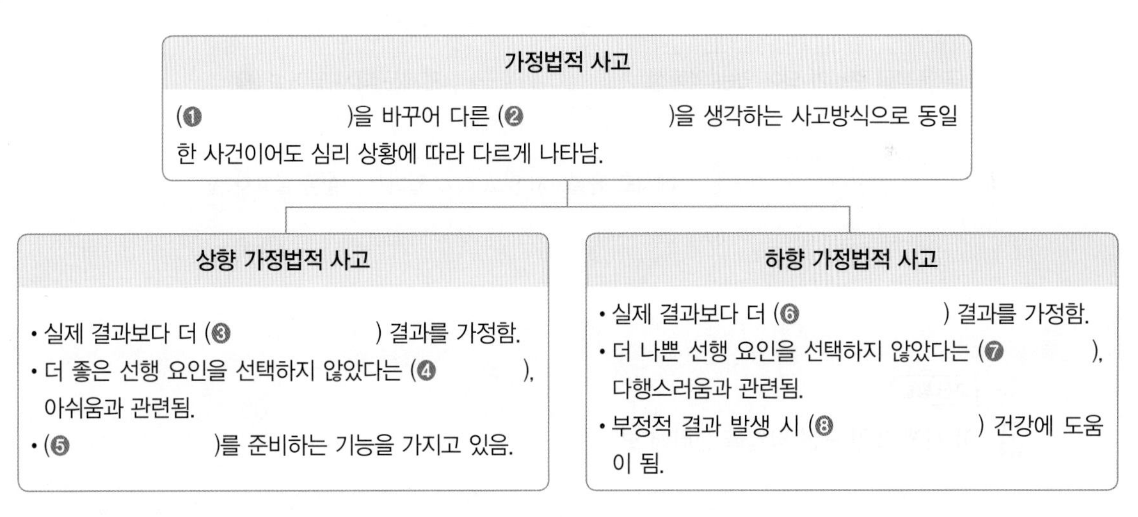

독해 점검

3 이 글의 내용을 떠올리며 다음 설명에 ○ 또는 ×로 답해 보자.

(1) 이 글은 상향 가정법적 사고가 하향 가정법적 사고보다 나은 사고방식임을 제시하고 있다. ( )

(2) 상향 가정법적 사고는 실제 결과보다 더 나쁜 결과를 가정하는 사고방식이다. ( )

(3) 하향 가정법적 사고는 사람들에게 안도감을 주어 정신 건강에 도움이 될 수 있다. ( )

07

떨어져도 튀는 공처럼

시의 내용

1 이 시의 각 연에 나타난 공의 모습을 정리해 보자.

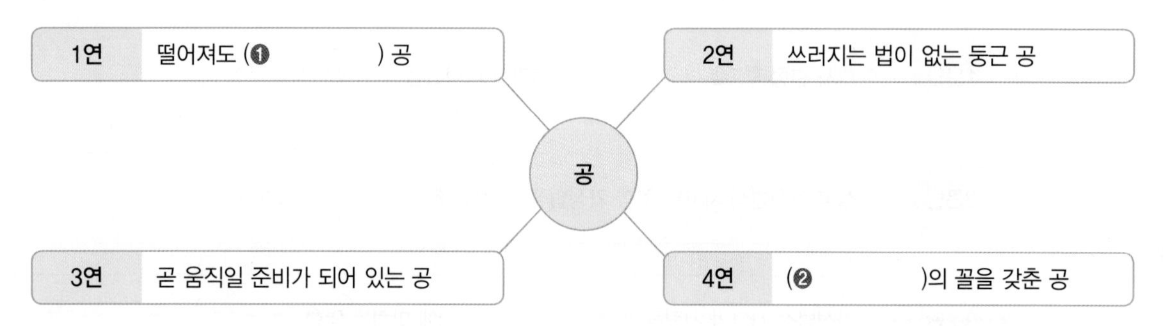

화자의 태도

2 '공'의 속성을 바탕으로 화자가 지향하는 삶의 태도를 정리해 보자.

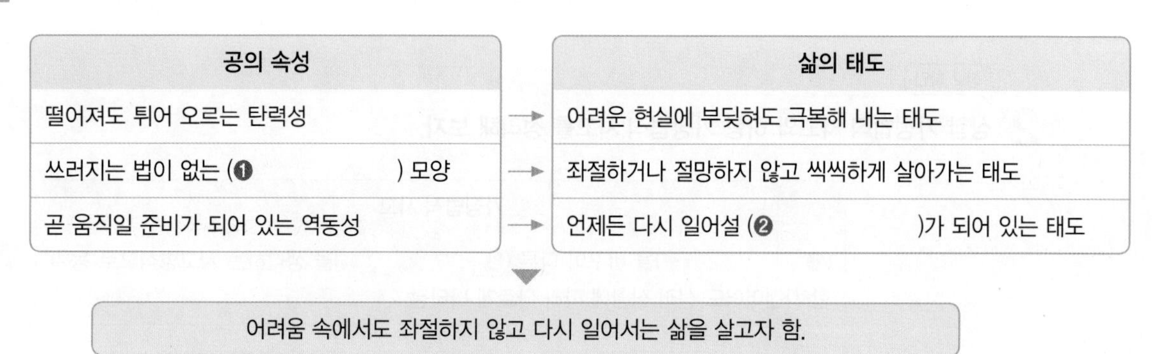

공의 속성		삶의 태도
떨어져도 튀어 오르는 탄력성	→	어려운 현실에 부딪혀도 극복해 내는 태도
쓰러지는 법이 없는 (❶) 모양	→	좌절하거나 절망하지 않고 씩씩하게 살아가는 태도
곧 움직일 준비가 되어 있는 역동성	→	언제든 다시 일어설 (❷)가 되어 있는 태도

어려움 속에서도 좌절하지 않고 다시 일어서는 삶을 살고자 함.

표현 방법

3 이 시에 쓰인 표현 방법을 정리해 보자.

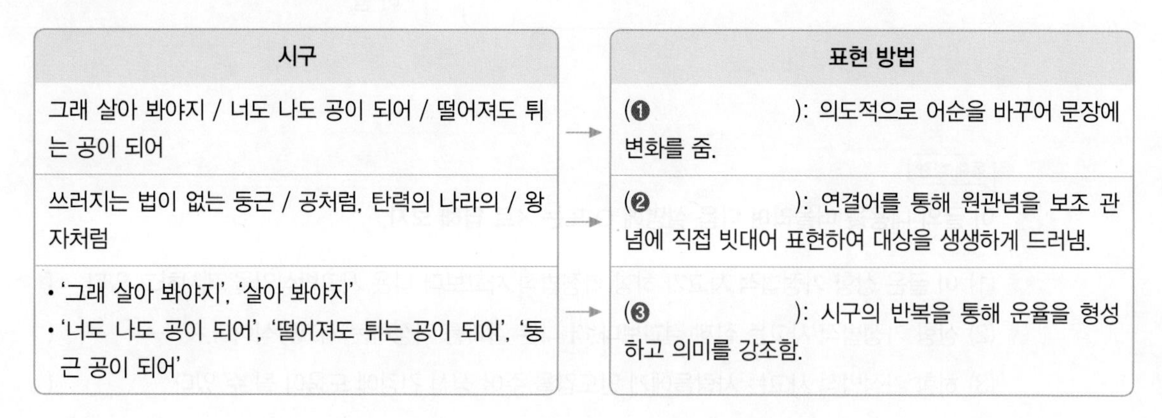

시구		표현 방법
그래 살아 봐야지 / 너도 나도 공이 되어 / 떨어져도 튀는 공이 되어	→	(❶): 의도적으로 어순을 바꾸어 문장에 변화를 줌.
쓰러지는 법이 없는 둥근 / 공처럼, 탄력의 나라의 / 왕자처럼	→	(❷): 연결어를 통해 원관념을 보조 관념에 직접 빗대어 표현하여 대상을 생생하게 드러냄.
• '그래 살아 봐야지', '살아 봐야지' • '너도 나도 공이 되어', '떨어져도 튀는 공이 되어', '둥근 공이 되어'	→	(❸): 시구의 반복을 통해 운율을 형성하고 의미를 강조함.

소비자의 청약 철회권

문단 요약

1 각 문단의 중심 내용을 정리해 보자.

1문단	인터넷 쇼핑몰에서 구입한 상품의 (❶) 가능 여부
2문단	(❷)가 행사할 수 있는 청약 철회권의 개념
3문단	소비자가 (❸)을 행사할 수 없는 경우
4문단	(❹)가 소비자의 청약 철회를 방해하는 행위
5문단	소비자가 (❺)받는 거래 질서 확립 기대

정보 확인

2 소비자의 청약 철회권에 관한 내용을 정리해 보자.

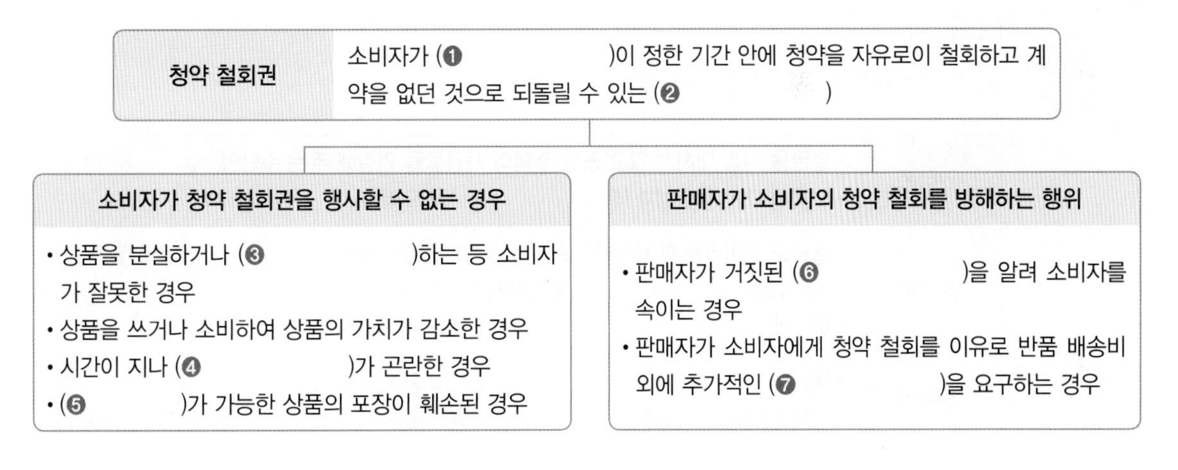

청약 철회권	소비자가 (❶)이 정한 기간 안에 청약을 자유로이 철회하고 계약을 없던 것으로 되돌릴 수 있는 (❷)

소비자가 청약 철회권을 행사할 수 없는 경우

- 상품을 분실하거나 (❸)하는 등 소비자가 잘못한 경우
- 상품을 쓰거나 소비하여 상품의 가치가 감소한 경우
- 시간이 지나 (❹)가 곤란한 경우
- (❺)가 가능한 상품의 포장이 훼손된 경우

판매자가 소비자의 청약 철회를 방해하는 행위

- 판매자가 거짓된 (❻)을 알려 소비자를 속이는 경우
- 판매자가 소비자에게 청약 철회를 이유로 반품 배송비 외에 추가적인 (❼)을 요구하는 경우

독해 점검

3 이 글의 내용을 떠올리며 다음 설명에 ○ 또는 ×로 답해 보자.

(1) 이 글은 소비자의 청약 철회권에 대해 구체적인 사례를 들어 설명하고 있다. ( )

(2) 소비자는 청약 철회권과 상관없이 상품을 잃어버렸으면 청약을 철회할 수 없다. ( )

(3) 판매자는 소비자가 상품을 반품할 때 취소 수수료를 받을 수 있다. ( )

소음 공해

사건에 따른 인물의 심리

1 사건 전개 과정에 따른 '나'의 심리 변화를 정리해 보자.

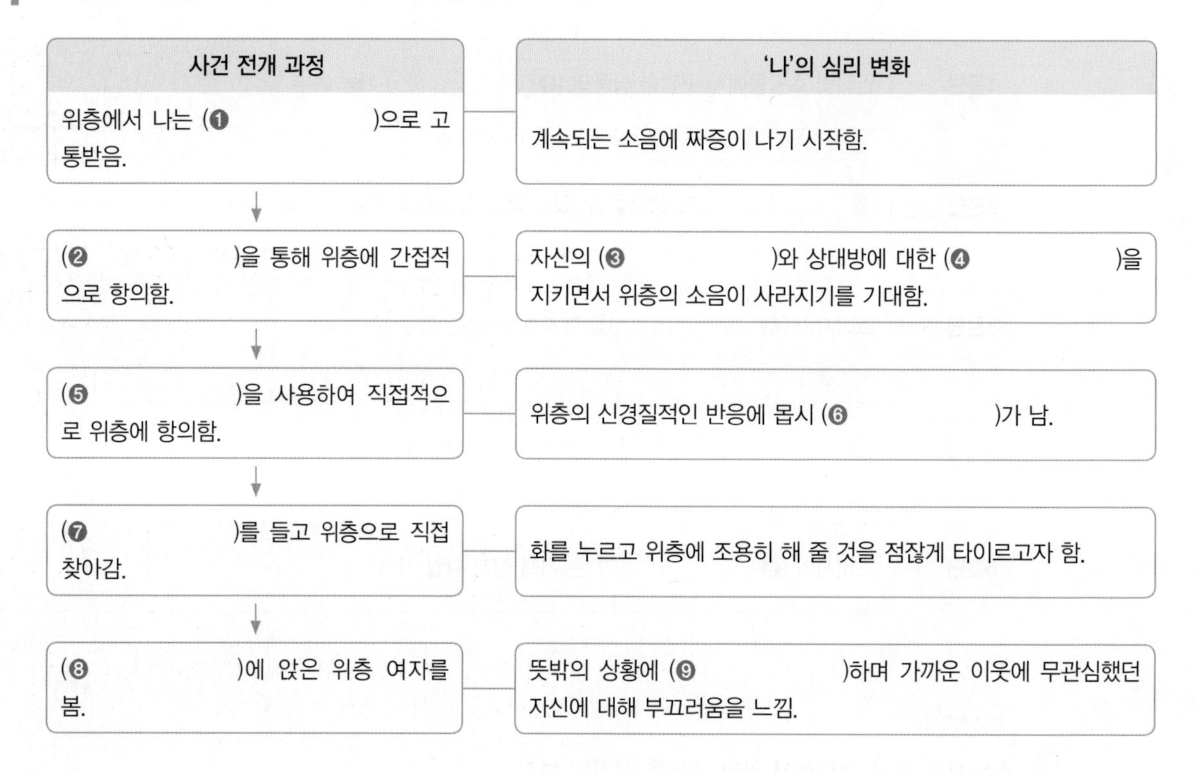

소재의 의미

2 이 소설에 사용된 주요 소재의 의미를 정리해 보자.

인터폰	• 얼굴을 직접 대하지 않고 공동 주택의 사람들을 연결해 주는 수단임. • 이웃에 대한 무관심과 (❶)을 드러냄.
슬리퍼	• 소음을 줄이라는 메시지와 고통받는 '나'의 심정을 (❷)으로 전달하는 수단임. • '나'의 (❸)을 두드러지게 하는 소재임. • 이웃에 대한 (❹)을 상징하며, 주제를 부각함.
휠체어	• (❺)의 원인으로, 위층 여자의 처지를 드러냄. • 극적 반전과 갈등 (❻)의 계기로 '나'의 태도에 변화를 일으키는 소재임.

독해 점검

3 이 소설의 내용을 떠올리며 다음 설명에 ○ 또는 ×로 답해 보자.

(1) 이 소설은 이웃 간에 무관심한 현대인의 삶의 모습을 비판하고 있다. ( )

(2) 슬리퍼는 극적 반전과 갈등 해소의 계기를 마련해 주는 역할을 하는 소재이다. ( )

(3) '나'는 소음의 원인이 휠체어 때문이라는 것을 알고 부끄러움을 느꼈다. ( )

물질의 구성 성분

문단 요약

1 각 문단의 중심 내용을 정리해 보자.

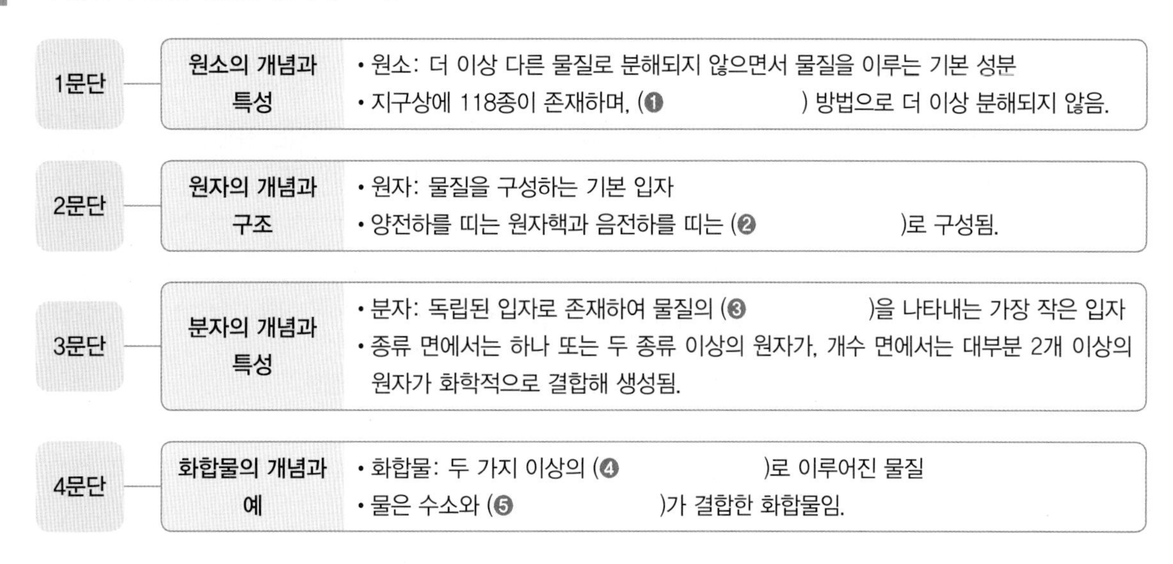

문단	내용	요약
1문단	원소의 개념과 특성	• 원소: 더 이상 다른 물질로 분해되지 않으면서 물질을 이루는 기본 성분 • 지구상에 118종이 존재하며, (❶) 방법으로 더 이상 분해되지 않음.
2문단	원자의 개념과 구조	• 원자: 물질을 구성하는 기본 입자 • 양전하를 띠는 원자핵과 음전하를 띠는 (❷)로 구성됨.
3문단	분자의 개념과 특성	• 분자: 독립된 입자로 존재하여 물질의 (❸)을 나타내는 가장 작은 입자 • 종류 면에서는 하나 또는 두 종류 이상의 원자가, 개수 면에서는 대부분 2개 이상의 원자가 화학적으로 결합해 생성됨.
4문단	화합물의 개념과 예	• 화합물: 두 가지 이상의 (❹)로 이루어진 물질 • 물은 수소와 (❺)가 결합한 화합물임.

정보 확인

2 물질을 구성하는 성분에 대해 정리해 보자.

원소	원자	(❸)
• 더 이상 다른 물질로 분해되지 않으면서 물질을 이루는 (❶) • 화학적 방법으로 더 이상 분해되지 않음. • 원자들로 이루어져 있음.	• 물질을 구성하는 기본 (❷)로, 원자핵과 전자로 구성됨. – 원자핵: 중성자와 양성자가 결합해 이루어진 것 – 전자: 음전하를 띠고 원자핵 주위를 움직이는 입자	• 독립된 입자로 존재하여 물질의 성질을 나타내는 가장 작은 입자 • 한 종류 이상, 대부분 2개 이상의 (❹)가 화학적으로 결합한 것

독해 점검

3 이 글의 내용을 떠올리며 다음 설명에 ○ 또는 ×로 답해 보자.

(1) 이 글은 물질을 구성하는 원소, 원자, 분자의 개념과 특징에 대해 설명하고 있다. ( )

(2) 분자가 쪼개지면 다시 원자로 돌아갈 수 있다. ( )

(3) 대부분의 물질에서 물질의 기본 성질을 나타내는 것은 원소이다. ( )

09

먼 후일

시의 상황과 정서

1 이 시의 내용을 바탕으로 시적 상황과 화자의 정서를 정리해 보자.

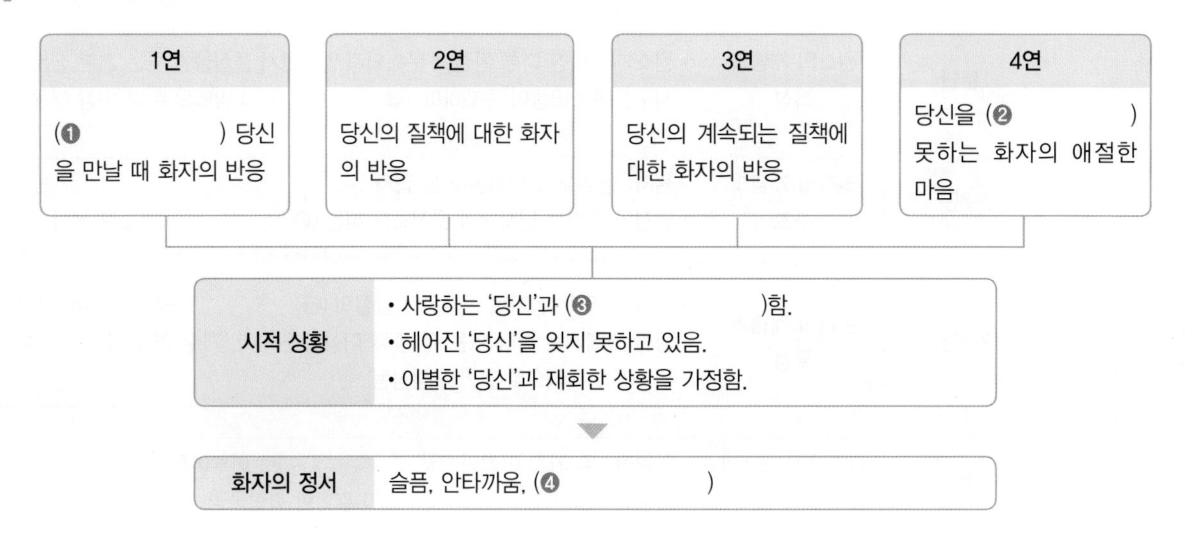

1연	2연	3연	4연
(❶) 당신을 만날 때 화자의 반응	당신의 질책에 대한 화자의 반응	당신의 계속되는 질책에 대한 화자의 반응	당신을 (❷) 못하는 화자의 애절한 마음

시적 상황	• 사랑하는 '당신'과 (❸)함. • 헤어진 '당신'을 잊지 못하고 있음. • 이별한 '당신'과 재회한 상황을 가정함.

화자의 정서	슬픔, 안타까움, (❹)

시의 운율

2 이 시의 운율 형성 방법과 효과를 정리해 보자.

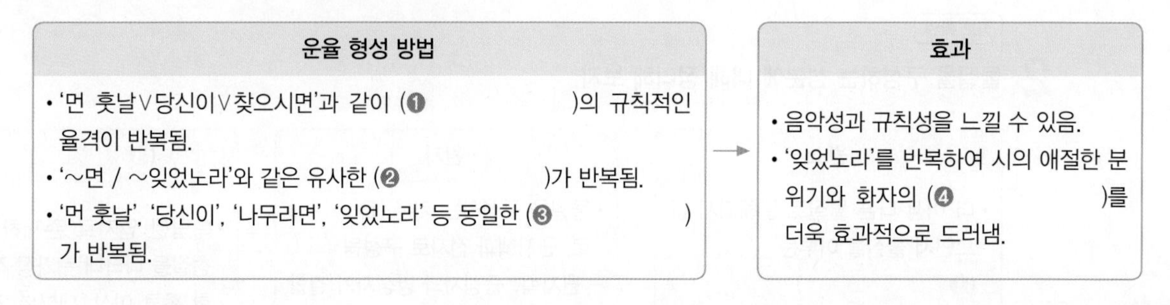

운율 형성 방법	효과
• '먼 훗날∨당신이∨찾으시면'과 같이 (❶)의 규칙적인 율격이 반복됨. • '~면 / ~잊었노라'와 같은 유사한 (❷)가 반복됨. • '먼 훗날', '당신이', '나무라면', '잊었노라' 등 동일한 (❸)가 반복됨.	• 음악성과 규칙성을 느낄 수 있음. • '잊었노라'를 반복하여 시의 애절한 분위기와 화자의 (❹)를 더욱 효과적으로 드러냄.

시의 표현

3 이 시에 반복되는 시구의 의미와 효과를 정리해 보자.

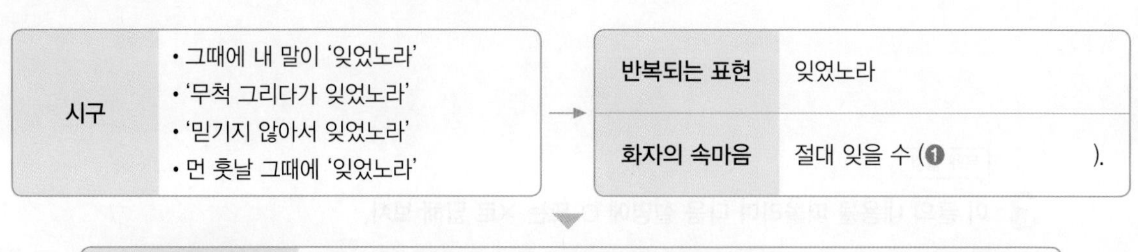

시구	• 그때에 내 말이 '잊었노라' • '무척 그리다가 잊었노라' • '믿기지 않아서 잊었노라' • 먼 훗날 그때에 '잊었노라'

반복되는 표현	잊었노라
화자의 속마음	절대 잊을 수 (❶).

표현 방법	실제로 말하고자 하는 의미와 반대로 표현하는 (❷)을 사용함.
효과	사랑하는 사람을 잊지 못하는 애절한 감정을 인상 깊게 표현하여 떠난 임에 대한 (❸)이라는 주제를 강조함.

전자레인지의 원리

문단 요약

1 각 문단의 중심 내용을 정리해 보자.

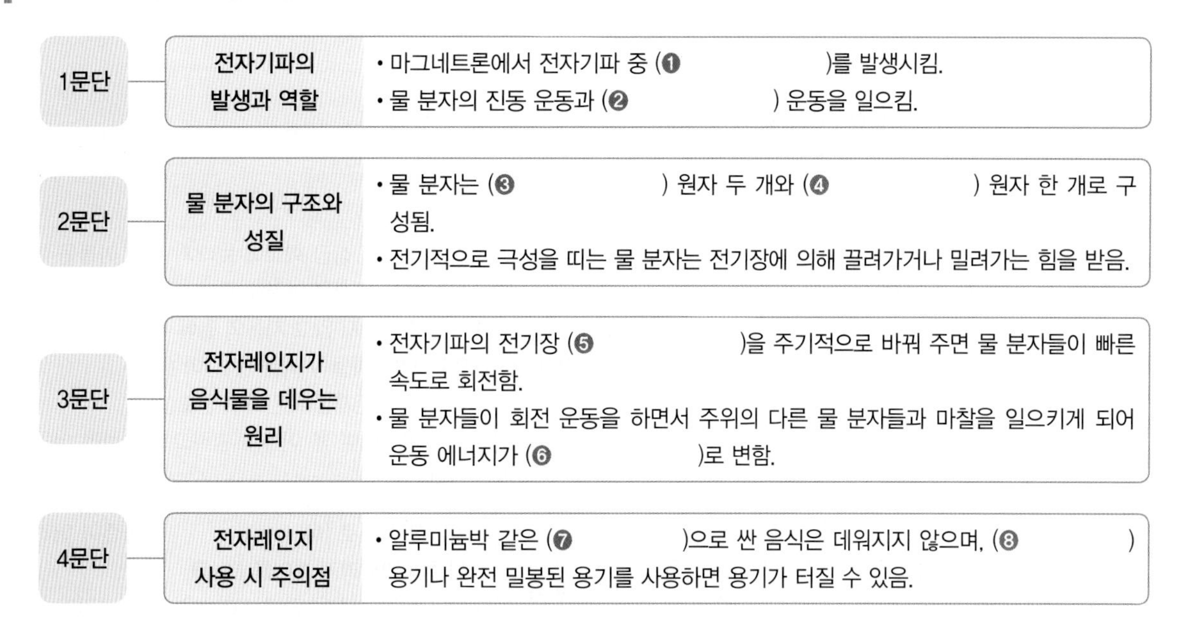

문단	중심 내용	세부 내용
1문단	전자기파의 발생과 역할	• 마그네트론에서 전자기파 중 (❶)를 발생시킴. • 물 분자의 진동 운동과 (❷) 운동을 일으킴.
2문단	물 분자의 구조와 성질	• 물 분자는 (❸) 원자 두 개와 (❹) 원자 한 개로 구성됨. • 전기적으로 극성을 띠는 물 분자는 전기장에 의해 끌려가거나 밀려가는 힘을 받음.
3문단	전자레인지가 음식물을 데우는 원리	• 전자기파의 전기장 (❺)을 주기적으로 바꿔 주면 물 분자들이 빠른 속도로 회전함. • 물 분자들이 회전 운동을 하면서 주위의 다른 물 분자들과 마찰을 일으키게 되어 운동 에너지가 (❻)로 변함.
4문단	전자레인지 사용 시 주의점	• 알루미늄박 같은 (❼)으로 싼 음식은 데워지지 않으며, (❽) 용기나 완전 밀봉된 용기를 사용하면 용기가 터질 수 있음.

정보 확인

2 전자레인지의 원리와 사용 시 주의점을 정리해 보자.

전자레인지의 원리	사용 시 주의점
• 마그네트론에서 물 분자의 (❶)와 일치하는 마이크로파를 발생시켜 물 분자가 이를 흡수하면서 진동과 회전 운동을 함. • 전자기파의 전기장 방향을 주기적으로 바꿔 주어 물 분자들이 아주 빠른 속도로 회전 운동을 하도록 함. • 물 분자들이 회전 운동을 하면서 서로 마찰을 일으켜 이 마찰에 의해 (❷)가 열에너지로 바뀜.	• 마이크로파는 금속을 통과하지 못하므로 알루미늄박으로 음식을 싸면 데워지지 않음. • 습기가 있는 나무 용기는 (❸)할 수 있으므로 사용에 주의해야 함. • 완전히 (❹)된 용기는 용기 내부의 물질들이 팽창하면서 용기가 터질 수 있으므로 주의해야 함.

독해 점검

3 이 글의 내용을 떠올리며 다음 설명에 ○ 또는 ×로 답해 보자.

(1) 이 글은 전자레인지의 작동 원리와 사용 시 주의 사항에 대해 설명하고 있다. ( )

(2) 전자레인지의 마그네트론에서는 물 분자보다 진동수가 큰 마이크로파를 발생시킨다. ( )

(3) 전자레인지로 밀봉된 용기에 담긴 음식을 데울 때에는 공기 구멍을 만드는 것이 좋다. ( )

10

연

인물의 심리

1 사건의 흐름을 바탕으로 인물의 심리를 정리해 보자.

사건의 흐름

어머니는 가난한 처지 때문에 아들을 (❶)에 보내지 못함.

↓

어머니가 연실을 마련해 주자 아들은 하루 종일 연날리기를 함.

↓

언제 어디서나 아들의 연을 보던 어머니는 어느 날 실이 끊어져 날아간 (❷)을 발견함.

↓

어머니는 이웃집 아이에게 아들이 돈을 벌러 (❸)로 떠났다는 말을 들음.

↓

집에 돌아온 어머니는 하늘을 바라보며 떠난 아들의 몸이 성하기를 바람.

인물의 심리	
어머니	• 가난 때문에 상급 학교에 보내지 못한 아들을 (❹) 하기 위해 연실을 마련해 줌. • 아들이 떠나지 않고 자신의 곁에 머물기를 바람. • 연을 보며 아들이 떠날 것 같아 (❺)해하면서도 아들의 존재를 확인하고 안도함. • 아들과의 이별 후 이를 체념하고 수용하며 아들의 안녕을 기원함.
아들	• 가난한 처지로 (❻) 마련이 어려워서 남의 집 애들의 연날리기 놀이를 늘 (❼). • 상급 학교 진학을 단념하고 매일 연을 날리며 (❽) 마음을 달램.

소재의 의미

2 '연'의 상징적 의미를 정리해 보자.

• 어머니는 아들이 날리는 연을 보며 아들의 (❶)과 마음을 보는 것 같다고 생각함.
• 연실이 끊겨 연이 날아가자 어머니는 아들이 떠났다고 생각함.
• 연이 시야에서 완전히 사라지자 어머니는 아들과의 (❷)을 받아들임.

→

'연'의 상징적 의미

어머니가 아들과 동일시하는 대상으로 새로운 세계로 떠나고 싶어 하는 (❸)을 상징함.

독해 점검

3 이 소설의 내용을 떠올리며 다음 설명에 ○ 또는 ×로 답해 보자.

(1) 이 소설은 아들이 어머니와의 갈등을 해결하면서 겪는 성장 과정을 그리고 있다. ( )

(2) 어머니는 아들이 떠나자 아들을 쫓아가려고 마을로 돌아왔다. ( )

(3) 허공 속으로 사라져 가는 연은 아들이 고향을 떠났다는 것을 암시한다. ( )

콘서트홀의 잔향 시간

문단 요약

1 각 문단의 중심 내용을 정리해 보자.

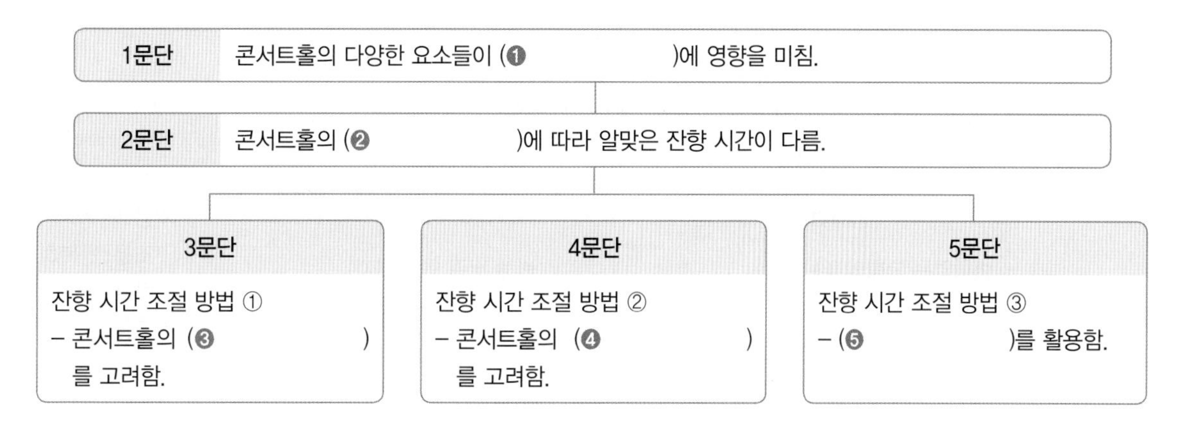

정보 확인

2 콘서트홀의 잔향 시간을 조절하는 방법을 정리해 보자.

콘서트홀의 크기	• 작은 콘서트홀: 무대에서 나가는 (❶)가 벽에 부딪히기까지 시간이 짧음. → 소리가 벽에 부딪히는 횟수가 많아짐. → 소리 에너지가 빨리 줄어듦. → 잔향 시간이 (❷). • 큰 콘서트홀: 무대에서 나가는 소리가 벽에 부딪히기까지 시간이 (❸). → 소리가 벽에 부딪히는 횟수가 적음. → 소리 에너지가 천천히 줄어듦. → 잔향 시간이 (❹).
콘서트홀의 재료	• 무대 바닥이나 벽: 돌이나 두꺼운 합판 등 소리를 흡수하지 않고 튕겨 내는 (❺)를 붙여 반사의 정도를 조절함. • 객석과 주변의 벽: (❻)와 같은 푹신한 재료를 사용하여 소리를 잘 흡수하도록 함. • 흡음재와 반사재를 적절히 조합하여 원하는 잔향 시간을 만듦.
음향 장치의 활용	• 음향 (❼): 작은 소리를 울리게 할 때 악기 뒤편 무대에 병풍처럼 세워서 잔향 시간을 조절함. • 최첨단 전기 (❽) 활용: 숨겨진 마이크가 음을 받아 목적에 맞는 잔향 시간만큼 늘린 뒤 다시 스피커로 들려줌.

독해 점검

3 이 글의 내용을 떠올리며 다음 설명에 ○ 또는 ×로 답해 보자.

(1) 이 글은 콘서트홀의 다양한 종류와 설계 과정에 대해 설명하고 있다. ( )

(2) 오케스트라 전용 콘서트홀은 오페라 전용 콘서트홀보다 잔향 시간을 길게 설계한다. ( )

(3) 콘서트홀의 내부는 흡음재와 반사재를 적절히 조합하여 원하는 잔향 시간을 만들 수 있다. ( )

11

고향

시의 구조

1 이 시의 구조를 정리해 보자.

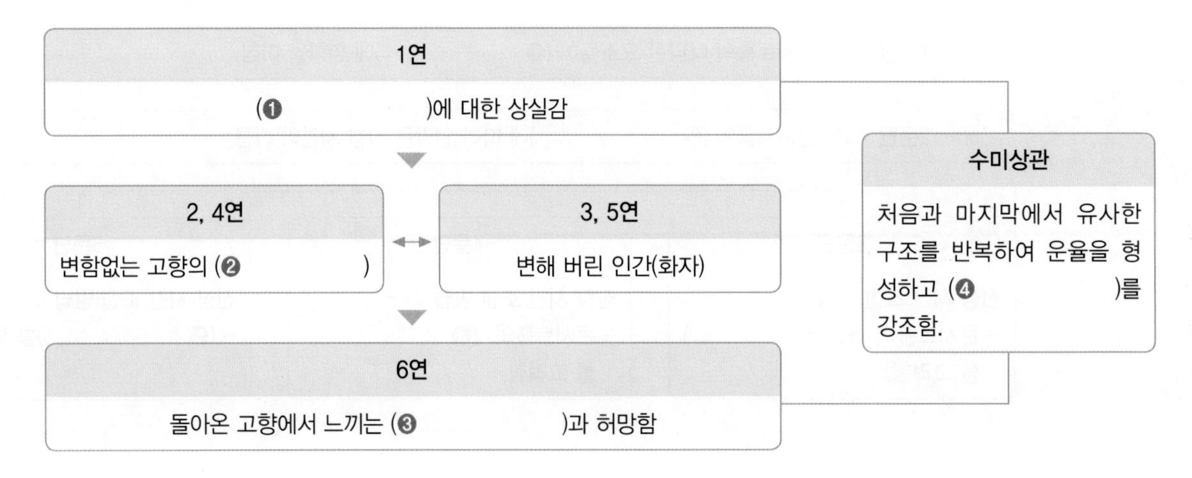

화자의 인식

2 고향에 대한 화자의 인식을 정리해 보자.

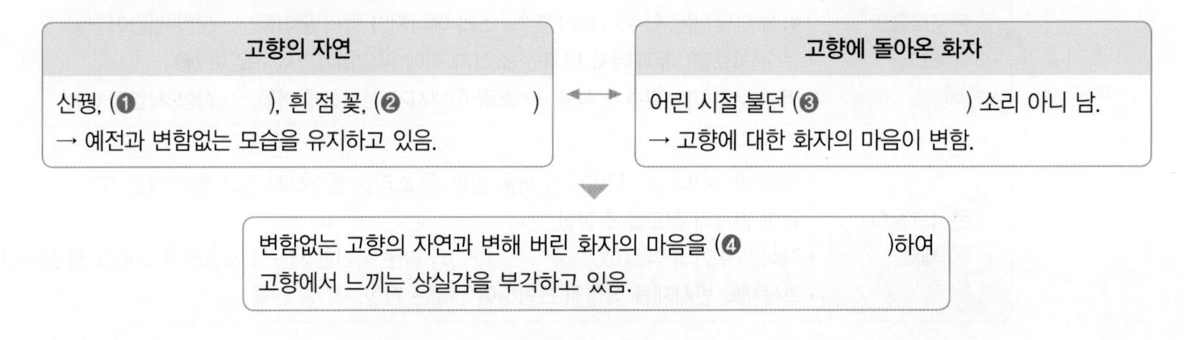

화자의 정서

3 시구에 나타난 화자의 정서를 파악해 보자.

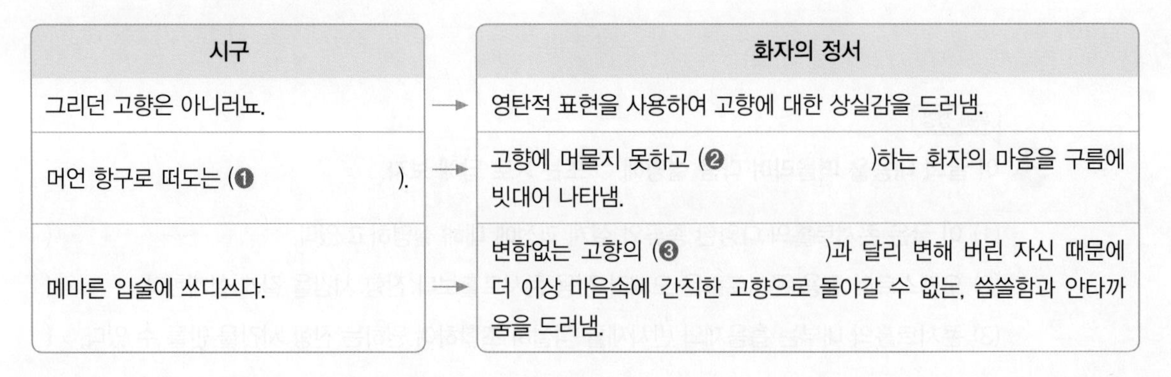

시구	화자의 정서
그리던 고향은 아니러뇨.	영탄적 표현을 사용하여 고향에 대한 상실감을 드러냄.
머언 항구로 떠도는 (❶).	고향에 머물지 못하고 (❷)하는 화자의 마음을 구름에 빗대어 나타냄.
메마른 입술에 쓰디쓰다.	변함없는 고향의 (❸)과 달리 변해 버린 자신 때문에 더 이상 마음속에 간직한 고향으로 돌아갈 수 없는, 씁쓸함과 안타까움을 드러냄.

창의성 형성

문단 요약

1 각 문단의 중심 내용을 정리해 보자.

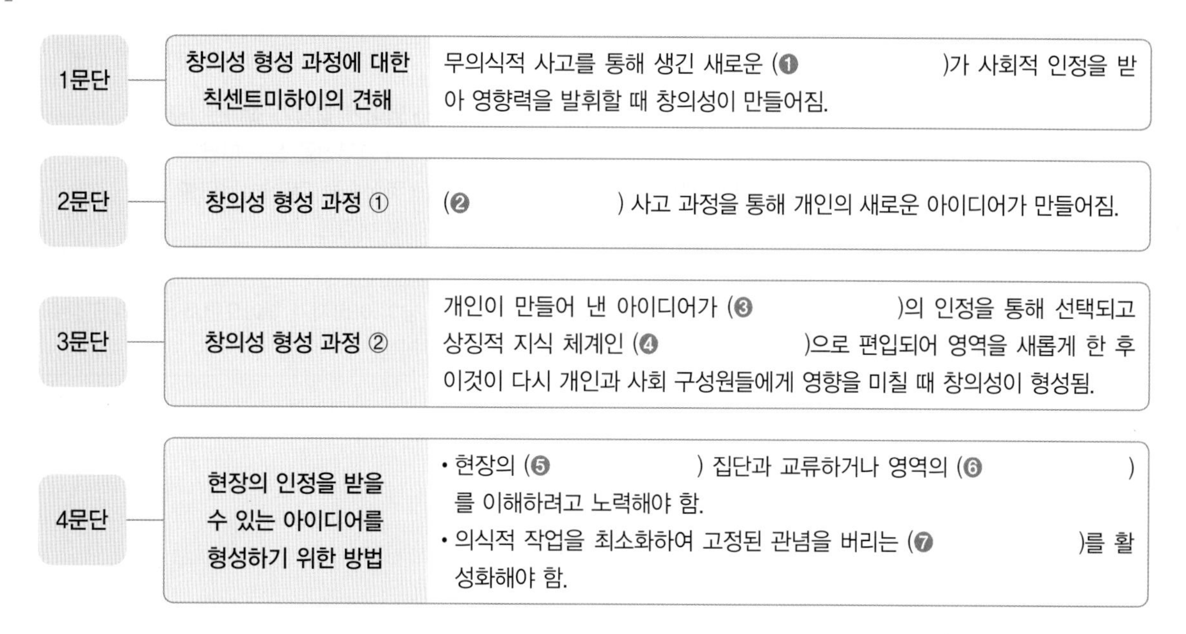

문단	중심 내용	내용
1문단	창의성 형성 과정에 대한 칙센트미하이의 견해	무의식적 사고를 통해 생긴 새로운 (❶)가 사회적 인정을 받아 영향력을 발휘할 때 창의성이 만들어짐.
2문단	창의성 형성 과정 ①	(❷) 사고 과정을 통해 개인의 새로운 아이디어가 만들어짐.
3문단	창의성 형성 과정 ②	개인이 만들어 낸 아이디어가 (❸)의 인정을 통해 선택되고 상징적 지식 체계인 (❹)으로 편입되어 영역을 새롭게 한 후 이것이 다시 개인과 사회 구성원들에게 영향을 미칠 때 창의성이 형성됨.
4문단	현장의 인정을 받을 수 있는 아이디어를 형성하기 위한 방법	• 현장의 (❺) 집단과 교류하거나 영역의 (❻)를 이해하려고 노력해야 함. • 의식적 작업을 최소화하여 고정된 관념을 버리는 (❼)를 활성화해야 함.

정보 확인

2 무의식적 사고를 활성화하는 방법을 정리해 보자.

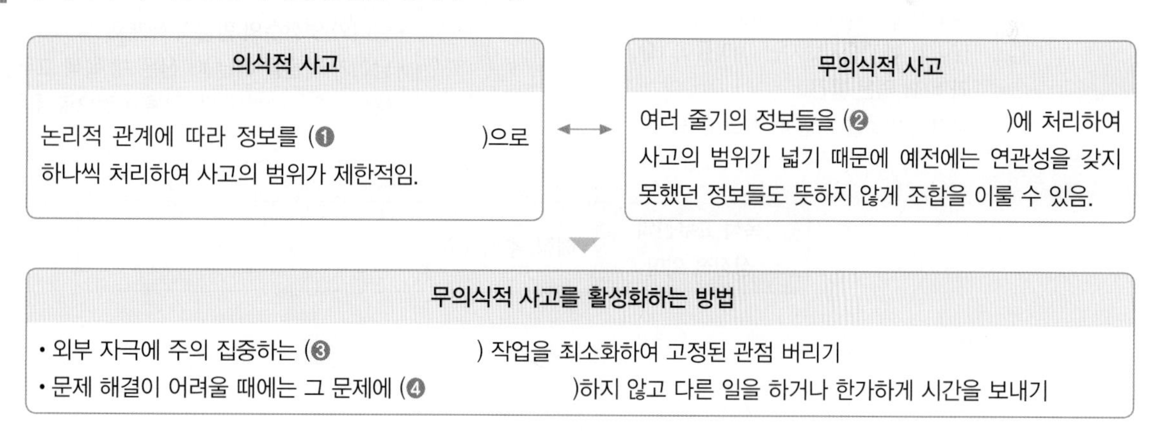

의식적 사고	↔	무의식적 사고
논리적 관계에 따라 정보를 (❶)으로 하나씩 처리하여 사고의 범위가 제한적임.	↔	여러 줄기의 정보들을 (❷)에 처리하여 사고의 범위가 넓기 때문에 예전에는 연관성을 갖지 못했던 정보들도 뜻하지 않게 조합을 이룰 수 있음.

▼

무의식적 사고를 활성화하는 방법

• 외부 자극에 주의 집중하는 (❸) 작업을 최소화하여 고정된 관점 버리기
• 문제 해결이 어려울 때에는 그 문제에 (❹)하지 않고 다른 일을 하거나 한가하게 시간을 보내기

독해 점검

3 이 글의 내용을 떠올리며 다음 설명에 ○ 또는 ×로 답해 보자.

(1) 이 글은 창의성이 개인과 사회에 미치는 영향에 대해 설명하고 있다. ( )

(2) 개인이 새로운 아이디어를 떠올리는 것은 무의식적 사고 과정과 관련이 있다. ( )

(3) 개인이 만든 아이디어는 현장의 인정과 영역에의 편입을 통해 창의성이 형성된다. ( )

고무신

사건 전개 과정

1 이 소설의 사건 전개 과정을 정리해 보자.

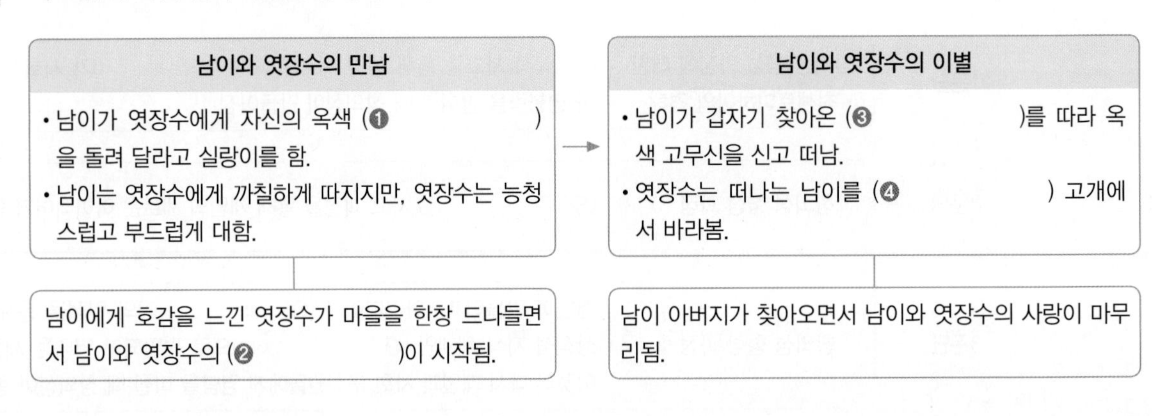

소재의 역할과 의미

2 '옥색 고무신'의 역할과 의미를 정리해 보자.

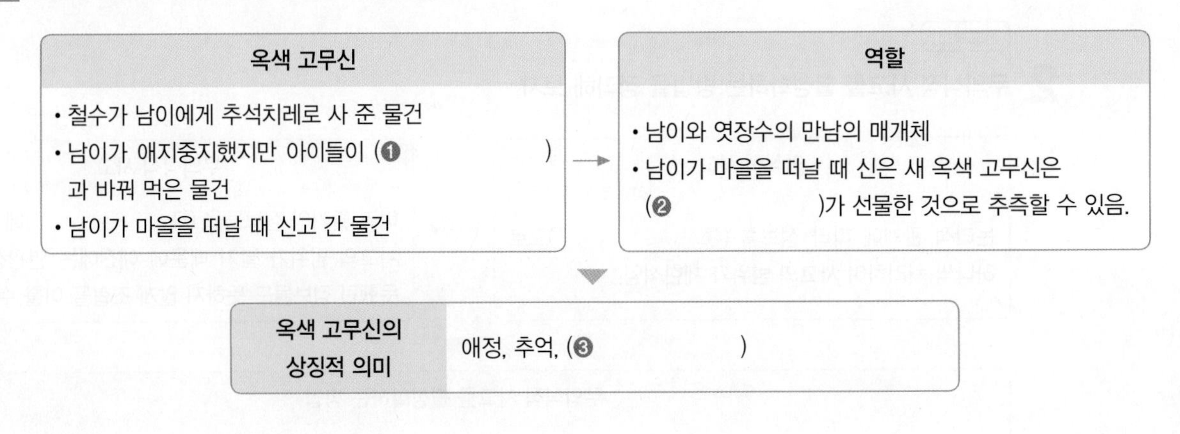

독해 점검

3 이 소설의 내용을 떠올리며 다음 설명에 ○ 또는 ×로 답해 보자.

(1) 이 소설은 엿장수와 남이의 애틋한 사랑 이야기를 표현하고 있다. ( )

(2) 철수 내외는 남이가 아버지를 따라 마을을 떠나는 것을 기쁘게 생각하였다. ( )

(3) 엿장수는 아버지를 따라 떠나는 남이의 모습을 울음 고개에서 멍하게 바라보았다. ( )

한계적 사고

문단 요약

1 각 문단의 중심 내용을 정리해 보자.

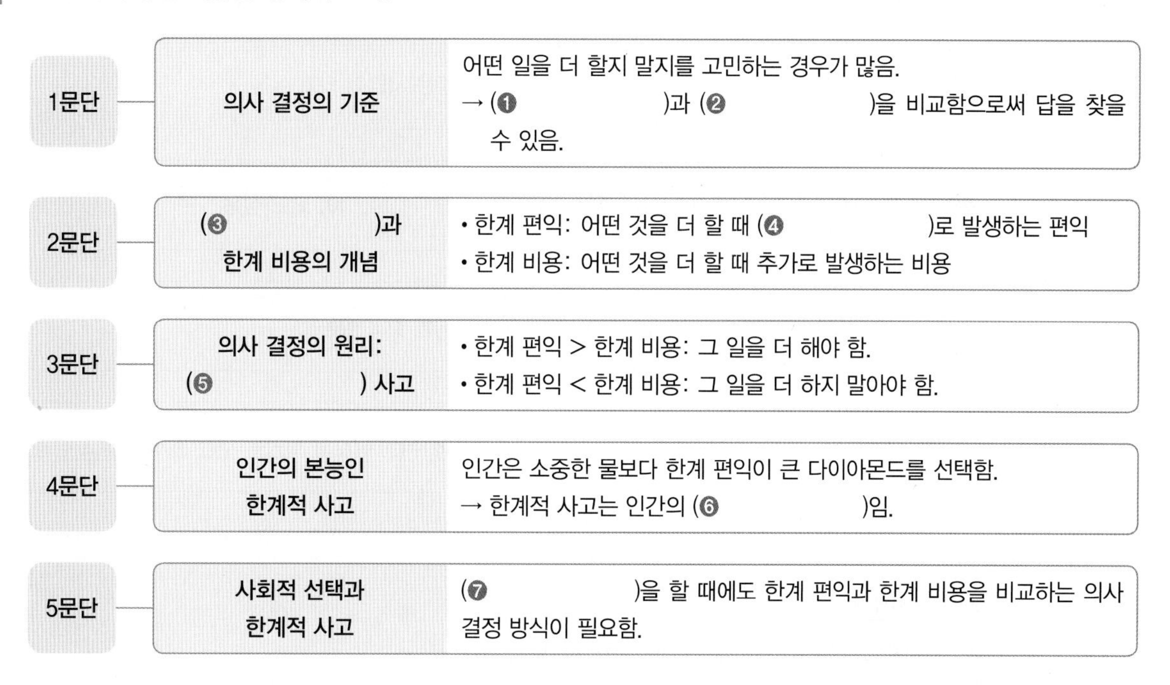

문단	중심 내용	설명
1문단	의사 결정의 기준	어떤 일을 더 할지 말지를 고민하는 경우가 많음. → (❶)과 (❷)을 비교함으로써 답을 찾을 수 있음.
2문단	(❸)과 한계 비용의 개념	• 한계 편익: 어떤 것을 더 할 때 (❹)로 발생하는 편익 • 한계 비용: 어떤 것을 더 할 때 추가로 발생하는 비용
3문단	의사 결정의 원리: (❺) 사고	• 한계 편익 > 한계 비용: 그 일을 더 해야 함. • 한계 편익 < 한계 비용: 그 일을 더 하지 말아야 함.
4문단	인간의 본능인 한계적 사고	인간은 소중한 물보다 한계 편익이 큰 다이아몬드를 선택함. → 한계적 사고는 인간의 (❻)임.
5문단	사회적 선택과 한계적 사고	(❼)을 할 때에도 한계 편익과 한계 비용을 비교하는 의사 결정 방식이 필요함.

정보 확인

2 이 글에 나타난 한계적 사고의 과정을 정리해 보자.

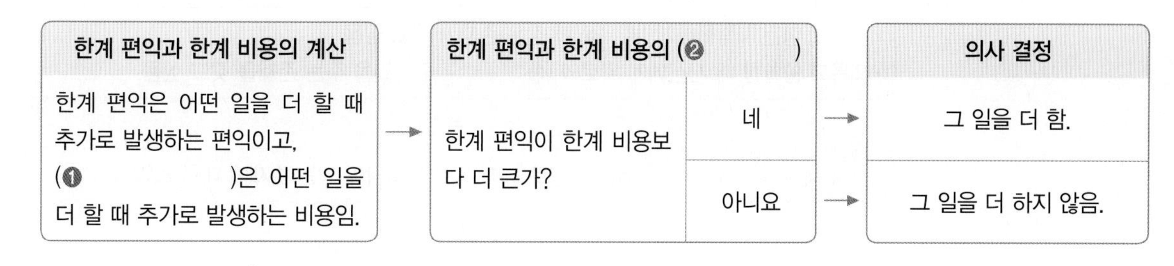

독해 점검

3 이 글의 내용을 떠올리며 다음 설명에 ○ 또는 ×로 답해 보자.

(1) 이 글은 한계 편익과 한계 비용을 고려한 의사 결정의 원리를 설명하고 있다. ( )

(2) 어떤 일을 추가로 할 때 한계 비용과 상관 없이 한계 편익을 우선적으로 고려해야 한다. ( )

(3) 한계 비용과 한계 편익을 생각하는 것은 인간의 본능이다. ( )

13

사랑하는 별 하나

시의 내용

1 이 시의 내용을 정리해 보자.

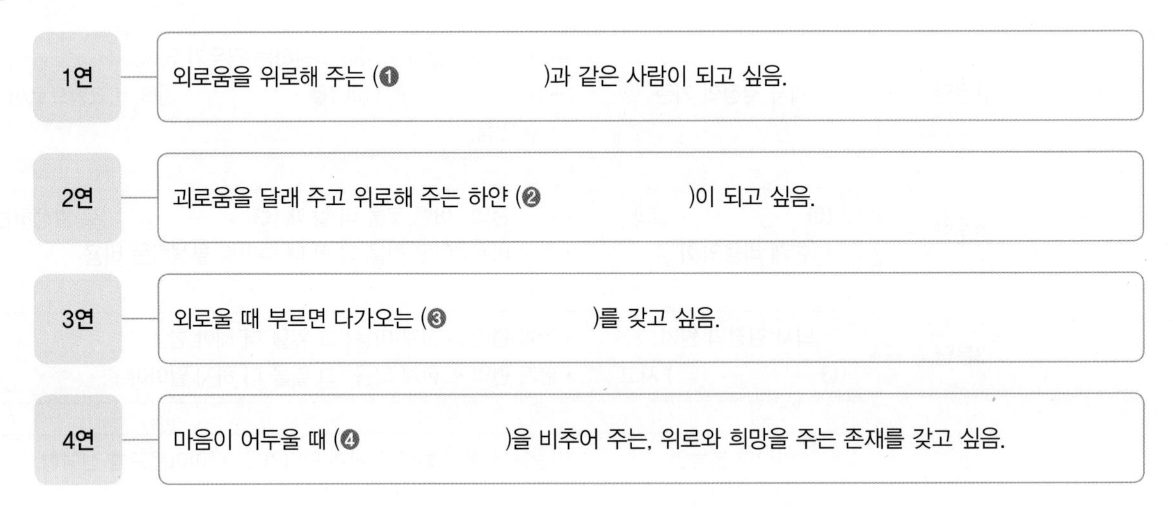

1연	외로움을 위로해 주는 (❶)과 같은 사람이 되고 싶음.
2연	괴로움을 달래 주고 위로해 주는 하얀 (❷)이 되고 싶음.
3연	외로울 때 부르면 다가오는 (❸)를 갖고 싶음.
4연	마음이 어두울 때 (❹)을 비추어 주는, 위로와 희망을 주는 존재를 갖고 싶음.

시어의 의미와 주제

2 주요 시어의 의미를 바탕으로 주제를 정리해 보자.

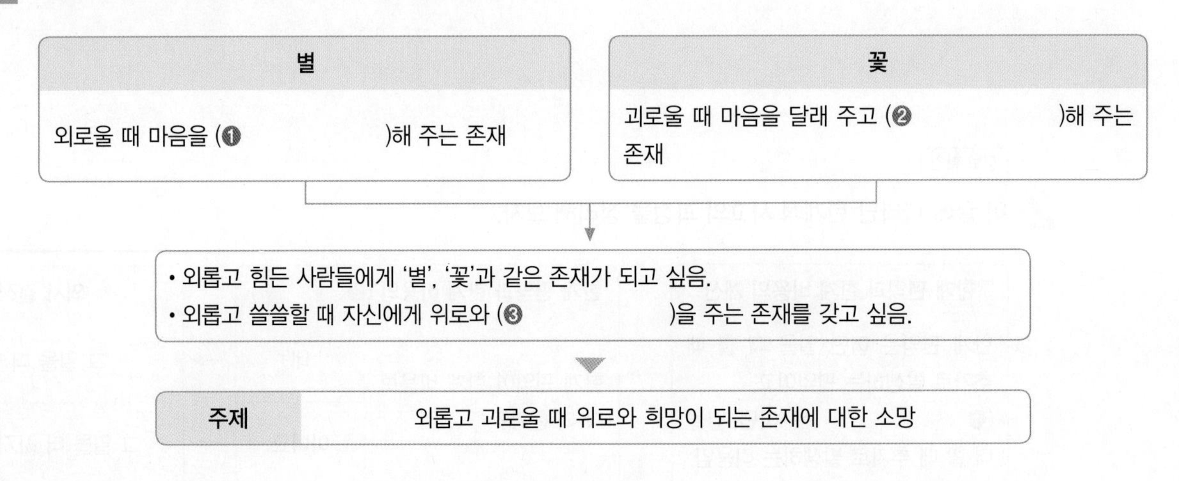

별	꽃
외로울 때 마음을 (❶)해 주는 존재	괴로울 때 마음을 달래 주고 (❷)해 주는 존재

- 외롭고 힘든 사람들에게 '별', '꽃'과 같은 존재가 되고 싶음.
- 외롭고 쓸쓸할 때 자신에게 위로와 (❸)을 주는 존재를 갖고 싶음.

주제	외롭고 괴로울 때 위로와 희망이 되는 존재에 대한 소망

시의 표현

3 이 시의 표현상 특징과 효과를 정리해 보자.

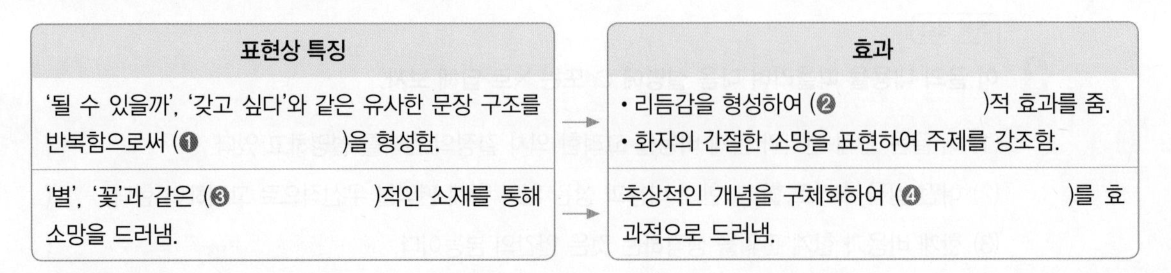

표현상 특징	효과
'될 수 있을까', '갖고 싶다'와 같은 유사한 문장 구조를 반복함으로써 (❶)을 형성함.	• 리듬감을 형성하여 (❷)적 효과를 줌. • 화자의 간절한 소망을 표현하여 주제를 강조함.
'별', '꽃'과 같은 (❸)적인 소재를 통해 소망을 드러냄.	추상적인 개념을 구체화하여 (❹)를 효과적으로 드러냄.

빛의 산란과 하늘 색

문단 요약

1 각 문단의 중심 내용을 정리해 보자.

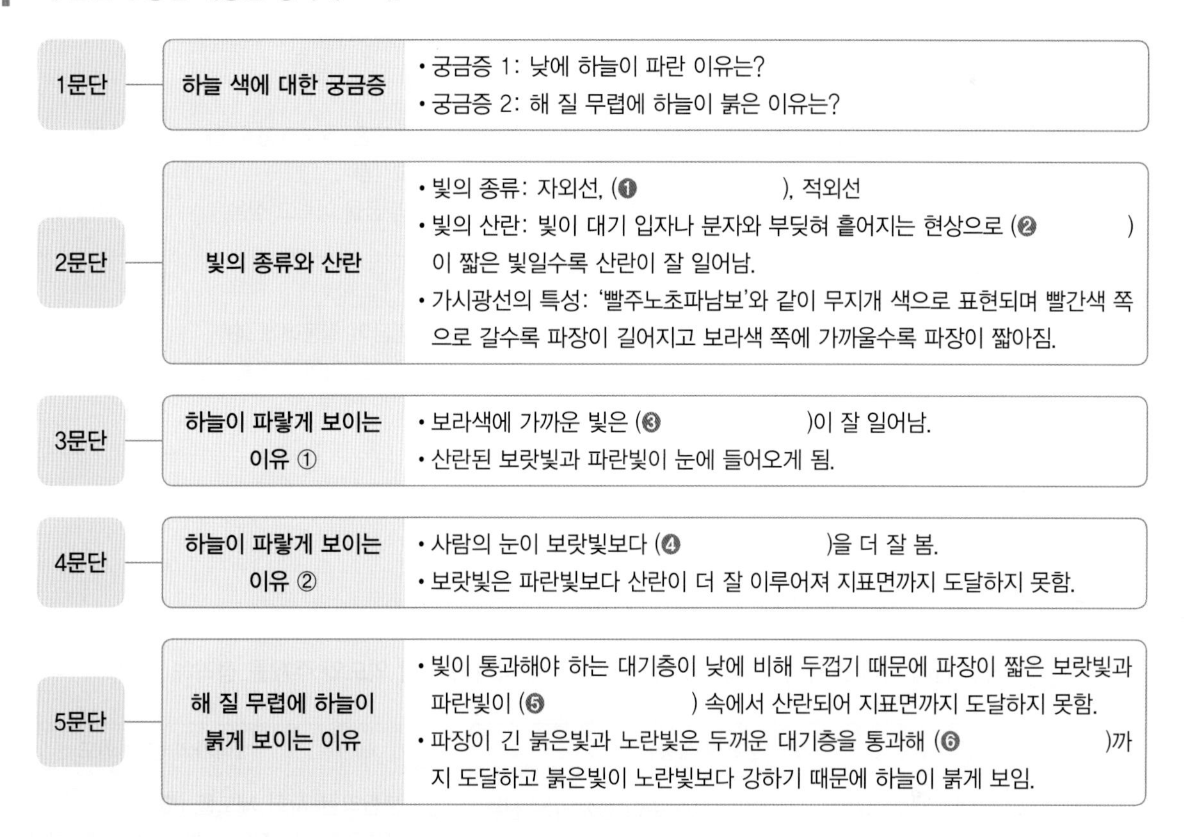

문단	중심 내용	세부 내용
1문단	하늘 색에 대한 궁금증	• 궁금증 1: 낮에 하늘이 파란 이유는? • 궁금증 2: 해 질 무렵에 하늘이 붉은 이유는?
2문단	빛의 종류와 산란	• 빛의 종류: 자외선, (❶), 적외선 • 빛의 산란: 빛이 대기 입자나 분자와 부딪혀 흩어지는 현상으로 (❷)이 짧은 빛일수록 산란이 잘 일어남. • 가시광선의 특성: ‘빨주노초파남보’와 같이 무지개 색으로 표현되며 빨간색 쪽으로 갈수록 파장이 길어지고 보라색 쪽에 가까울수록 파장이 짧아짐.
3문단	하늘이 파랗게 보이는 이유 ①	• 보라색에 가까운 빛은 (❸)이 잘 일어남. • 산란된 보랏빛과 파란빛이 눈에 들어오게 됨.
4문단	하늘이 파랗게 보이는 이유 ②	• 사람의 눈이 보랏빛보다 (❹)을 더 잘 봄. • 보랏빛은 파란빛보다 산란이 더 잘 이루어져 지표면까지 도달하지 못함.
5문단	해 질 무렵에 하늘이 붉게 보이는 이유	• 빛이 통과해야 하는 대기층이 낮에 비해 두껍기 때문에 파장이 짧은 보랏빛과 파란빛이 (❺) 속에서 산란되어 지표면까지 도달하지 못함. • 파장이 긴 붉은빛과 노란빛은 두꺼운 대기층을 통과해 (❻)까지 도달하고 붉은빛이 노란빛보다 강하기 때문에 하늘이 붉게 보임.

정보 확인

2 파장에 따른 가시광선의 특성을 정리해 보자.

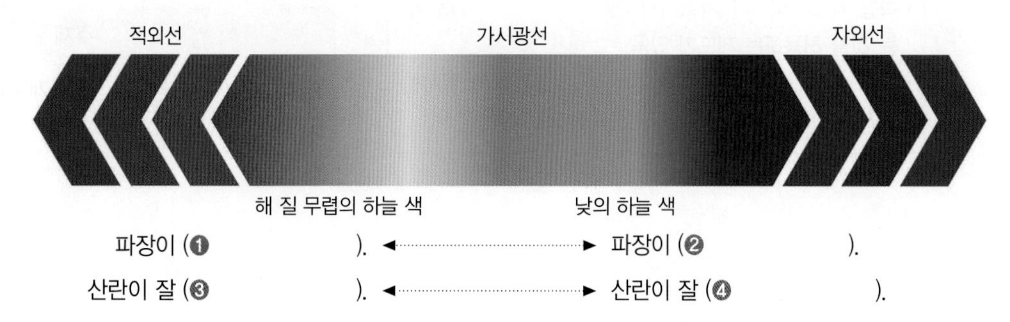

독해 점검

3 이 글의 내용을 떠올리며 다음 설명에 ○ 또는 ×로 답해 보자.

(1) 이 글은 시간에 따라 하늘 색이 변하는 까닭을 과학적으로 설명하고 있다. ( )

(2) 빛의 산란이 잘 일어나도 산란된 빛이 눈에 도달하지 못하면 그 빛을 볼 수 없다. ( )

(3) 낮에는 가시광선이 해 질 무렵에 비해 더 두꺼운 대기층을 통과하게 된다. ( )

14

홍길동전

인물의 갈등

1 이 소설에서 인물이 겪는 갈등을 정리해 보자.

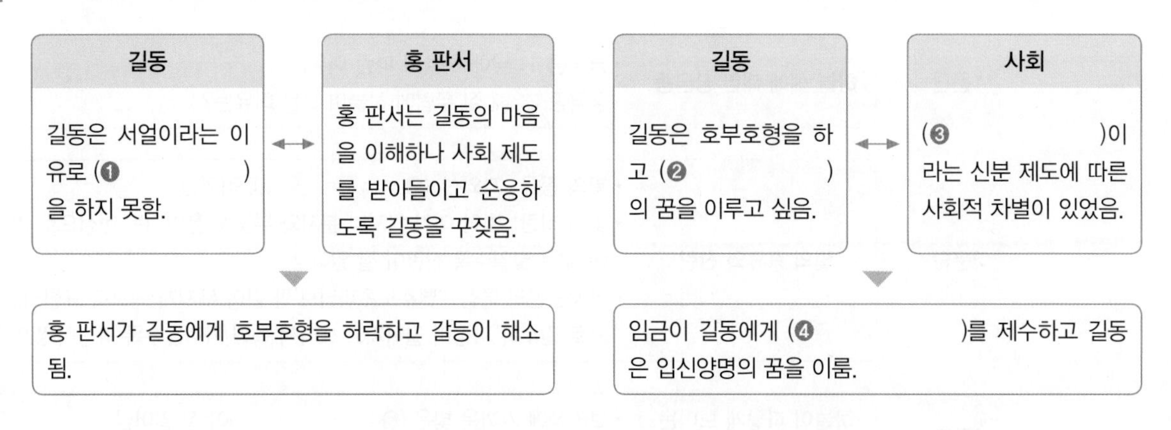

사회·문화적 상황과 주제

2 이 소설에 나타난 사회 · 문화적 상황을 바탕으로 작가의 창작 의도와 주제를 정리해 보자.

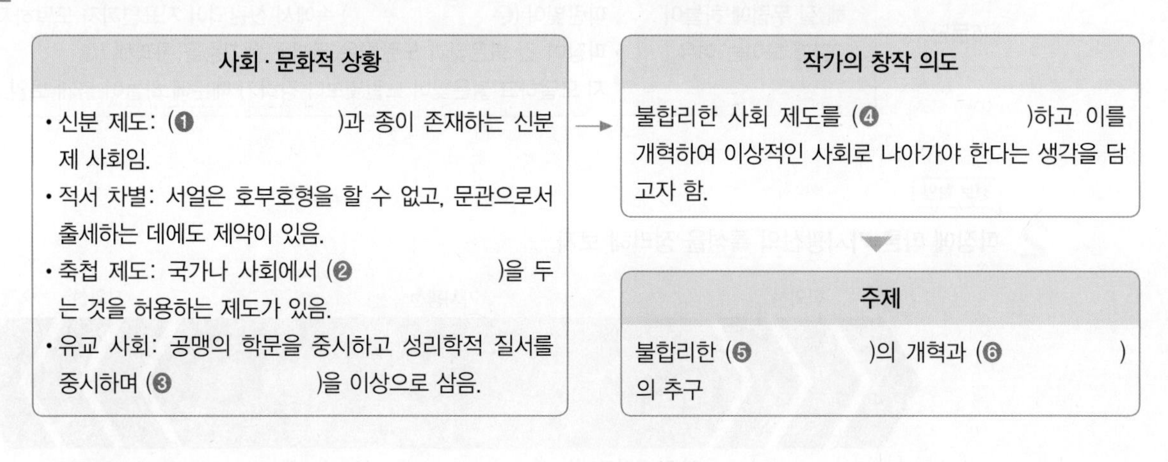

독해 점검

3 이 소설의 내용을 떠올리며 다음 설명에 ○ 또는 ×로 답해 보자.

(1) 이 소설은 사회 제도에 저항하는 실존 인물의 영웅적 일대기를 사실적으로 다루고 있다. ( )

(2) 길동에게 연민을 느끼지만 꾸지람을 한다는 점에서 홍 판서는 현실 순응적인 인물이다. ( )

(3) 길동은 조력자의 도움으로 사회 제도의 문제점을 해결하고 조선을 떠난다. ( )

풍력 발전기

문단 요약

1 각 문단의 중심 내용을 정리해 보자.

1문단	풍력 발전기의 개념과 작동 (❶)
2문단	풍력 발전기의 (❷)와 각 부분의 역할
3문단	풍력 발전기의 발전 (❸)을 높이는 요인
4문단	풍력 발전의 장점과 단점

정보 확인

2 풍력 발전기를 이루는 각 부분의 기능과 작동 원리를 정리해 보자.

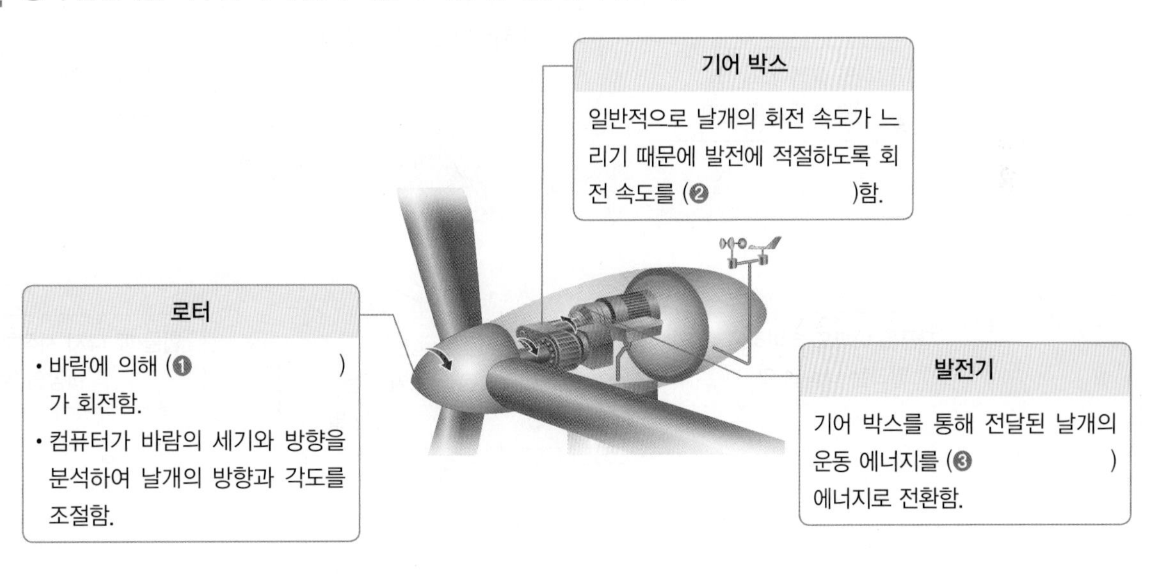

독해 점검

3 이 글의 내용을 떠올리며 다음 설명에 ○ 또는 ×로 답해 보자.

(1) 이 글은 해상 풍력 발전의 특징에 대해 실제 사례를 들어 설명하고 있다. ( )

(2) 풍력 발전의 효율을 높이기 위해서는 풍력 발전기의 위치 선정이 중요하다. ( )

(3) 풍력 발전기는 기기의 설치 장소에 따라 날개의 수를 다르게 적용한다. ( )

15

괜찮아

글쓴이의 깨달음

1 이 수필에서 글쓴이가 경험을 통해 깨달은 바를 정리해 보자.

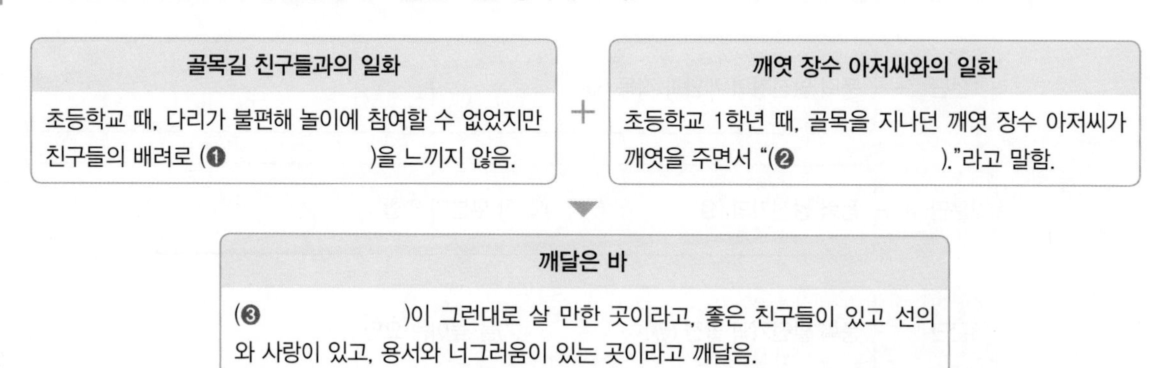

말의 의미

2 글쓴이가 해석한 '괜찮아'라는 말의 의미를 정리해 보자.

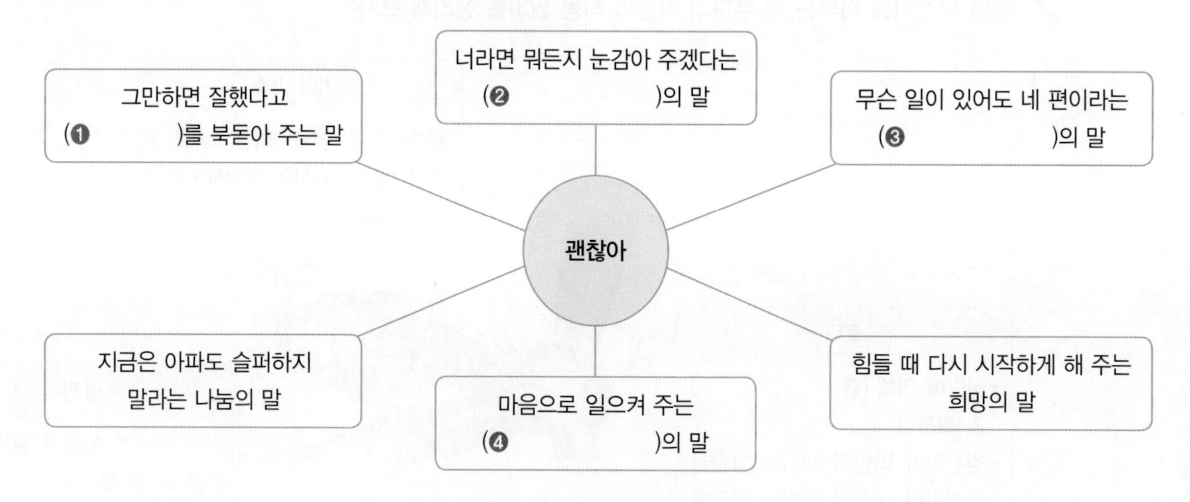

독해 점검

3 이 수필의 내용을 떠올리며 다음 설명에 ○ 또는 ×로 답해 보자.

(1) 이 수필은 '나'가 세상을 긍정적으로 바라보게 된 경험을 솔직하게 고백한 글이다. ( )

(2) '나'는 친구들과의 갈등을 극복하는 과정에서 정신적으로 성장할 수 있었다. ( )

(3) '나'는 깨엿 장수 아저씨가 자신에게 무엇을 말하려고 했는지 정확히 알게 되었다. ( )

바로크 건축

문단 요약

1 각 문단의 내용을 정리해 보자.

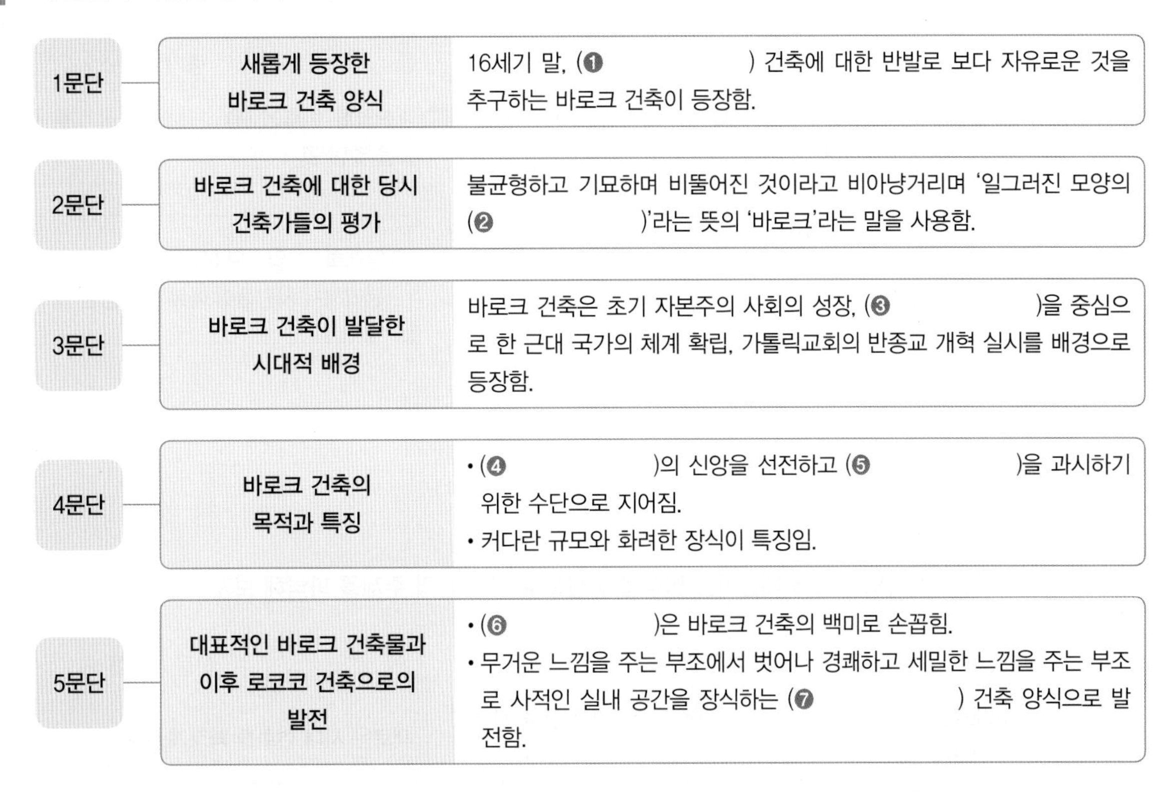

문단	내용	정리
1문단	새롭게 등장한 바로크 건축 양식	16세기 말, (❶) 건축에 대한 반발로 보다 자유로운 것을 추구하는 바로크 건축이 등장함.
2문단	바로크 건축에 대한 당시 건축가들의 평가	불균형하고 기묘하며 비뚤어진 것이라고 비아냥거리며 '일그러진 모양의 (❷)'라는 뜻의 '바로크'라는 말을 사용함.
3문단	바로크 건축이 발달한 시대적 배경	바로크 건축은 초기 자본주의 사회의 성장, (❸)을 중심으로 한 근대 국가의 체계 확립, 가톨릭교회의 반종교 개혁 실시를 배경으로 등장함.
4문단	바로크 건축의 목적과 특징	• (❹)의 신앙을 선전하고 (❺)을 과시하기 위한 수단으로 지어짐. • 커다란 규모와 화려한 장식이 특징임.
5문단	대표적인 바로크 건축물과 이후 로코코 건축으로의 발전	• (❻)은 바로크 건축의 백미로 손꼽힘. • 무거운 느낌을 주는 부조에서 벗어나 경쾌하고 세밀한 느낌을 주는 부조로 사적인 실내 공간을 장식하는 (❼) 건축 양식으로 발전함.

정보 확인

2 바로크 건축의 특징을 정리해 보자.

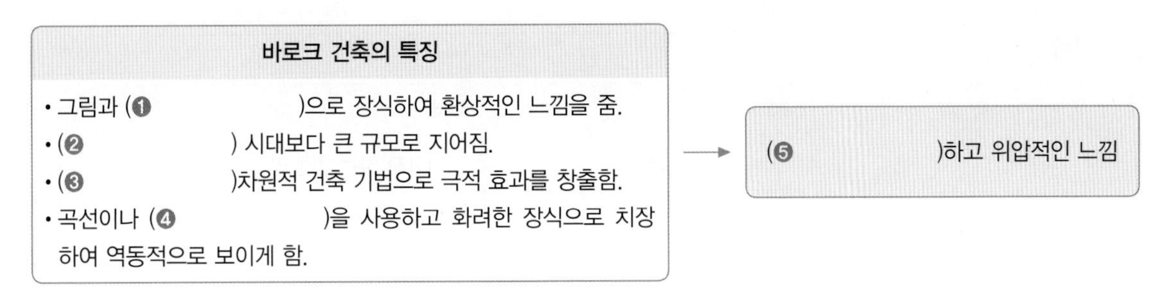

바로크 건축의 특징

• 그림과 (❶)으로 장식하여 환상적인 느낌을 줌.
• (❷) 시대보다 큰 규모로 지어짐.
• (❸)차원적 건축 기법으로 극적 효과를 창출함.
• 곡선이나 (❹)을 사용하고 화려한 장식으로 치장하여 역동적으로 보이게 함.

→ (❺)하고 위압적인 느낌

독해 점검

3 이 글의 내용을 떠올리며 다음 설명에 ○ 또는 ×로 답해 보자.

(1) 이 글은 바로크 건축의 발달 배경, 바로크 건축의 목적과 특징을 설명하고 있다. ………… ( )

(2) 바로크 건축은 종교 개혁을 옹호하고 교회의 신앙을 선전하기 위해 발달해 갔다. ………… ( )

(3) 바로크 건축은 직선을 즐겨 사용하여 경쾌하고 세밀한 느낌을 나타내었다. ………… ( )

16

코르니유 영감의 비밀

소재의 의미

1 이 소설에 나타난 중심 소재의 상징적 의미를 정리해 보자.

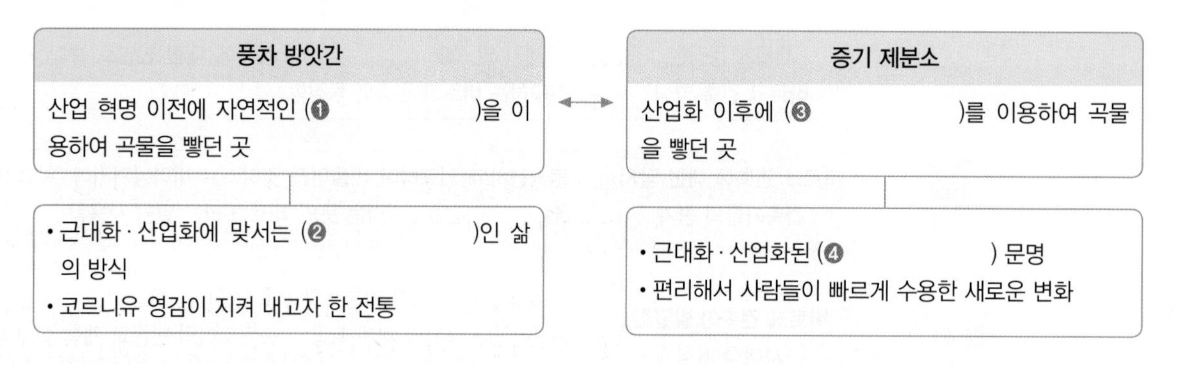

소설의 주제

2 인물이 시대의 변화에 대응하는 방식을 바탕으로 이 소설의 주제를 파악해 보자.

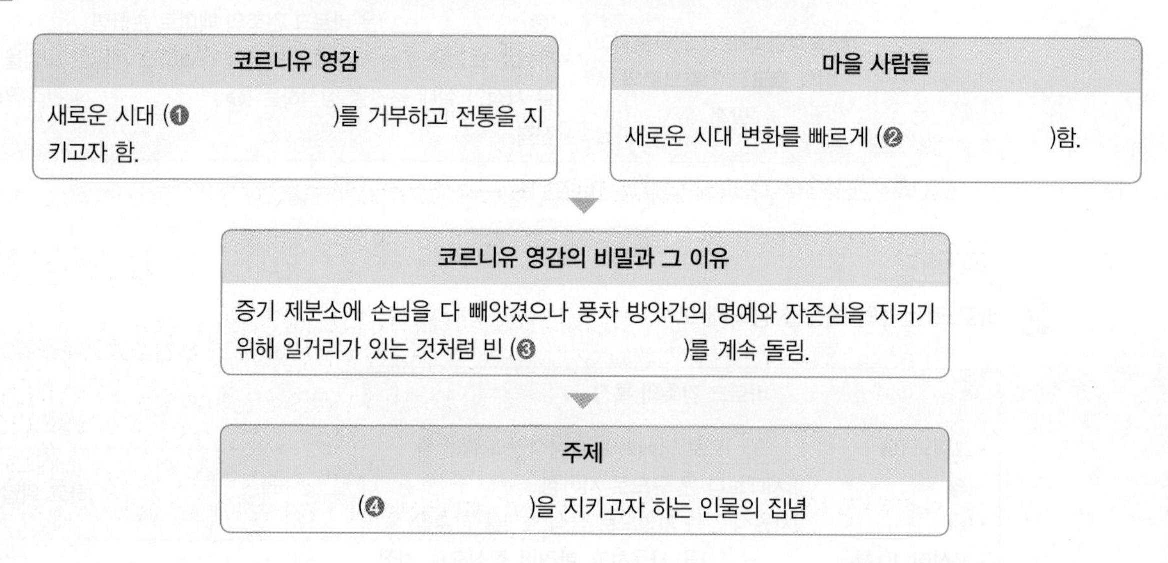

독해 점검

3 이 소설의 내용을 떠올리며 다음 설명에 ○ 또는 ×로 답해 보자.

(1) 이 소설은 시대의 변화에 맞서 전통을 지키려는 코르니유 영감의 집념을 그리고 있다. ( )

(2) 코르니유 영감이 세상을 떠난 뒤에도 풍차 방앗간의 전통은 지속되었다. ( )

(3) 서술자인 '나'는 코르니유 영감의 비밀이 사람들에게 알려진 것을 아쉽게 생각하였다. ( )

승정원일기

문단 요약

1 각 문단의 중심 내용을 정리해 보자.

문단	중심 내용	요약
1문단	『승정원일기』의 개념	유네스코가 인정한 세계 기록 유산 중의 하나로 승정원의 (❶) 임.
2문단	『승정원일기』의 가치 ①	조선 시대 국가 (❷)의 운영을 이해하는 데 도움이 됨.
3문단	『승정원일기』의 가치 ②	과거뿐만 아니라 오늘날의 (❸) 변화를 연구하는 데에도 귀중한 자료가 됨.
4문단	『승정원일기』의 의의	선조들의 (❹) 정신이 담겨 있는 자랑스러운 기록 유산임.

정보 확인

2 『승정원일기』의 가치를 정리해 보자.

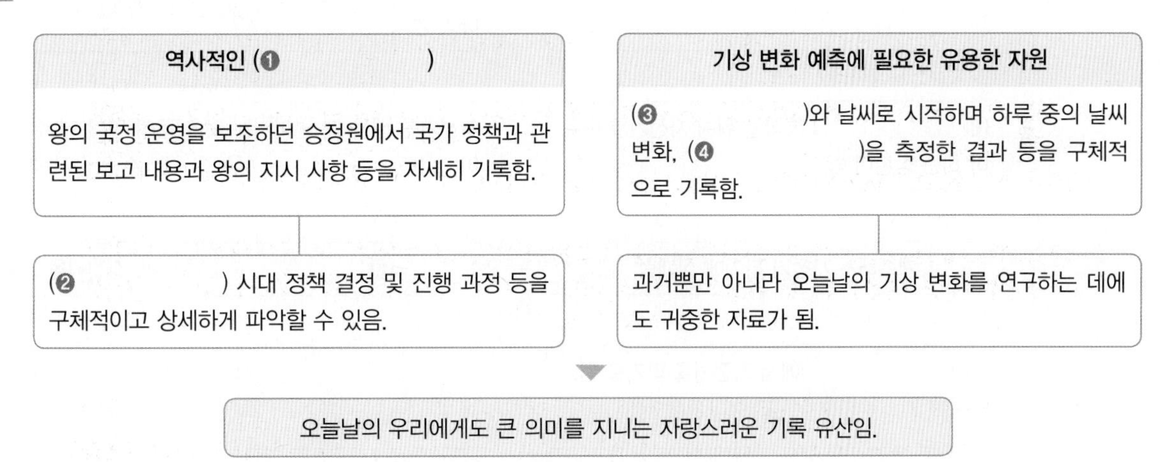

독해 점검

3 이 글의 내용을 떠올리며 다음 설명에 ○ 또는 ×로 답해 보자.

(1) 이 글은 『승정원일기』의 가치를 두 가지 측면에서 설명하고 있다. ( )

(2) 『승정원일기』를 통해 조선 시대 국가 정책의 운영 과정을 상세히 파악할 수 있다. ( )

(3) 『승정원일기』에는 날씨 변화의 원인을 과학적으로 분석한 내용이 실려 있다. ( )

17

어느 날 자전거가 내 삶 속으로 들어왔다

글쓴이의 깨달음

1 **이 수필에서 글쓴이가 경험을 통해 깨달은 바를 정리해 보자.**

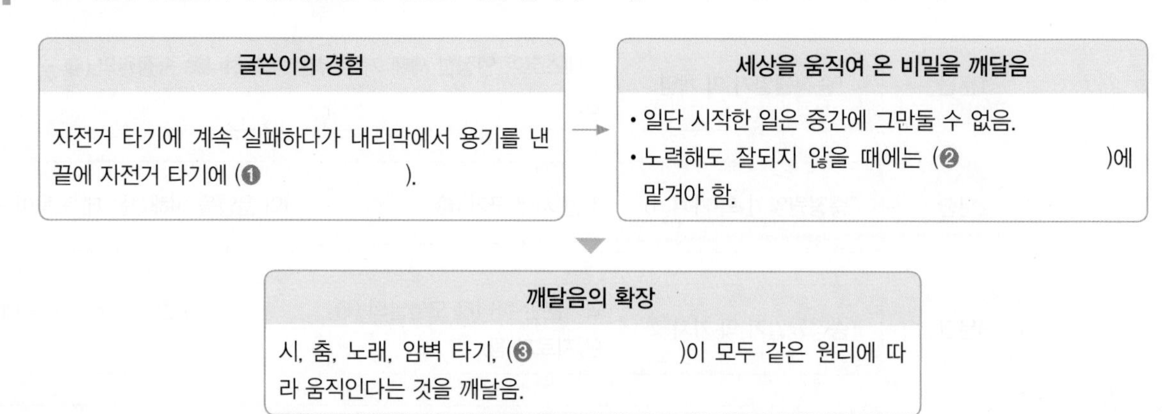

글쓴이의 심리

2 **자전거를 타는 과정에 따른 글쓴이의 심리를 정리해 보자.**

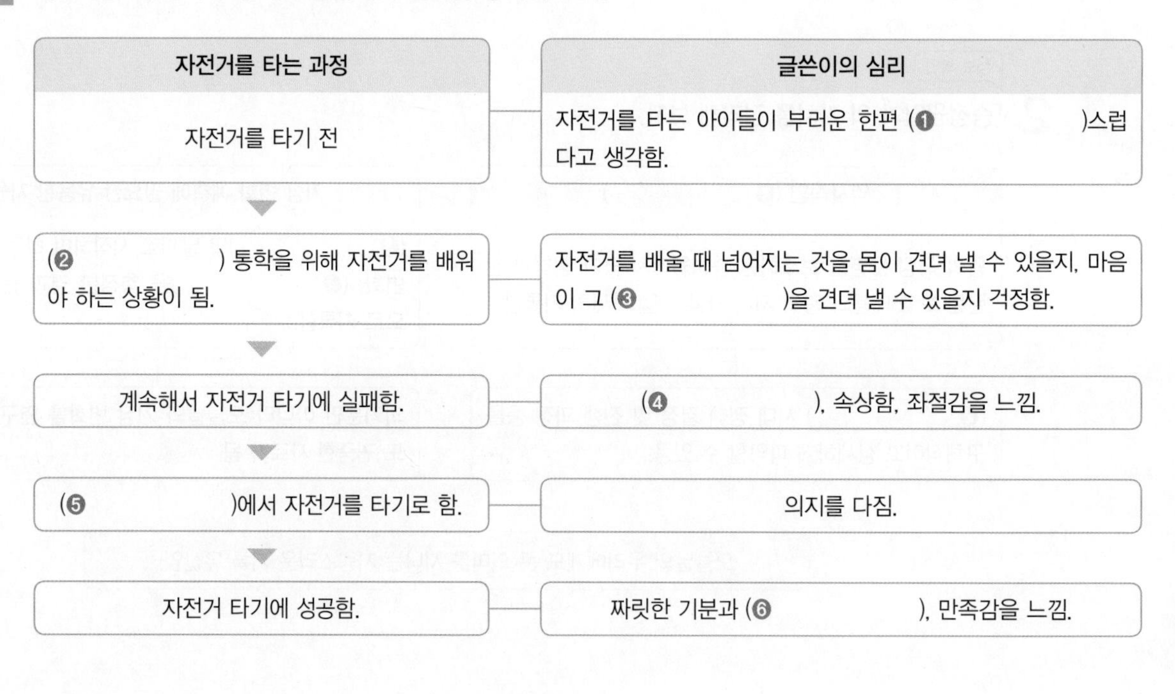

독해 점검

3 **이 수필의 내용을 떠올리며 다음 설명에 ○ 또는 ×로 답해 보자.**

(1) 이 수필에서 '나'는 자전거 타기라는 경험을 통해 세상을 살아가는 지혜를 깨달았다. ( )

(2) '나'는 아버지가 읍내로 출퇴근할 때 이용하는 자전거로 자전거 타기에 도전했다. ( )

(3) '나'는 세상의 이치에 대해 다 알게 되었다고 자신감을 드러내고 있다. ( )

다수결의 허점

문단 요약

1 각 문단의 중심 내용을 정리해 보자.

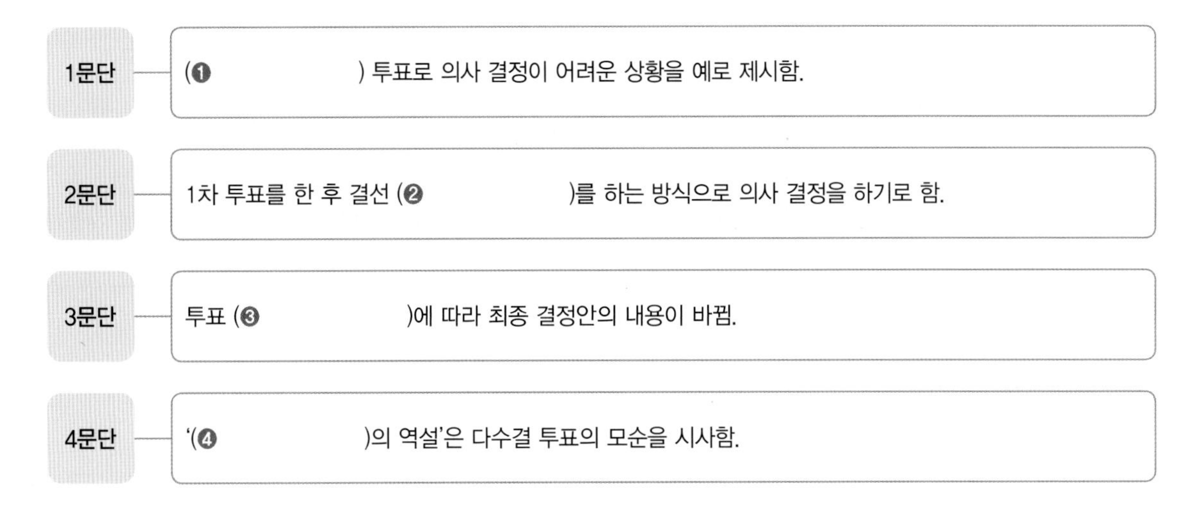

정보 확인

2 콩도르세의 역설에 대해 정리해 보자.

콩도르세의 역설	두 대안을 놓고 다수결 투표를 할 경우, A가 B를 이기고 B가 C를 이기면 당연히 A가 (❶) 를 이길 것으로 생각하기 쉽지만, C가 (❷)를 이기는 현상이 나타남.
시사점	다수결 투표가 반드시 사회 구성원의 (❸)를 반영한다고 확신하기 어려움.

독해 점검

3 이 글의 내용을 떠올리며 다음 설명에 ○ 또는 ×로 답해 보자.

(1) 이 글은 다수결 투표의 장점에 대해 설명하고 있다. ( )

(2) 투표 방법과 순서가 바뀌면 그에 따라 투표 결과가 달라질 수 있다. ( )

(3) 18세기 프랑스의 수학자 콩도르세는 다수결 투표의 허점에 대해 처음 지적하였다. ( )

들판에서

희곡의 내용

1 형과 아우의 갈등을 중심으로 이 희곡의 내용을 정리해 보자.

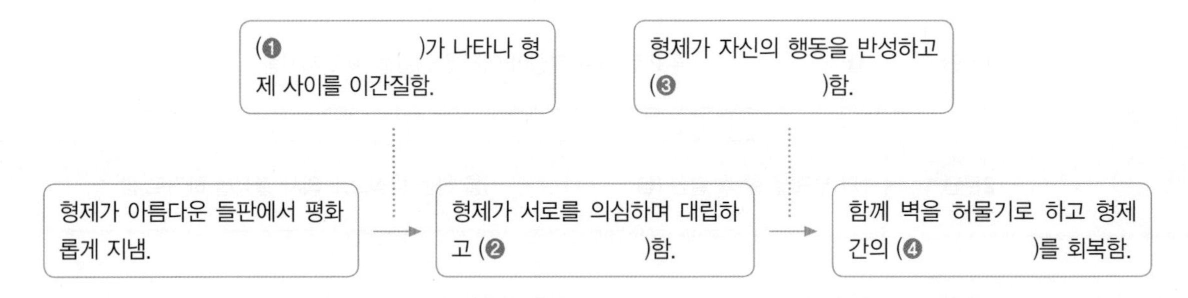

소재의 상징적 의미와 주제

2 주요 소재의 상징적 의미를 바탕으로 이 희곡의 주제를 정리해 보자.

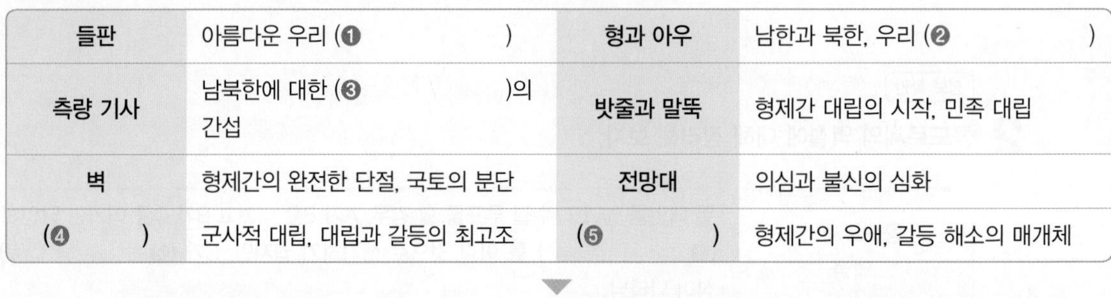

들판	아름다운 우리 (❶)	형과 아우	남한과 북한, 우리 (❷)
측량 기사	남북한에 대한 (❸)의 간섭	밧줄과 말뚝	형제간 대립의 시작, 민족 대립
벽	형제간의 완전한 단절, 국토의 분단	전망대	의심과 불신의 심화
(❹)	군사적 대립, 대립과 갈등의 최고조	(❺)	형제간의 우애, 갈등 해소의 매개체

주제	• 형제간의 (❻) 극복과 우애의 회복 • (❼) 상황에 대한 극복 의지

독해 점검

3 이 희곡의 내용을 떠올리며 다음 설명에 ○ 또는 ×로 답해 보자.

(1) 이 희곡은 형과 아우의 갈등을 통해 우리 민족의 분단 현실을 다룬 작품이다. ( )

(2) 형과 아우는 측량 기사가 처음 등장했을 때부터 그의 의도를 눈치채고 의심하였다. ( )

(3) 이 작품은 날씨 변화를 통해 사건의 전개 과정과 인물 간의 갈등 상황을 보여 주고 있다. ( )

피의 기능

문단 요약

1 각 문단의 중심 내용을 정리해 보자.

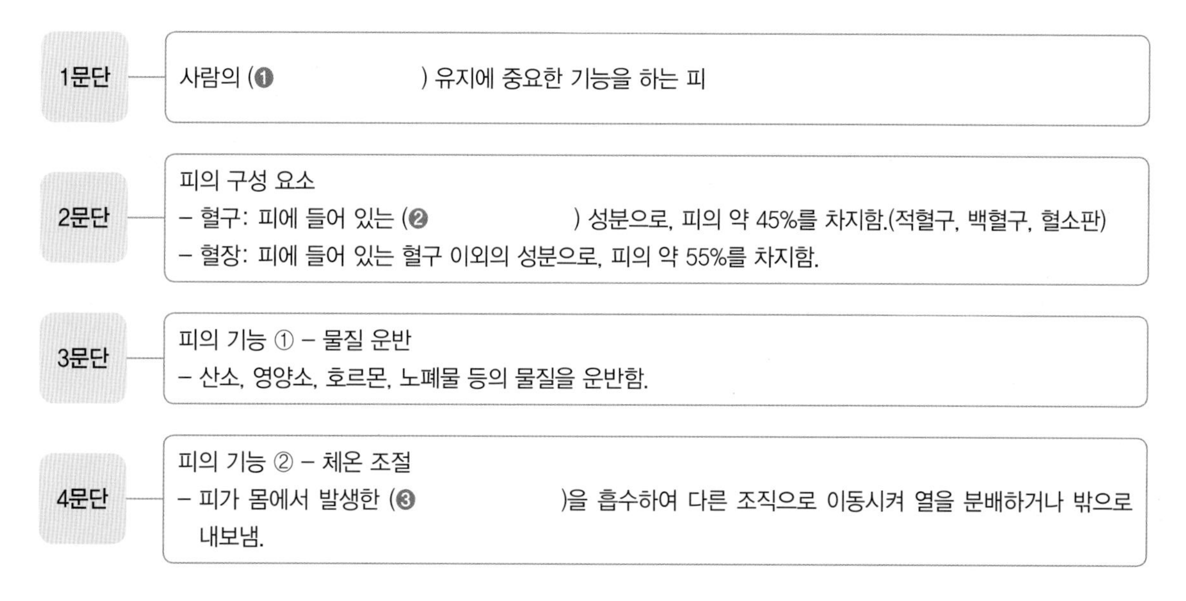

1문단	사람의 (❶) 유지에 중요한 기능을 하는 피
2문단	피의 구성 요소 – 혈구: 피에 들어 있는 (❷) 성분으로, 피의 약 45%를 차지함.(적혈구, 백혈구, 혈소판) – 혈장: 피에 들어 있는 혈구 이외의 성분으로, 피의 약 55%를 차지함.
3문단	피의 기능 ① – 물질 운반 – 산소, 영양소, 호르몬, 노폐물 등의 물질을 운반함.
4문단	피의 기능 ② – 체온 조절 – 피가 몸에서 발생한 (❸)을 흡수하여 다른 조직으로 이동시켜 열을 분배하거나 밖으로 내보냄.

정보 확인

2 피의 기능에 대해 정리해 보자.

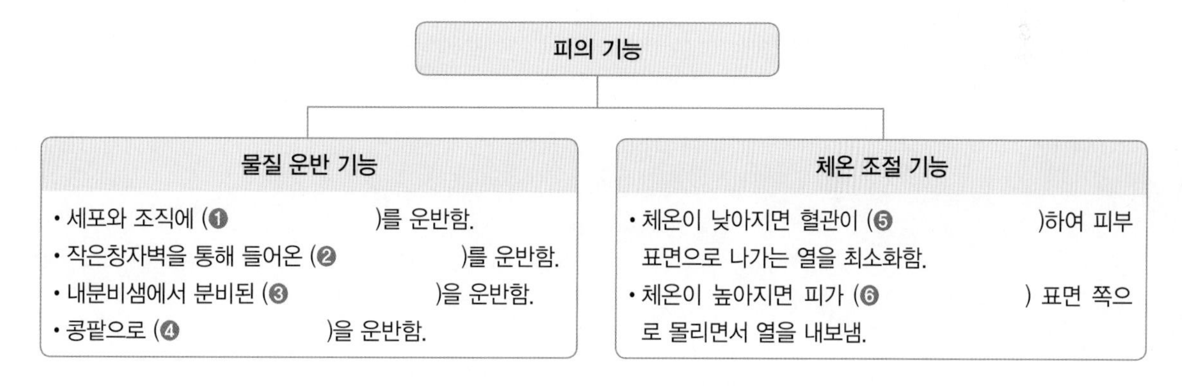

피의 기능

물질 운반 기능	체온 조절 기능
• 세포와 조직에 (❶)를 운반함. • 작은창자벽을 통해 들어온 (❷)를 운반함. • 내분비샘에서 분비된 (❸)을 운반함. • 콩팥으로 (❹)을 운반함.	• 체온이 낮아지면 혈관이 (❺)하여 피부 표면으로 나가는 열을 최소화함. • 체온이 높아지면 피가 (❻) 표면 쪽으로 몰리면서 열을 내보냄.

독해 점검

3 이 글의 내용을 떠올리며 다음 설명에 ○ 또는 ×로 답해 보자.

(1) 이 글은 인체의 구성 요소 중 하나인 피의 기능에 대해 설명하고 있다. ( )

(2) 피에 들어 있는 성분 때문에 피의 밀도는 물보다 높다. ( )

(3) 체온이 낮아질 때에는 혈관이 수축하여 핏속에 있는 열을 외부로 내보낸다. ( )

MEMO

정답과 해설

01

문학 동해 바다 - 후포에서 10~11쪽

1 ③ 2 ⑤ 3 ⑤

| 작품 해제 |

이 작품은 동해 바다를 바라보며 남에게는 엄격하고 자신에게는 너그러웠던 삶의 모습을 성찰하고, 남에게는 너그럽고 자신에게는 엄격한 삶을 살고 싶은 소망을 노래한 시이다. 화자는 1연에서 타인의 사소한 잘못을 크게 보는 모습을 잘고 단단한 '돌'에 비유하며 자신의 옹졸한 모습을 반성하고, 2연에서 '바다'와 같이 깊고 너그러운 모습을 지니고자 하는 의지를 드러내고 있다. 사람이 아닌 '바다'에 인격을 부여하여 표현하였으며, 시어 '돌'과 '바다'를 대조적으로 제시함으로써 화자의 자기반성과 새로운 삶의 태도에 대한 소망과 의지를 강조하고 있다.

| 주제 |

자신의 삶에 대한 성찰과 성숙한 삶에 대한 소망

1 답 ③

이 시는 주로 시각적 심상을 사용하여 자연물인 '돌', '바다'를 표현하고 있다.

| 오답 풀이 |

① '~처럼 ~ 없을까', '~로 ~면서'와 같이 비슷한 문장 구조를 반복하여 운율을 형성하는 한편, 화자가 닮고 싶어 하는 바다의 모습을 강조하여 드러내고 있다.
② '바다'를 너그럽고, 감싸고 끌어안고 받아들인다고 표현하는 등 바다에 인격적 속성을 부여하여 바다를 동경하는 화자의 소망을 구체적으로 표현하고 있다.
④ '돌'과 '바다'라는 대조적 의미의 시어를 사용하여 자신의 삶에 대한 성찰과 성숙한 삶에 대한 소망이라는 주제를 형상화하고 있다.
⑤ '-ㄹ까'와 같이 물음이나 추측을 나타내는 어미를 반복 사용하여 '동해 바다'처럼 너그럽고, 감싸고 끌어안고 받아들이는 삶의 자세를 강조하고 있다.

2 답 ⑤

이 시와 〈보기〉의 화자는 자신에 대한 성찰과 더불어 올바른 삶에 대한 소망을 드러내고 있다.

| 오답 풀이 |

① 이 시와 〈보기〉의 화자 둘 다 독백조로 시상을 전개하고 있다.
② 이 시와 〈보기〉의 화자는 '나'로 작품에 직접 드러나 있다. 이 시는 '내게는 너그러워지나 보다'에서, 〈보기〉는 '나는 괴로워했다.'에서 화자를 찾을 수 있다.
③ 이 시와 〈보기〉의 화자 둘 다 자연과 함께 더불어 사는 삶의 중요성에 대해 강조하고 있지 않다.
④ '모든 죽어 가는 것'과 같이 억압받는 것들을 사랑하며 살아가는 삶을 희망하는 것은 〈보기〉의 화자에 해당하는 설명이다.

3 답 ⑤

㉠에는 잘못의 크기를 '티끌'에서 '맷방석', '동산'과 같이 점차 큰 이미지로 표현하는 점층법이 사용되었다. ⑤에서도 '눈'을 '떨어진 눈', '마당 위에 떨어진 눈'과 같이 점차 구체적으로 표현하면서 '눈은 살아 있다'라는 표현을 반복하여 눈의 생명력을 강조하고 있다.

| 오답 풀이 |

① 임을 그리워하는 화자의 정서에 비추어 볼 때 '잊었노라'에는 실제로 화자가 임을 잊지 못한다는 뜻을 강조하기 위해 속마음과는 반대로 표현한 반어법이 사용되었다.
② 사람이 아닌 '햇발'과 '샘물'을 각각 사람처럼 속삭이고 웃음 짓는다고 표현한 의인법이 사용되었다.
③ '해야 솟아라'라는 같은 어구를 되풀이하는 반복법을 통해 운율을 형성하고, 소망을 강조하였다.
④ '고양이의 털'을 '꽃가루'에 직접 빗대어 표현한 직유법이 사용되었다. 직유법은 '~같이, ~처럼, ~듯이'와 같은 연결어를 사용해 원관념과 보조 관념을 직접 빗대어 표현한다.

비문학 공자의 사상 12~13쪽

1 ② 2 ③ 3 ③

| 지문 해제 |

공자가 주장한 유교의 핵심 사상을 설명한 글이다. 유교는 유가라 불리며 중국의 춘추 전국 시대에 등장한 사상으로, 유가의 창시자인 공자는 예법과 절도를 중요하게 여겼다. 공자는 예법 뒤에 숨은 도덕의 본질인 '인'과 '예'를 깨달아 실천할 것을 주장하였다. 이때 '인'은 옳고 그름을 따져서 사람을 사랑하는 것이고 '예'는 남을 배려하며 자신의 위치와 주제를 잘 파악하는 것이다. 공자는 혼란한 시대에 인과 예의 회복만이 무너진 세상의 질서를 회복할 것이라고 주장하였고 이러한 그의 사상은 유교의 핵심 정신이 되어 현재까지 영향을 미치고 있다.

| 주제 |

공자가 주장한 유교의 핵심 사상

출전 안광복, 『철학, 역사를 만나다』(어크로스, 2017)

1 답 ②

1문단에서 처음부터 유교가 중국 문화의 핵심 사상이었던 것은 아니라고 하였으므로 유교가 등장부터 중국 문화의 핵심 사상으로 자리 잡아 영향을 미쳤다는 설명은 이 글의 내용과 일치하지 않는다.

| 오답 풀이 |

①, ③ 2문단에서 확인할 수 있다.
④ 1문단에서 확인할 수 있다.
⑤ 5문단에서 확인할 수 있다.

2 답 ③

〈보기〉에서 공자의 가르침은 한나라의 시대적 요구에 적당한 사상이라고 하였다. 따라서 공자의 사상을 실천하는 사람이 지도자로 인정을 받았겠다는 유추는 적절하다. 하지만 3문단에서 공자의 '인'은 옳고 그름을 따져서 사람을 사랑함을 의미하는 것이라고 하였으므로 무조건적으로 사람을 사랑하는 것이 '인'이라는 설명은 적절하지 않다.

| 오답 풀이 |

① 〈보기〉에서 한나라는 시대적으로 무력이 아닌, 문치를 위한 사상이 필요했는데 이에 적당한 사상이 공자의 가르침이라고 하였다. 4문단에서 공자는 사회 질서 회복을 위해서는 윽박지름과 폭력이 아니라 인과 예를 회복해야 한다고 하였으므로 이를 통해 유추할 수 있다.

② 〈보기〉에서 평화로울 때는 무력이 아닌 문치가 필요하며 이에 적당한 사상이 공자의 가르침임을 알 수 있다. 3문단에서 공자는 도덕의 본질을 깨달아 이를 실천하기 위해 애썼다고 하였으므로 이를 통해 유추할 수 있다.

④ 〈보기〉에서 백성의 삶을 올곧게 잡아 줄 수 있는 사상은 공자의 가르침이라고 하였다. 4문단에서 공자는 윗사람이 먼저 솔선수범하여 인을 쌓고 예를 세운다면 아랫사람은 이를 흔쾌히 따를 것이며, 갈등과 다툼이 사라지고 모두가 하나 되는 평온한 세상이 될 것이라고 하였으므로 이를 통해 유추할 수 있다.

⑤ 4문단에서 진정한 존경은 마음에서 우러나온다고 하였고, 〈보기〉에서 공자의 사상은 민중의 자발적 복종을 유도하는 효과가 있었다고 하였으므로 이를 통해 유추할 수 있다.

3 답 ③

'극기복례(克己復禮)'는 자기의 욕심을 누르고 예의범절을 따름을 뜻하는 말이므로 '예'를 강조한 공자의 사상을 드러내기에 적절하다.

| 오답 풀이 |

① 부국강병(富國强兵): 나라를 부유하게 하고, 군대를 강하게 함. 또는 그 나라나 군대.

② 안빈낙도(安貧樂道): 가난한 생활을 하면서도 편안한 마음으로 도를 즐겨 지킴.

④ 겸양지덕(謙讓之德): 겸손한 태도로 남에게 양보하거나 사양하는 아름다운 마음씨나 행동.

⑤ 온고지신(溫故知新): 옛것을 익히고 그것을 미루어서 새것을 앎.

어휘 학습 14쪽

1 절도	2 본질	3 자애	4 솔선수범
5 예법	6 유구하다	7 제자백가	8 혼란
9 난세	10 잘다		

1 생활 태도로서 지켜야 하는 기준이 되는 것이므로 일이나 행동 따위를 정도에 알맞게 하는 규칙적인 한도를 뜻하는 '절도'가 적절하다.

2 소설을 읽고 삶 자체가 지닌 성질에 대한 깨달음을 얻었다는 것이므로 본디부터 가지고 있는 사물 자체의 성질이나 모습을 뜻하는 '본질'이 적절하다.

3 선생님의 눈빛에 애정이 담겨 있다는 것이므로 아랫사람에게 베푸는 도타운 사랑을 뜻하는 '자애'가 적절하다.

4 자식을 가르치려면 먼저 본보기가 되어야 한다는 것이므로 남보다 앞장서서 행동해서 몸소 다른 사람의 본보기가 됨을 뜻하는 '솔선수범'이 적절하다.

8 '혼동'은 구별하지 못하고 뒤섞어서 생각함을 뜻한다.

9 '치세'는 잘 다스려져 화평한 세상을 뜻하는 말로 '난세'의 반의어이다.

10 '조그맣다'는 '조그마하다'의 준말로 '조금 작거나 적다.', '그리 대단하지 아니하다.'를 뜻한다.

배경지식 15쪽

1 ○ 2 ×

2 시황제는 법가 사상을 바탕으로 나라의 기틀을 다졌고, 법가 외의 다른 사상은 배척하고 탄압하였다.

02

문학 **동백꽃** 16~19쪽

1 ② 2 ③ 3 ④ 4 ④ 5 ③ 6 ④

| 작품 해제 |

이 작품은 산골 마을을 배경으로 하여 어수룩하고 순박한 '나'와 당돌하고 적극적인 점순이의 사랑 이야기를 다룬 소설이다. 주요 사건인 감자 사건과 닭싸움 사건을 역순행적 구성으로 보여 주고 있다. 점순이의 호감을 이해하지 못하는 순박한 '나'의 모습이 독자들에게 웃음을 자아낸다. 소설의 마지막까지 '나'는 점순이의 행동과 말을 이해하지 못하지만 점순이에게 떠밀려 노란 동백꽃 속에 파묻히면서 미묘한 감정의 변화를 느끼게 된다. 제목이기도 한 동백꽃은 작품의 서정성을 높이고, 산골 마을 남녀의 순박한 사랑의 배경으로 작용하여 독자들이 낭만적인 분위기를 느끼게 한다.

| 주제 |

산골 마을 남녀의 순박한 사랑

1 답 ②

"이놈의 계집애가 까닭 없이 기를 복복 쓰며 나를 말려 죽이려고 드는 것이다."라고 생각한 것으로 보아 점순이가 화를 내는 이유를 알지 못하고 있음을 알 수 있다. 그러나 점순이는 자신이 내민 감자를 거절한 '나'에게 화가 나서 '나'를 괴롭히기 시작한 것이므로 이유 없이 점순이가 '나'를 괴롭힌 것은 아니다.

| 오답 풀이 |

① "즈이는 마름이고 우리는 그 손에서 배재를 얻어 땅을 부치므로 일상 굽실거린다."에서 알 수 있다.

③ "설혹 주는 감자를 안 받아먹은 것이 실례라 하면, 주면 그냥 주었지 "느 집엔 이거 없지?"는 다 뭐냐."에서 알 수 있다.

④ "우리가 이 마을에 처음 들어와 집이 없어서 곤란으로 지낼 제 집터를 빌리고 그 위에 집을 또 짓도록 마련해 준 것도 점순네의 호의였다."에서 알 수 있다.

⑤ "열일곱씩이나 된 것들이 수군수군하고 붙어 다니면 동리의 소문이 사납다고 주의를 시켜 준 것도 또 어머니였다."에서 알 수 있다.

2 답 ③

'나'에게 관심을 보이는 점순이의 행동을 눈치채지 못하고 "이놈의 계집애가 미쳤나 하고 의심하였다."라고 생각하는 것(㉠)과 점순이가 자신의 마음을 표현하며 건네준 감자를 '나'가 받지 않자 이에 화가 난 점순이의 마음을 이해하지 못한 채 "이놈의 계집애가 까닭 없이 기를 복복 쓰며 나를 말려 죽이려고 드는 것이다."라고 생각하는 것(㉤)이 독자에게 웃음을 유발하는 해학적인 부분이다.

| 오답 풀이 |

㉡은 점순이의 말을 그대로 옮긴 것이며, ㉢은 호의를 거절당한 점순이가 화가 난 장면이다. ㉣은 '나'의 집과 점순네의 인연에 대한 서술이다.

3 답 ④

점순이가 '나'에게 주려고 가져온 감자는 '나'에 대한 점순이의 호감과 애정을 표현하는 소재이다.

| 오답 풀이 |

① 작품 전체에서 낭만적인 분위기를 환기하는 소재는 '동백꽃'으로 이 글에서는 확인할 수 없다.

② 점순이가 '나'에게 호감을 표현하는 것으로 보아 당돌하고 적극적인 성격임을 알 수 있다.

③ '나'는 소작인의 아들이고 점순이는 마름의 딸이며, 점순이가 나에게 "느 집엔 이거 없지?"라고 하며 감자를 건네는 것으로 보아 '나'의 가정 형편이 넉넉하지 않음을 알 수 있다.

⑤ '나'는 자신에게 감자를 주는 점순이의 행동이 자신에 대한 호감의 표현임을 이해하지 못한다. 오히려 점순이가 감자로 생색을 낸다고 생각하며 감자를 거절하는데, 이는 '나'와 점순이의 갈등이 일어나는 계기가 된다.

4 답 ④

"고추장을 좀 더 먹였더라면 좋았을 걸, 너무 급하게 쌈을 붙인 것이 퍽 후회가 난다."에서 (ㄷ)의 사건이 가장 먼저 일어났음을 알 수 있다. 이후 오늘 아침에서야 겨우 회복한 '나'의 수탉을 다시 점순이가 홰에서 꺼내어 또 싸움을 붙이자(ㄴ), 화가 난 '나'가 점순네 닭을 단매에 때려죽이게 되며(ㄹ), 점순네 닭을 죽인 후 불안하고 걱정스러워진 '나'는 점순이 앞에서 눈물을 보인다(ㄱ). 그런 후 '나'는 점순이의 말을 따르기로 하고 화해한 '나'와 점순이는 동백꽃 속으로 넘어지게 된다(ㅁ).

5 답 ③

이 글에서 '동백꽃'은 산골 마을의 향토적인 분위기와 순수한 사랑에 대한 서정적인 분위기를 형성한다(ㄴ). 또한 점순이와 '나'의 갈등이 해소되는 장면의 배경으로 사용된 동백꽃은 '나'와 점순이 사이에 싹트는 사랑의 감정을 감각적으로 표현하여 산골 남녀의 사랑이라는 주제를 부각한다(ㄷ).

| 오답 풀이 |

ㄱ. '나'에 대한 점순이의 호감을 전달하는 소재는 '감자'이다.

ㄹ. 노란 동백꽃 속에 파묻힌 '나'가 알싸하고 향긋한 냄새에 땅이 꺼지는 듯 정신이 아찔하였다는 묘사는 감각적이고 구체적이지만 이러한 묘사가 인물의 성격을 극대화하고 있지는 않다.

6 답 ④

〈보기〉를 통해 두 인물의 갈등은 '나'가 점순이의 감자를 거절한 일에서 시작된 것임을 알 수 있다. 감자는 '나'에 대한 점순이의 호감, 호의를 드러내는 소재이다.

비문학 공유 경제 20~21쪽

1 ⑤ 2 ⑤ 3 ⑤

| 지문 해제 |

공유 경제의 개념과 특징에 대해 설명한 글이다. 공유 경제는 개인의 재화를 서로 공유함으로써 효율적으로 사용하는 경제 행위와 시스템을 말한다. 공유 경제의 개념은 예전부터 존재해 왔지만, 정보 통신 기술의 발달로 근래 들어 숙박, 자동차 등 다양한 분야로 확대되고 있다. 공유 경제는 자원을 효율적으로 배분해 준다는 장점이 있지만, 정부의 관리와 규제의 사각지대에 놓이는 비공인 사업자가 출현할 수 있고, 내수 경제에 부정적인 영향을 줄 수 있다는 문제점이 있다. 그러나 공유 경제의 확산은 막을 수 없는 시대적 흐름이므로 공유 경제의 성격을 정확히 이해하고 부작용을 최소화하면서 공유 경제를 발전시켜 나갈 필요가 있다.

| 주제 |

공유 경제의 개념 및 특징

출전 한국은행, 『가족과 함께 읽는 경제 교실』(2020)

1 답 ⑤

4문단에서 집을 구입해서 숙박업에 사용하는 비공인 숙박업자들은 비어 있는 여유 공간을 나눠 쓴다는 공유 경제의 취지에 어긋난다고 하였다.

| 오답 풀이 |

① 2문단에서 언급한 도서관의 사례에서도 알 수 있듯이 정보 통신 기술이 발달하기 이전부터 공유 경제라는 개념이 있었다.

② 이 글에 공유 경제의 발전을 위해 정부의 관리와 규제를 줄여야 한다는 내용은 나타나 있지 않다. 오히려 4문단에서 공유 경제를 이용하는 비공인 사업자들은 기존 사업자들과 달리 정부의 관리와 규제의 사각지대에 놓일 수 있다는 점을 공유 경제의 문제점으로 지적하고 있다.

③ 5문단에서 2025년에는 전 세계 공유 경제 산업의 매출 규모가 3,350억 달러에 이를 것이라고 예측할 정도로 그 규모가 매우 빠르게 성장하고 있다고 하였다. 그러나 이에 부정적인 입장을 취하는 사람들이 늘어난다는 내용은 나타나 있지 않다.

④ 2문단에 공유 경제가 필요 이상으로 많은 물건이 생산되고 폐기되는 문제를 줄일 수 있다는 내용은 있지만, 이 글 전체에 공유 경제가 어떤 이유로 시작되었는지는 언급되지 않았다.

2 답 ⑤

〈보기〉에서 중고 거래에 참여하는 거래 당사자 모두는 경제적 이익을 얻을 수 있다고 하였다. 또한 1문단에서 A와 B가 서로의 집에 숙박함으로써 둘 다 비용을 절감할 수 있다고 하였으므로 중고 거래와 공유 경제는 모두 경제 행위에 참여하는 주체들에게 도움이 된다고 할 수 있다.

| 오답 풀이 |

① 2문단에서 공유 경제는 필요 이상으로 많은 물건이 생산되고 폐기되는 문제를 줄일 수 있어 환경친화적이라고 하였다. 〈보기〉의 중고 거래도 사용하지 않는 물건을 폐기하지 않고 거래를 통해 다시 사용하게 하는 활동이므로 환경친화적인 경제 활동이라고 할 수 있다.

② 2문단에서 공유 경제는 자원을 더 효율적으로 배분하는 시스템이라고 하였다. 중고 거래 역시 구매자는 물건을 싸게 구입하는 것이고 판매자는 사용하지 않는 물건을 팔아 다른 사람이 그 물건을 이용하게 하는 것이므로 자원을 효율적으로 배분하는 시스템이라고 할 수 있다.

③ 4문단에서 공유 경제가 확대되어 사람들의 소비가 줄면 내수 경제에 부정적인 영향을 준다고 하였다. 〈보기〉의 중고 거래도 사람들의 소비를 줄이는 것이므로 내수 경제에 부정적인 영향을 줄 수 있다.

④ 3문단에서 정보 통신 기술의 발달로 공유 경제가 발달하게 되었다고 하였으며, 〈보기〉에서도 중고 거래의 확산이 스마트폰 앱의 발달과 관계가 있다고 하였다.

3 답 ⑤

'예측(豫測)'은 미리 헤아려 짐작함을 뜻하는 말이다. 제시된 설명은 '예비(豫備)'의 뜻에 해당한다.

어휘 학습 22쪽

1 무궁무진	2 하릴없이	3 할금할금	4 사각지대
5 마름	6 재화	7 알싸하다	8 수작
9 구비	10 취지		

8 '동작'은 '몸이나 손발 따위를 움직임. 또는 그런 모양'을 뜻한다. '수작'은 남의 말이나 행동, 계획을 낮잡아 이르는 말이다.

9 '구비'는 있어야 할 것을 빠짐없이 다 갖춤을 뜻하고, '미비'는 아직 다 갖추지 못한 상태에 있음을 뜻한다.

10 '논지'는 논하는 말이나 글의 취지를 의미하고, '취지'는 어떤 일의 근본이 되는 목적이나 긴요한 뜻을 의미한다. '논지'는 말이나 글에서 쓰인다는 점에서 '취지'와는 그 쓰임이 다르다.

배경지식 23쪽

1 ○ 2 ×

2 김유정의 소설은 농촌의 궁핍한 삶의 현실을 따뜻한 시선으로 그려 냄으로써 가난한 농민에 대한 동정과 연민이 드러난다.

03

문학 고래를 위하여 24~25쪽

1 ④ 2 ③ 3 ②

| 작품 해제 |

이 작품은 상징적인 시어를 통해 청년들이 꿈과 이상을 향해, 사랑하며 살아가기를 바라는 마음을 표현한 시이다. 이 시는 '~면 ~ 아니지'와 같은 유사한 문장 구조와 '바라본다'와 같은 동일한 시어의 반복을 통해 리듬감을 형성하고 있으며, '고래를 위하여'를 반복하여 주제를 강조하고 있다. 시각적 이미지를 활용하여 푸른 바다가 주는 시원한 느낌과 그 안에서 움직이는 고래의 역동적인 느낌이 잘 드러나는 이 작품은 꿈과 이상을 추구하는 삶의 태도에 대해 생각하게 해 주는 시이다.

| 주제 |

청년들이 이상을 추구하며 사랑하는 마음을 지니고 살아가기를 바람.

1 답 ④

'바다, 고래'는 푸른색, '별'은 노란색 등으로 시어에 색채 이미지가 드러나고 있기는 하지만 이를 대비하여 대상의 특징을 드러내고 있는 것은 아니다.

| 오답 풀이 |

① '푸른 바다, 고래, 밤하늘, 별들, 바라본다' 등을 통해 이 시의 주된 심상은 시각적 심상임을 알 수 있다.
② 1연에서 화자가 마음속에 푸른 바다의 고래 한 마리를 키우기를 바라며, 그렇지 않으면 청년이 아니라고 한 것으로 보아 이 시의 청자는 청년임을 알 수 있다.
③ '~면 ~ 아니지'라는 문장 구조를 반복하여 운율을 형성하고 있다.
⑤ 청년들이 꿈과 희망을 추구하며 사랑하면서 살아가기를 바라는 마음을 '푸른 바다', '고래', '별' 등의 상징적 시어를 통해 나타내고 있다.

2 답 ③

이 시의 화자는 꿈과 희망을 추구하지 않고 사는 사람은 사랑을 모른다고 말하고 있다. 이 시의 화자가 사랑을 모르는 사람은 꿈을 꿀 필요가 없다고 생각하고 있지는 않다.

| 오답 풀이 |

① '푸른 바다'는 고래가 사는 공간, 인생, 청년기의 삶을 의미한다.
② '고래'는 꿈과 희망을 추구하는 존재를 의미한다.
④ '별'은 꿈, 희망, 이상, 목표를 의미한다.
⑤ '바라본다'는 별을 바라보는 것이므로 꿈을 지향하는 모습이라고 할 수 있다.

3 답 ②

이 시와 〈보기〉에는 자연물이 중심 소재가 되고 있기는 하지만 두 작품 모두 자연 친화적인 태도를 지니고 있다고 보기는 어렵다.

| 오답 풀이 |

① 이 시에서는 '푸른 바다, 고래, 별' 등이, 〈보기〉에서는 '드렁칡'이 상징적 의미를 지닌 소재로 사용되었다. '드렁칡'은 변화하는 상황에 맞추어 살아가는 조화롭고 유연한 삶의 태도를 의미한다.
③, ④ 이 시에서는 청년들이 꿈과 희망, 이상 등을 갖고 살아가기를 바라는 화자의 마음이 드러나고, 〈보기〉에서는 함께 어우러져 살아가기를 권유하는 화자의 모습이 드러난다.
⑤ 이 시에서는 '~면 ~ 아니지'라는 문장 구조를 반복하고 〈보기〉에서는 '~ㄴ들 어떠하리'라는 문장 구조를 반복하여 운율을 형성하고 있다.

비문학 운석의 가치 26~27쪽

1 ① 2 ② 3 ④

| 지문 해제 |

태양계와 지구의 연구에 소중한 자료가 되는 운석에 대해 설명한 글이다. 운석은 유성이 지구 대기와 마찰하여 녹은 후 그 남은 덩어리가 지구에 떨어진 것을 말한다. 운석은 빠른 속도로 지구에 진입하는데 크기가 매우 큰 운석은 초기 속도를 유지한 채 지표에 충돌해 거대한 충돌구를 만들기도 한다. 또한 운석은 지구 대기에 진입할 때 마찰에 의해 발생한 높은 열로 인해 녹았다가 식으면서 그 표면에 용융각이 생성된다. 운석은 태양계 및 지구와 관련된 소중한 연구 자료이기 때문에 운석이 많이 발견되는 남극 지역에 대한 탐사가 세계 각국에서 이루어지고 있다.

| 주제 |

운석의 특성과 활용 가치

출전 2014 중3 학업성취도평가

1 답 ①

(가)에서는 운석의 개념, (나)와 (다)에서는 지구 대기에 진입할 때의 운석의 특성, (라)와 (마)에서는 연구 자료로 활용되는 운석의 가치와 발견 위치에 대한 내용이 제시되어 있다.

| 오답 풀이 |

② (가), (나)에 운석이 형성되는 과정이 일부 제시되어 있기는 하지만, 이를 다른 암석과 비교하는 내용은 찾아볼 수 없다.
③ 이 글에는 운석에 대한 여러 학자의 견해가 제시되어 있지 않으며, 이와 관련하여 새로운 견해를 도출한 부분도 찾아볼 수 없다.
④ 이 글에는 운석의 종류를 열거한 부분이 제시되어 있지 않으며, 각각의 운석이 활용되는 분야 역시 소개되어 있지 않다.
⑤ (마)에 운석의 상당수가 남극에서 발견되어 세계 각국은 남극을 탐사하며 운석을 찾고 있다고 하였다. 이 글에는 운석의 탐사 방법에 대해 안내하고 있는 부분은 제시되어 있지 않다.

2 답 ②

(가)에서 대기권에 진입한 유성은 대기와의 마찰로 빛을 내며 녹게 되고, 그 남은 덩어리가 땅에 떨어져 운석이 된다고 하였다. 그러므로 작은 유성은 대기와의 마찰로 인해 발생한 열에 의해 녹아 큰 유성에 비해 운석이 될 확률이 낮다고 볼 수 있다.

| 오답 풀이 |

① (가)에서 유성은 대기와의 마찰로 빛을 내며 녹게 된다고 하였다.
③ (마)에서 남극의 빙하는 꾸준히 낮은 곳으로 이동하며, 이동 중에 산맥에 의해 가로막히면 앞부분의 빙하가 밀려 위로 상승하게 되고, 매년 여름마다 상승한 빙하가 점차 녹으며 그 속에 있던 운석들이 모이게 된다고 하였다.

④ (가)에서 유성은 대기와의 마찰로 빛을 내며 녹게 되고, 그 남은 덩어리가 땅에 떨어져 운석이 된다고 하였다. 그러므로 지구에 대기가 없다면 마찰을 일으켜 녹는 현상이 발생하지 않으므로 더 많은 운석이 발견될 것이라고 추론할 수 있다.
⑤ (마)에서 운석 연구에는 많은 운석이 필요하다고 하였다.

3 답 ④

〈A〉를 통해 전체 운석의 개수 23,000여 개 중 무려 16,000여 개의 운석이 남극에서 발견되었다는 것을 알 수 있다. 그러므로 (마)에서 남극이 운석 연구에 중요하다는 설명 자료로 〈A〉를 활용하는 것은 적절하다.

| 오답 풀이 |

① (나)에 따르면 충돌구는 운석의 크기와 관련된 것이므로, 운석의 개수를 나타내는 〈A〉를 충돌구 생성의 설명 자료로 활용하는 것은 적절하지 않다.
② 〈B〉를 통해 화성 유래 운석의 비율이 1%임을 알 수 있다. 따라서 〈B〉를 화성 연구용 운석을 구하기 쉽다는 설명 자료로 활용하는 것은 적절하지 않다.
③ (라)에서 지구 핵 연구에 필요한 운석은 소행성의 핵에서 떨어져 나온 철질 운석임을 알 수 있다. 〈A〉와 〈B〉를 통해 전체 운석 23,000여 개 중에 98%가 소행성에서 유래한 것이라는 사실을 알 수 있으므로, 〈A〉와 〈B〉를 지구 핵 연구에 필요한 운석의 비율이 낮다는 설명 자료로 사용하는 것은 적절하지 않다.
⑤ (마)에 남극 운석 중 상당수가 달에서 온 것이라는 내용이 제시되어 있지 않을 뿐만 아니라 〈B〉를 통해 달에서 온 운석의 비율은 1%밖에 되지 않음을 알 수 있으므로 〈B〉를 설명 자료로 사용하는 것은 적절하지 않다.

어휘 학습 28쪽

1 진입	2 생성	3 대기권	4 지형
5 수평선	6 열거	7 탐사	8 감속
9 보존	10 도출		

1 우리나라 축구팀이 본선 경기에 들어가는 것에 성공한 것이므로 향하여 내처 들어감을 뜻하는 '진입'이 적절하다.

2 우주가 생성되고 난 뒤 별들이 생겨나기도 하고 사라지기도 한 것이므로 '사물이 생겨남. 또는 사물이 생겨 이루어지게 함'을 뜻하는 '생성'이 적절하다.

3 우주 공간을 비행할 수 있는 로켓이 지구를 무사히 벗어난 것이므로 지구를 둘러싸고 있는 대기의 범위를 뜻하는 '대기권'이 적절하다.

4 군사들이 적의 공격을 피하기 위해 가파른 계곡과 벼랑이 가로놓인 지리적 특성을 이용하였으므로 땅의 생긴 모양이나 형세를 뜻하는 '지형'이 적절하다.

8 '가속'은 '점점 속도를 더함. 또는 그 속도'를 뜻한다.

9 '잔존'은 없어지지 아니하고 남아 있음을 뜻한다.

10 '방출'은 비축하여 놓은 것을 내놓음을 뜻한다.

배경지식 29쪽

1 ○ 2 ×

2 지구에 떨어진 운석들 중 97%가 규산염 광물로 이루어진 석질 운석이라고 하였다.

04

문학 하늘은 맑건만 30~33쪽

1 ⑤ 2 ③ 3 ① 4 ⑤ 5 ③ 6 ②

| 작품 해제 |

이 작품은 1930년대를 배경으로 한 소설로, 친구의 잘못된 유혹에 넘어갔다가 점점 더 곤혹스러운 일을 겪게 되는 한 소년의 이야기를 다루고 있다. 한순간의 잘못된 판단으로 양심의 가책을 느끼게 된 문기는 자신의 잘못을 깨닫고 문제를 수습하려고 하지만 수만이의 협박으로 점점 더 큰 잘못을 저지르게 되어 심한 내적 갈등에 빠지게 된다. 작품의 제목인 「하늘은 맑건만」은 정직하지 못한 행동을 한 뒤 하늘을 떳떳하게 바라볼 수 없었던 수만이의 괴로운 심리를 나타낸다. 갈등에 따른 인물의 심리가 섬세하게 묘사되어 있으며 마지막 결말을 통해 정직하게 사는 삶의 중요성을 강조하고 있는 작품이다.

| 주제 |

양심을 지키며 정직하게 사는 삶의 중요성

1 답 ⑤

숙모가 직접 점순이네 집주인에게 점순이가 도둑질했다고 말한 것은 아니다. 숙모의 말은 입소문을 타고 한 입 걸러 두 입 걸러 그 집에까지 들어갔다고 하였다.

| 오답 풀이 |

① 문기에게 "요건 약과다."라고 하는 수만이의 말을 보았을 때 괴롭힘의 정도가 점점 심해질 것임을 알 수 있다.

② 문기는 숙모의 돈을 훔쳐 수만이에게 주었다.

③ 문기는 수만이에게 돈을 준 후, 양심을 저버린 자신의 행동 때문에 집에 들어가지 못하고 일없이 공원으로 거리로 돌며 해를 보냈다.

④ 숙모는 자신이 뒤곁에서 화초 모종을 내는 사이 점순이가 돈을 집어 갔다고 확신하고 있다.

2 답 ③

문기는 수만이의 끈질긴 협박에 못 이겨 붙장 안의 돈에 손을 대고 만다. 그러나 그 이후 집에 돌아가지 못하고 거리를 배회하는 문기의 모습을 통해 문기가 자신의 잘못된 행동에 대해 죄책감을 느끼고 있음을 짐작할 수 있다.

| 오답 풀이 |

① 우월감은 남보다 낫다고 여기는 생각이나 느낌을 말한다. 문기는 우월감이 아닌 괴로움, 두려움을 느끼고 있다.

② 문기는 수만이의 괴롭힘에서는 벗어났으나 숙모의 돈을 훔친 자신의 잘못된 행동을 두고 더 크게 괴로워하게 된다.

④ 문기는 작은어머니 돈을 축내기는 했으나 앞으로 덜 먹고 학용품도 아껴 쓰는 방식으로 갚으면 된다고 자기 잘못을 합리화하고 있다. 그러나 죄책감 때문에 쉽게 집으로 돌아가지 못한다.

⑤ 문기는 점순이가 억울하게 누명을 쓰고 쫓겨나자 죄책감에 괴로워 밤을 뜬눈으로 새우게 된다.

3 답 ①

문기는 수만이와 함께 쓰던 거스름돈을 고깃간 집 마당에 던져 놓았기 때문에 더 이상 가지고 있는 돈이 없는 상황이다. 그러나 수만이는 문기가 남은 돈을 혼자 다 쓰려고 자신에게 거짓말을 하고 있다고 생각해 문기를 계속 괴롭히며 협박하고 있다. 따라서 문기가 수만이 몰래 돈을 쓰려는 선택을 했다는 진술은 적절하지 않다.

| 오답 풀이 |

② 점순이의 울음소리에 문기가 그 밤을 뜬눈으로 새웠다고 한 것으로 보아 문기가 심한 양심의 가책을 느끼고 있음을 알 수 있다.

③, ④ 문기는 작은어머니의 돈을 훔쳐 수만이와의 외적 갈등을 해결하였으나 그 방법이 바람직하지 않은 것이었기 때문에 문기의 내적 갈등은 더 심화된다.

⑤ 문기는 작은어머니의 돈을 훔치는 선택을 한 후 죄책감에 시달리며 내적 갈등을 겪게 된다. 따라서 갈등을 해결하려면 문기는 다시 올바른 선택(정직한 고백)을 해야 할 것이다.

4 답 ⑤

문기는 작은아버지에게 자신이 저지른 잘못을 고백하고 마침내 마음이 맑아지고 몸도 가뜬해지게 된다.

| 오답 풀이 |

① 문기는 집으로 가다가 우연히 교통사고를 당했다.

② 문기가 고백하기 전까지 작은아버지는 사건의 전모를 알지 못했다.

③ "걸음은 집을 향해 가는 것이지만 반대로 마음은 멀어진다."를 통해 문기는 집으로 가는 길임을 알 수 있다.

④ 오늘날의 도덕 시간과 같은 수신 시간에 선생님이 '정직'에 대해 가르친 것은 일반적인 수업 내용이었으나 죄책감에 시달리던 문기는 모든 내용이 자기를 향하고 있다고 느끼게 된다.

5 답 ③

죄책감으로 어둡고 무거운 마음을 지닌 문기는 작은아버지에게 자신의 잘못을 고백함으로써 마음속의 어둠이 사라지며 맑아졌다고 하였다. 부끄러움과 죄책감이 없는 마음 상태를 의미하는 '맑은 하늘'은 문기가 지향하는 이상적 공간으로 볼 수 있으나 문기가 성장하는 현실적 공간으로 보기는 어렵다.

| 오답 풀이 |

①, ④ 잘못을 저지르고 난 후 문기는 언제나 다름없이 맑고 푸른 하늘을 쳐다보는 것을 두려워하며 자신은 감히 떳떳한 얼굴로 하늘을 쳐다볼 만한 사람이 못 된다고 생각하고 있다.

② 맑고 푸른 하늘은 문기의 어두운 마음과 대조를 이루고 있다.

⑤ 문기는 작은아버지에게 자신의 잘못을 고백한 뒤 하늘을 떳떳이 마음껏 쳐다볼 수 있을 것이라고 생각하고 있다.

6 답 ②

문기는 '정직'이 주제인 수신 시간에 선생님의 말씀과 눈빛이 모두 자신의 잘못을 나무라는 것으로 여겨진다고 하였으므로, 지은 죄가 있으면 자연히 마음이 조마조마하여짐을 비유적으로 이르는 말인 '도둑이 제 발 저리다'가 문기의 상황에 어울린다.

| 오답 풀이 |

① 내 코가 석 자: 내 사정이 급하고 어려워서 남을 돌볼 여유가 없음을 비유적으로 이르는 말.

③ 뛰는 놈 위에 나는 놈 있다: 아무리 재주가 뛰어나다 하더라도 그보다 더 뛰어난 사람이 있다는 뜻으로, 스스로 뽐내는 사람을 경계하여 이르는 말.

④ 하늘이 무너져도 솟아날 구멍이 있다: 아무리 어려운 경우에 처하더라도 살아 나갈 방도가 생긴다는 말.

⑤ 안되는 사람은 뒤로 넘어져도 코가 깨진다: 운수가 나쁜 사람은 보통 사람에게는 생기지도 않는 나쁜 일까지 생김을 비유적으로 이르는 말.

비문학 블루투스의 원리 34~35쪽

1 ③ 2 ④ 3 ②

| 지문 해제 |

블루투스의 무선 전송 원리에 대해 설명한 글이다. 블루투스는 휴대 기기를 서로 연결해 정보를 교환할 수 있게 하는 무선 기술 표준을 말한다. 블루투스의 무선 통신 원리는 공진 주파수에 바탕을 두고 있으며 특정 주파수 대역을 사용하면서 주파수 도약을 통해 안정적으로 무선 통신이 이루어지도록 하는 원리를 채택하고 있다. 블루투스는 초기에 대용량 데이터를 전송하는 데에 한계가 있었지만, 비약적인 기술 발전을 통해 점차 새로운 버전으로 진화하고 있다.

| 주제 |

블루투스의 원리와 전망

출전 서울 과학 교사 모임, 『시크릿 스페이스』(어바웃어북, 2017)

1 답 ③

블루투스는 스칸디나비아반도를 통일한 왕인 헤럴드 '블루투스' 곰슨의 이름에서 유래한 것이기는 하지만 블루투스라는 이름 자체가 무선 통신 기술 방식과 직접적인 연관은 없다.

| 오답 풀이 |

① 3문단을 통해 블루투스가 ISM 주파수 대역인 2400~ 2483.5MHz 중 다른 기기와 통신 장애를 일으킬 수 있는 주파수를 제외한 주파수를 사용함을 알 수 있다.

② 1문단을 통해 블루투스가 휴대 기기를 서로 연결해 정보를 교환할 수 있게 하는 무선 기술 표준임을 알 수 있다.

④ 5문단을 통해 블루투스 4.0 버전이 키보드, 마우스, 이어폰, 헤드셋에 활용됨을 알 수 있다.

⑤ 2문단을 통해 블루투스의 무선 전송 원리가 공진 주파수에서 착안되었음을 알 수 있다.

2 답 ④

〈보기〉에서 말하는 전파 간섭 문제는 특정 패턴에 따라 여러 채널을 빠르게 이동하며 데이터를 조금씩 전송하는 주파수 도약 방식을 통해 해결할 수 있다고 하였다.

| 오답 풀이 |

① 3문단에서 '위아래' 경계면에 있는 주파수를 활용하면 다른 기기와의 간섭이 일어나 통신 장애를 일으킨다고 하였다.

② 〈보기〉는 시스템 간 전파 간섭을 해결하여 여러 기기를 동시에 사용하려는 것이므로 다른 기기의 사용을 차단하겠다는 방법은 적절하지 않다.

③ 4문단에서 블루투스는 할당된 79개의 채널을 1초당 1,600번 도약하며 여러 주파수에 걸쳐서 데이터를 조금씩 분할해 보내는 방식을 통해 시스템 간 전파 간섭을 예방한다고 하였다.

⑤ 3문단에서 블루투스는 사용하는 채널이 79개라고 하였다.

3 답 ②

블루투스는 초기에는 한계를 지니고 있었지만 버전이 점차 진화되면서 계속 기술 발전을 이루어 왔다. 글쓴이는 블루투스의 진화가 어떤 모습으로 계속될지 궁금해하며 블루투스 발전에 대한 기대감을 드러내고 있다.

어휘 학습 36쪽

1 ㉡	2 ㉢	3 ㉠	4 뱃심
5 공교로이	6 할당	7 허물	8 회귀
9 지향	10 착안		

4 모두가 반대하는 일을 밀고 나간 것이므로 염치나 두려움이 없이 제 고집대로 버티는 힘을 뜻하는 '뱃심'이 적절하다.

5 두 사람이 동시에 상대편에 전화를 건 일이 발생한 것이므로 '생각지 않았거나 뜻하지 않았던 사실이나 사건과 우연히 마주치게 된 것이 기이하다고 할 만하게'를 뜻하는 '공교로이'가 적절하다.

6 직원들이 판매해야 하는 양이 너무 많은 것이므로 '몫을 갈라 나눔. 또는 그 몫'을 뜻하는 '할당'이 적절하다.

7 그 사람은 염치를 모르고 뻔뻔스럽게 자신이 잘못한 일을 남에게 덮어씌운 것이므로 잘못 저지른 실수를 뜻하는 '허물'이 적절하다.

8 '회상'은 '지난 일을 돌이켜 생각함. 또는 그런 생각'을 뜻한다.

9 '지양'은 더 높은 단계로 오르기 위하여 어떠한 것을 하지 아니함을 뜻한다.

10 '착수'는 '어떤 일에 손을 댐. 또는 어떤 일을 시작함.'을 뜻한다.

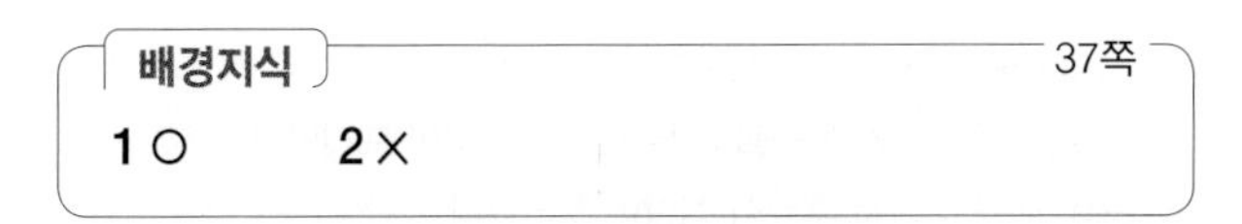

배경지식 37쪽

1 ○ 2 ×

2 블루투스 이어폰을 스마트폰에 연결하는 경우, 스마트폰이 마스터이고 블루투스 이어폰은 슬레이브가 된다. 즉 스마트폰이 블루투스 이어폰을 선택해 연결하는 원리이다.

05

문학 엄마 걱정 38~39쪽

1 ② 2 ② 3 ①

| 작품 해제 |

이 작품은 시장에 일하러 간 엄마를 기다리며 느꼈던 어린 시절의 외로움과 슬픔을 형상화한 시이다. 어른이 된 화자가 유년 시절을 회상하는 구조를 취하고 있다. 1연에서는 어린 시절의 '나'가 어두운 빈방에서 밤늦게까지 홀로 엄마를 기다리며 느낀 외롭고 서글픈 마음을 생동감 있게 전달하고 있다. 2연에서는 어른이 된 '나'가 어린 시절을 회상하면서 그 시절의 자신을 안타깝게 여기며 외로움이 더욱 강조되고 있다. 이 시는 참신한 비유적 표현과 다양한 감각적 이미지를 통해 화자의 상황과 정서를 생생하게 전달하고 있다.

| 주제 |

빈방에서 혼자 엄마를 기다리던 어린 시절의 외로움

1 답 ②

'열무 삼십 단'은 엄마가 시장에 팔러 나간 물건으로 엄마의 고단한 삶을 드러내는 소재이다. '나'의 외롭고 쓸쓸한 정서를 표현한 것이 아니다.

| 오답 풀이 |

① 1연의 '나'는 유년 시절의 '나'이고, 2연의 '나'는 어른이 되어 유년 시절을 회상하고 있는 '나'이다.
③ '찬밥'은 빈방에서 홀로 엄마를 기다리는 '나'의 외로운 처지를 나타낸다.
④ 금 간 창틈으로 들리는 고요한 '빗소리'는 '나'의 외로움을 고조시키는 소재이다.
⑤ '안 오시네', '안 들리네'와 같이 부정적인 의미를 지닌 비슷한 표현을 반복하여 무거운 분위기를 조성하고 있다.

2 답 ②

청각적 심상인 종소리를 '분수처럼 흩어지는', '푸른'과 같은 시각적 심상으로 옮겨 표현한 것으로 청각을 시각화한 공감각적 심상이 드러난다.

| 오답 풀이 |

① '운다'에서 청각적 심상이 드러난다.
③ '시리도록'에서 촉각적 심상이 드러난다.
④ '어두운 방', '바알간 숯불'에서 시각적 심상이 드러난다.
⑤ '보리 내음새'에서 후각적 심상이 드러난다.

3 답 ①

이 시의 2연은 어른이 된 '나'가 자신의 유년 시절을 회상하며 느끼는 현재의 감정을 드러내고 있다. 어린 시절의 기억은 아주 먼 옛날의 일이지만 여전히 '나'를 눈물짓게 하는 차갑고 시린 기억이므로 외롭고 쓸쓸했던 어린 시절의 '나'의 처지를 차가운 윗목에 빗대어 표현한 것이다.

| 오답 풀이 |

② '윗목'을 통해 화자의 어린 시절이 오래된 일임을 드러내려는 것은 아니므로 적절하지 않다.
③ 어른이 된 지금도 어린 시절을 생각하면 눈시울이 붉어진다고 한 것으로 보아 아름다운 추억이 아니라 여전히 외롭고 쓸쓸한 기억으로 남아 있음을 알 수 있다.
④ 이 시에서 어른이 된 '나'가 어린 시절의 감정을 극복하려고 하는 부분은 찾아볼 수 없다.
⑤ 화자가 실제로 윗목에서 지냈다는 것이 아니라 자신의 어린 시절을 윗목에 빗대어 표현한 것이다.

비문학 마르셀 뒤샹 40~41쪽

1 ② 2 ⑤

| 지문 해제 |

미술에 대한 고정 관념을 뒤흔든 뒤샹의 혁명적 발상을 소개한 글이다. 뒤샹은 비예술적 재료인 오브제도 예술가가 선택하여 미술 작품으로 부르면 그것은 엄연한 미술이라고 생각했다. 뒤샹은 미술에서 작품 구상이 가장 중요하다고 주장하였는데, 그의 작품 「샘」에 이러한 혁명적 발상이 잘 드러난다. 또한 뒤샹은 예술가가 기성품의 아름다움을 인식할 수만 있다면 작가가 직접 만들었는지 아닌지는 중요하지 않다고 주장했다. 이러한 그의 견해는 예술과 예술이 아닌 것의 경계를 허물어 오브제가 현대 미술의 주인공이 되는 시대를 열었다.

| 주제 |

미술에 대한 고정 관념을 뒤흔든 뒤샹의 혁명적인 발상

출전 이명옥, 『미술에 대해 알고 싶은 모든 것들』(다빈치, 2004)

1 답 ②

1문단에서 뒤샹이 미술은 가치 있는 내용을 담은 우아하고 아름다운 것이라는 고정 관념에 대해서 의문을 표했다고 하였다. 그리고 5문단에서 뒤샹은 예술품에는 작가의 땀과 정서가 담겨 있어야 한다는 기존 미술의 역사와 관습을 정면으로 부정한 파격적인 이론을 주장했다고 하였다. ②는 기존 미술과 관련이 있는 것이므로 뒤샹의 견해가 아니다.

| 오답 풀이 |

① 3문단에서 확인할 수 있다.
③ 2문단에서 확인할 수 있다.
④ 6문단에서 확인할 수 있다.
⑤ 5문단에서 확인할 수 있다.

2 답 ⑤

앤디 워홀이 상표를 활용해 복제한 것은 예술가가 기성품인 상표의 아름다움을 인식하고 작품을 구상한 것으로 볼 수 있다. 이는 기성품을 선택하는 예술가의 의도에 따라 미술 작품이 될 수 있음을 보여 주는 것이므로, 작품이 될 수 있는 소재의 판단 기준이 대중성에 있다는 의견은 적절하지 않다.

| 오답 풀이 |

① 실크스크린 기법을 통해 이미지 복제로 작품을 만드는 것은 예술품에는 작가의 땀과 정서가 담겨 있어야 한다는 기존 미술의 역사와 관습을 정면으로 부정한 것이다.
② 슈퍼마켓에서 파는 물건의 상표를 활용해 작품을 만든 것은 기성품에 의미 부여를 하면 예술이 될 수 있음을 보여 준 것이다.
③ 앤디 워홀은 슈퍼마켓에서 파는 물건의 상표를 통해, 뒤샹은 소변기를 통해 작품을 만듦으로써 예술과 예술이 아닌 것의 경계를 허물었다.
④ 상표의 원래 이미지를 수정한 것은 미술에서는 작가의 의도나 아이디어가 중요한 것임을 보여 준 것이다.

어휘 학습 42쪽

1 인식	2 발상	3 착수	4 둔갑
5 ○	6 ×	7 ×	8 버젓이
9 엄연하다	10 윗목		

6 '기성품'은 '이미 만들어져 있는 물품. 또는 미리 일정한 규격대로 만들어 놓고 파는 물품'을 뜻한다. '주문을 받은 물품. 또는 주문하여 맞춘 물건'을 뜻하는 어휘는 '주문품'이다.

7 '반문'은 상대의 주장이나 의견에 대하여 동의하지 않는 부분이 있어 이의를 제기하며 질문함을 뜻한다. 현상이나 사물의 옳고 그름을 판단하여 밝히거나 잘못된 점을 지적함을 의미하는 어휘는 '비판'이다.

8 '번듯이'는 '큰 물체가 비뚤어지거나 기울거나 굽지 아니하고 바르게', '생김새가 훤하고 멀끔하게'를 뜻한다.

9 '완연하다'는 '눈에 보이는 것처럼 아주 뚜렷하다.'를 뜻한다.

10 '아랫목'은 온돌방에서 아궁이 가까운 쪽의 방바닥으로 불길이 잘 닿아서 윗목보다 상대적으로 따뜻한 쪽을 말한다.

배경지식 43쪽

1 ○ 2 ×

2 일상적인 물체가 오브제로 쓰이면 본래의 용도나 기능이 유지되는 것이 아니라 그와는 무관한 새로운 의미를 획득한다.

06

문학 이상한 선생님 44~47쪽

1 ④ 2 ④ 3 ④ 4 ③ 5 ④ 6 ②

| 작품 해제 |

이 작품은 해방 전후 혼란한 사회 상황에서 이기적이고 기회주의적으로 행동하고 처신하는 어른의 모습을 어린아이의 시선으로 바라본 소설이다. 서술자인 '나'가 관찰한 박 선생님은 해방 전에는 조선말을 쓰는 학생들을 혼내고 일본에 충성하는 친일적인 태도를 보인다. 하지만 해방 후 미국의 영향력이 커지자 학생들에게 일본은 나쁜 나라라고 가르치면서 일본을 적대시하고 미국을 찬양하며 추종한다. 이처럼 박 선생님은 기회주의적인 태도를 보이지만 판단이 미숙한 초등학생인 '나'는 그를 이상하다고만 생각한다. 이와 같은 '나'의 시선은 웃음을 유발하는 한편 박 선생님에 대한 비판 의식을 드러낸다. 이 소설은 박 선생님의 외모와 과장된 행동을 통해 인물의 부정적 측면을 효과적으로 부각하고, 상황에 따라 태도를 바꾸는 기회주의자인 박 선생님의 모습을 풍자하고 있다.

| 주제 |

해방 전후의 혼란한 사회 상황 속에서 기회주의적으로 행동하는 인물에 대한 비판

1 답 ④

"우리가 보기에도 강 선생님은 일본 말이 서투른 선생님이 아니었다."에서 강 선생님은 일본 말이 서툴러서가 아니라, 의도적으로 일본 말을 사용하지 않은 것임을 짐작할 수 있다.

| 오답 풀이 |

① 박 선생님은 작은 키에 사납게 생긴 반면, 강 선생님은 키가 크고 순하게 생겼다고 하였다.
② 조선말을 사용하다 들켰을 때 가장 심하게 혼낸 사람이 박 선생님이며 이때가 박 선생님한테 제일 중한 벌을 받는 때라고 하였다.
③ '나'도 조선말을 썼다는 이유로 박 선생님에게 여러 번 혼이 났다고 하였다. 이에 대한 구체적인 예로 상준이와의 싸움을 들고 있다.
⑤ '나'가 박 선생님의 작은 키, 큰 머리, 얼굴 생김새에 대해 있는 그대로 묘사하지 않고 과장되고 우스꽝스럽게 묘사한 것을 통해 그를 부정적으로 보고 있음을 알 수 있다.

2 답 ④

박 선생님은 학생들에게 일본 말만 쓸 것을 강요하고 학생들이 조선말을 사용하면 크게 혼낸 반면, 강 선생님은 수업 시간이 아닌 때에는 학생들에게 조선말을 사용하였고, 학생들이 조선말을 사용해도 혼내지 않았다. 이를 통해 강 선생님은 나름대로 일제에 저항하고 민족정신을 지키고자 했음을 알 수 있다.

| 오답 풀이 |

① 박 선생님은 일본 정치 때 혈서로 지원병에 지원한 적이 있으며, 학생들에게 일본 말만 쓸 것을 강요하는 모습을 통해 일제에 충성하고 친일적인 성향이 있음을 알 수 있다.

②, ③ 강 선생님은 순하여 사납지 않고 잘 웃고 성을 잘 내지 않는 사람이라고 한 것으로 보아 마음이 넓고 유순한 사람임을 알 수 있다. 박 선생님은 눈이 사납고 목소리가 쨍쨍하다고는 했지만 옹졸하고 화를 잘 내는 성향인지는 이 글에서 알 수 없다.

⑤ 우리말 사용을 금지하고 일본 말을 쓸 것을 강요하는 일제의 정책에 박 선생님은 적극 동조를 한 반면, 강 선생님은 수업 시간이 아닌 평상시에는 의도적으로 우리말을 사용하였다. 일제에 동조하지 않고 저항하고자 하는 모습은 강 선생님에게서 찾아볼 수 있다.

3 답 ④

이 글에서는 박 선생님의 외양을 과장되고 우스꽝스럽게 표현하여 웃음을 유발하고 있는데, 이는 일제에 충성하고 친일하는 그의 부정적인 모습을 비판하고자 하는 풍자임을 알 수 있다.

| 오답 풀이 |

① 작가가 강 선생님의 외양 묘사를 긍정적으로 한 것과 달리 박 선생님의 외양 묘사를 부정적으로 하고 있는 것으로 보아, 박 선생님을 풍자의 대상으로 설정하였음을 알 수 있다.

② 〈보기〉에서 풍자는 작가가 하고자 하는 말을 직접적으로 드러내는 것이 아니라고 하였으므로, 독자가 풍자 대상에 대해 직접적인 비판을 확인할 수 있다는 진술은 적절하지 않다.

③ 〈보기〉에서 희화화되는 대상에 대해 공감하는 웃음은 해학이라고 하였다. 이 글에서는 박 선생님을 풍자하고 있으므로 독자가 박 선생님에게 공감하고 연민을 느낄 수 있다는 진술은 적절하지 않다.

⑤ 〈보기〉에서 풍자는 표현 대상에 대해 웃음을 유발함으로써 개인이나 사회의 문제점을 비판하고 개선하려는 목적을 지닌다고 하였다. 이 글에서 작가는 박 선생님이라는 인물을 통해 현실에서 기회주의적으로 행동하는 인물을 비판하고 나아가 이러한 문제를 개선하려는 의도를 지녔을 것임을 유추할 수 있다.

4 답 ③

박 선생님은 학생들이 미국 말을 사용하지 않을 때 혼낸 것이 아니라, '미국 놈'이라는 말을 쓸 때 붙잡아다가 벌을 세웠다고 하였다.

| 오답 풀이 |

① "해방 전에 ~ 가르쳐 주곤 했다."에서 해방 전 일본을 찬양했던 박 선생님의 모습을 확인할 수 있고, 해방 후 미국을 침이 마르도록 칭찬하는 모습에서 미국을 찬양하고 있음을 확인할 수 있다.

② 박 선생님은 일 년간 미국 말을 배워서 미군의 벼 공출과 같은 업무에 통역 역할을 하며 미국에 협력하는 모습을 보이고 있다.

④ 박 선생님은 미국이 우리나라를 해방시켜 주었고, 많은 원조 물자를 보내서 돕고 있으므로 감사하는 마음을 지녀야 한다고 훈계를 하고 있다.

⑤ 해방 후의 혼란한 시대 상황에서 영향력이 큰 미국의 편에 서서 미국 말을 배우는 등 적극적으로 언행과 태도를 바꾸는 박 선생님의 모습이 드러난다.

5 답 ④

순진한 우리의 질문에 대한 박 선생님의 대답을 "덴노헤이까보다 훌륭한 '돌멩이'라는 양반"이라는 말로 희화화함으로써 그의 기회주의적인 태도와 관련해 독자의 비판을 유도하고 있다. 박 선생님의 온화하고 재치 있는 성격이 부각되는 것이 아니다.

| 오답 풀이 |

① 어린아이인 '나'는 해방 전과 후에 박 선생님의 행동이 변화하는 것의 의미를 이해하지 못해서 박 선생님을 이상한 선생님이라고 생각한다.

② 박 선생님이 해방 전에는 친일적인 태도를 보였다가 해방 후에는 친미적인 태도를 보이는 것, '나'가 박 선생님의 말을 "'돌멩이'라는 양반"이라고 희화화하는 것을 통해 독자의 비판을 이끌어 내는 효과를 얻는다.

③ "박 선생님은 미국에는 덴노헤이까는 없고, 덴노헤이까보다 훌륭한 '돌멩이'라는 양반이 있다고 대답했다."라는 부분은 어린아이의 시선으로 박 선생님의 말을 희화화한 것으로 독자의 웃음을 유발한다.

⑤ 해방 전후 혼란한 상황에서 그때그때의 정세에 따라 입장을 바꾸며 처신하는 박 선생님의 모습을 통해 소설의 주제 의식을 부각하고 있다.

6 답 ②

'간에 붙었다 쓸개에 붙었다 한다'는 자기에게 조금이라도 이익이 되면 지조 없이 이편에 붙었다 저편에 붙었다 함을 비유적으로 이르는 말이다.

| 오답 풀이 |

① 돌다리도 두들겨 보고 건너라: 잘 아는 일이라도 세심하게 주의를 하라는 말.

③ 남의 잔치에 감 놓아라 배 놓아라 한다: 남의 일에 공연히 간섭하고 나섬을 비유적으로 이르는 말.

④ 가랑잎이 솔잎더러 바스락거린다고 한다: 더 바스락거리는 가랑잎이 솔잎더러 바스락거린다고 나무란다는 뜻으로, 자기의 허물은 생각하지 않고 도리어 남의 허물만 나무라는 경우를 비유적으로 이르는 말.

⑤ 뱁새가 황새를 따라가면 다리가 찢어진다: 힘에 겨운 일을 억지로 하면 도리어 해만 입는다는 말.

비문학 상향 가정법과 하향 가정법 48~49쪽

1 ② 2 ⑤ 3 ②

| 지문 해제 |

가정법적 사고를 상향 가정법적 사고와 하향 가정법적 사고로 구분하고 각각의 개념과 특성을 비교하여 설명한 글이다. 상향 가정법적 사고는 실제 결과보다 더 좋은 결과를 가정하는 것으로 더 좋은 선행 요인을 선택하지 않았다는 후회와 아쉬움과 관련이 있다. 하향 가정법적 사고는 실제 결과보다 더 나쁜 결과를 가정하는 것으로 더 나쁜 선행 요인을 선택하지 않았다는 안도감이나 다행스러움과 관련이 있다. 사람들은 동일한 사건에 대해서 어떤 방식으로 사고를 하느냐에 따라 다른 감정을 느낄 수 있는데 하향 가정법적 사고를 하는 경우 만족감을 더 느낄 수 있어 정신 건강에 도움이 된다. 반면 상향 가정법적 사고를 하는 경우에는 미래를 준비하여 더 좋은 성과를 낼 수 있다.

| 주제 |

상향 가정법적 사고와 하향 가정법적 사고의 개념과 특성

출전 곽준식, 『브랜드, 행동 경제학을 만나다』(갈매나무, 2021)

1 답 ②

의사 결정 후 부정적 결과가 나타났을 때 사람들이 일반적으로 하게 되는 가정법적 사고에 대해 설명하고 있으므로 통념과 다른 새로운 관점에서 현상을 분석하고 있다고 볼 수 없다.

| 오답 풀이 |

① 중심 소재인 가정법적 사고, 상향 가정법적 사고, 하향 가정법적 사고의 개념을 2문단에서 분명하게 제시하고 있다.
③ 2문단에서 상향 가정법적 사고와 하향 가정법적 사고의 개념과 이에 따른 심리를 비교하며 차이점을 드러내고 있다.
④ 1문단에서 버스를 탔는데 길이 막혀 늦은 상황, 3문단에서 올림픽 시상대에 오른 선수의 상황과 같은 구체적인 사례를 제시하여 이해를 돕고 있다.
⑤ 1, 3문단에서 질문을 제시하며 독자의 관심과 흥미를 유발하고 있다.

2 답 ⑤

4문단에서 사람들은 동일한 사건에 대해 어떤 방식으로 생각하느냐에 따라 다른 감정을 느낄 수 있다고 하였다.

| 오답 풀이 |

① 2문단에서 실제 결과보다 더 좋은 결과를 가정하는 것을 상향 가정법적 사고라고 하였다.
② 2문단에서 가정법적 사고는 사람들의 심리 상황에 따라 다르게 나타난다고 하였다.
③ 2문단에서 선행 요인을 바꾸어 다른 결과 요인을 생각하는 사고방식을 가정법적 사고라고 하였다.
④ 4문단에서 부정적인 결과가 발생했을 때 사람들은 본능적으로 상향 가정법적 사고를 하게 된다고 하였다.

3 답 ②

4문단에서 상향 가정법적 사고는 미래를 준비하는 기능을 가지고 있다고 하였다. 상향 가정법적 사고를 하는 은메달 수상자는 다음에 똑같은 결과가 나타나지 않도록 더 많은 준비를 하여 미래에 더 좋은 성과를 낼 가능성이 크다.

| 오답 풀이 |

① 동메달 수상자는 안도감이나 다행스러움과 관련이 있는 하향 가정법적 사고를 할 가능성이 높고, 은메달 수상자는 후회나 아쉬움과 관련이 있는 상향 가정법적 사고를 할 가능성이 높다. 따라서 동메달 수상자는 은메달 수상자보다 심리적 만족감이 크다고 할 수 있다.
③ 은메달 수상자가 동메달 수상자보다 덜 행복해 보이는 것은 '금메달을 받았을 텐데…….'와 같이 실제 결과보다 더 좋은 결과를 가정하는 상향 가정법적 사고를 했기 때문이다.
④ 은메달 수상자는 '조금만 출발이 빨랐다면…….'과 같이 더 좋은 선행 요인을 선택하지 못한 것에 대해 후회와 아쉬움을 느꼈을 것이다.
⑤ 동메달 수상자가 더 행복해 보이는 것은 '메달을 받지도 못했을 텐데…….'와 같이 실제 결과보다 더 나쁜 결과를 가정하는 하향 가정법적 사고로 인해 안도감이나 다행스러움을 느꼈기 때문이다. 더 좋은 결과를 가정하는 것은 상향 가정법적 사고이다.

어휘 학습 50쪽

1 위안	2 압제	3 소견	4 자책
5 순종	6 낙방	7 체득	8 ㉠
9 ㉢	10 ㉡		

1 '위로하여 마음을 편하게 함. 또는 그렇게 하여 주는 대상'을 뜻하는 '위안'이 적절하다.

2 권력이나 폭력으로 남을 꼼짝 못 하게 강제로 누름을 뜻하는 '압제'가 적절하다.

3 어떤 일이나 사물을 살펴보고 가지게 되는 생각이나 의견을 뜻하는 '소견'이 적절하다.

4 자신의 결함이나 잘못에 대하여 스스로 깊이 뉘우치고 자신을 책망함을 뜻하는 '자책'이 적절하다.

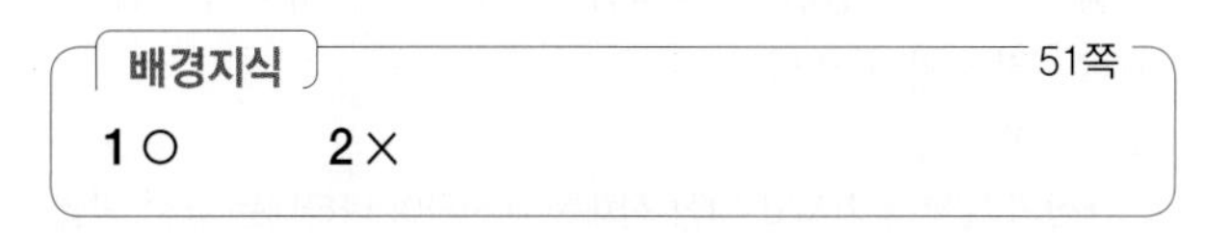

2 일제가 철저한 민족 말살 정책을 펼쳤음에도 나라를 되찾기 위한 우리 민족의 항일 운동은 꾸준히 계속되었다.

07

문학 떨어져도 튀는 공처럼 52~53쪽

1 ③ 2 ⑤ 3 ⑤

| 작품 해제 |

이 작품은 공의 속성을 통해 어려움 속에서도 좌절하거나 절망하지 않고 다시 일어서는 삶의 태도에 대해 노래한 시이다. 화자는 공이 아래로 떨어져도 다시 튀어 오른다는 점, 둥근 모양 때문에 쓰러지는 법이 없으며 곧 움직일 준비가 되어 있다는 점을 이야기한다. 이러한 공의 모습과 같이 화자는 어려움에 부딪혔을 때 긍정적인 마음으로 이를 극복하며 살아가고자 다짐하고 있다. 1연~3연에서는 문장의 어순을 바꾸어 서술어를 먼저 제시하는 도치법을 통해 삶에 대한 의지를 강조하고 있으며, 직유법을 활용하여 대상을 발랄하고 경쾌하게 표현하고 있다. 또한 '살아봐야지'나 '공이 되어'가 반복되면서 운율을 형성하고 있으며 삶에 대한 긍정적인 의지를 드러내고 있다.

| 주제 |

어려움 속에서도 좌절하지 않고 다시 일어서는 삶에 대한 다짐

1 답 ③

이 시의 화자는 둥글고 탄력 있는 공의 모습처럼 긍정적이고 적극적으로 삶을 살아가고자 하는 태도를 드러낼 뿐 이러한 태도를 사회 현상에까지 적용하고 있지는 않다.

| 오답 풀이 |

① 이 시에는 '옳지', '너도 나도' 등과 같이 친근감 있는 시어가 사용되고 있다.
② '살아 봐야지', '공이 되어'를 반복하며 삶의 의지를 드러내고 있다.
④ 이 시의 중심 소재는 우리 주변에서 쉽게 볼 수 있는 '공'이다.
⑤ 이 시는 '떨어져도', '쓰러지는'과 같은 하강 이미지와 '튀는', '떠올라야지', '튀어 오르는'과 같은 상승 이미지의 대비를 통해 수직적 이미지를 형성하고 있다.

2 답 ⑤

이 시의 1~3연에서는 서술부인 '그래 살아 봐야지', '살아 봐야지', '가볍게 떠올라야지'를 먼저 제시해 문장에 변화를 주며 의미를 강조하는 도치법이 사용되었다(ㄷ). 또한 2연의 '공처럼', '탄력의 나라의 왕자처럼'에서는 화자가 지향하는 삶의 자세를 연결어 '~처럼'을 사용하여 비유적으로 드러내는 직유법이 쓰였다(ㄹ).

| 오답 풀이 |

ㄱ. 대상의 일부를 가지고 대상 전체를 대신하여 나타내는 표현 방법을 대유법이라고 하는데 이 시에는 드러나지 않는다.
ㄴ. 원래의 뜻과는 다르게 반대로 표현하는 방법을 반어법이라고 하는데 이 시에서는 사용되지 않았다.

3 답 ⑤

이 시의 화자는 공처럼 떨어져도 튀어 오르고 쓰러지지 않으며 곧 움직일 준비가 되어 있는 삶을 살아가기를 바라고 있다.

비문학 소비자의 청약 철회권 54~55쪽

1 ③ 2 ⑤ 3 ③

| 지문 해제 |

소비자가 보호받기 위해 지켜져야 할 권리 중 '청약 철회권'에 대해 설명한 글이다. '청약 철회권'이란 구매한 상품을 일정한 기한 내에 반품할 수 있는 권리이다. 소비자는 상품의 분실 및 훼손과 같이 소비자가 잘못한 경우, 상품 가치가 현저히 감소한 경우, 재판매를 할 수 없는 경우, 복제가 가능한 제품의 포장이 뜯어진 경우를 제외하고는 이 권리를 행사할 수 있다. 그런데 판매자가 거짓된 사실을 알려 소비자를 속이거나, 반품 배송비 외에 추가 비용을 요구하는 행위로 소비자의 청약 철회를 방해하기도 한다. 소비자가 보호받는 건전한 거래 질서 확립을 위해서는 소비자의 청약 철회권의 행사가 보장되어야 하며, 소비자는 청약 철회권을 행사할 수 없는 경우에 유의하여 자신의 권리를 누려야 한다.

| 주제 |

건전한 거래 질서 확립을 위한 소비자의 청약 철회권

출전 2019 중3 학업성취도평가

1 답 ③

3문단에서 게임 시디 등과 같이 복제가 가능한 상품은 포장이 훼손되었을 때 청약을 철회할 수 없다고 하였다.

| 오답 풀이 |

① 2문단에서 소비자는 인터넷 쇼핑으로 구입한 상품을 받은 날로부터 7일 이내에 반품할 수 있다고 하였다.
② 3문단에서 상품을 잃어버리거나 훼손하는 등 소비자가 잘못한 경우에는 청약을 철회할 수 없다고 하였다.
④ 4문단에서 소비자가 반품을 하려고 할 때 판매자가 위약금, 취소 수수료 등 추가적인 비용을 요구하는 것은 판매자가 소비자의 청약 철회를 방해하는 행위라고 하였다.
⑤ 4문단에서 판매자가 '고객의 단순 변심으로 인한 반품은 불가합니다'와 같은 문구를 게시하는 행위는 거짓된 사실을 알려 소비자를 속이는 경우라고 하였다.

2 답 ⑤

㉤은 청약 철회권이 인정되는 근거가 아니라 건전한 거래 질서를 확립하기 위해 소비자와 판매자가 각각 유의해야 하는 사항에 대해 설명하고 있다.

| 오답 풀이 |
① '청약 철회권'의 개념을 설명하기 전에 청약의 뜻과 철회의 뜻을 밝히고 있다.
② 시간이 지나면 신선도가 떨어져 재판매가 곤란한 과일, 야채와 같은 신선 식품류를 예로 들어 설명하고 있다.
③ 앞 문장에서 판매자가 거짓된 사실을 알려 소비자를 속이는 경우가 있음을 설명하고, 이에 해당하는 사례를 구체적으로 들고 있다.
④ 판매자가 소비자의 청약 철회를 방해하면 소비자는 반품할 수 있는 상품이어도 반품을 포기하게 될 것이라는 원인에 따른 결과를 설명하고 있다.

3 답 ③
특정한 분야에서 일을 효과적으로 수행하기 위하여 도구처럼 사용하는 어휘를 전문어라고 한다. '위약금'은 법률 용어이고, '충수염'은 의학 용어이므로 전문 분야에서 사용되는 어휘라고 볼 수 있다.

| 오답 풀이 |
① 다른 나라에서 들어와 우리말처럼 쓰이는 어휘는 외래어로, '석가, 찰나, 버스, 컴퓨터'가 그 예이다.
② 비교적 짧은 시기에 걸쳐 많은 사람들이 사용한 어휘는 유행어로, '위약금'은 이에 해당하지 않는다.
④ 원래부터 있던 우리말 어휘는 고유어이다. 국어의 어휘는 '고유어, 한자어, 외래어'로 나뉘는데 '위약금'은 이 중 한자어에 속한다.
⑤ 죽음, 질병, 범죄 등과 관련해 불쾌감이나 두려운 것이 연상되어 입 밖에 내기를 꺼리는 말을 금기어라고 한다.

어휘 학습 56쪽

1 꼴	2 행사	3 유의	4 위약금
5 훼손	6 우려	7 사전	8 공지
9 현저히	10 포용		

1 조각품이 서서히 모양을 갖추어 가는 것이므로 겉으로 보이는 사물의 모양을 뜻하는 '꼴'이 적절하다.

2 투표의 권리를 실현하는 것이므로 권리의 내용을 실현함을 뜻하는 '행사'가 적절하다.

3 건강에 대한 주의와 관심이 중요하다는 것이므로 마음에 새겨 두어 조심하며 관심을 가짐을 뜻하는 '유의'가 적절하다.

4 계약을 포기하면 계약금의 두 배가 넘는 돈을 물어야 한다는 것이므로 계약의 당사자가 계약을 위반하였을 때, 그 제재로서 상대에게 지불하기로 약정한 돈을 뜻하는 '위약금'이 적절하다.

8 '인지'는 어떤 사실을 인정하여 앎을 뜻한다.

9 '현현히'는 '환하고 명백하게'를 뜻한다.

10 '관용'은 '남의 잘못 따위를 너그럽게 받아들이거나 용서함. 또는 그런 용서'를 뜻한다.

배경지식 57쪽

1 × 2 ○

1 좁은 의미의 전자 상거래는 인터넷 온라인 쇼핑몰에서 물건을 사고파는 것을 뜻한다.

08

문학 소음 공해 58~61쪽

1 ② 2 ⑤ 3 ③ 4 ② 5 ④ 6 ④

| 작품 해제 |
이 작품은 아파트를 배경으로 발생한 이웃 간의 갈등을 다룬 단편 소설이다. 위층의 소음 때문에 고통받는 '나'와 소음에 대한 항의로 괴로운 '위층 여자'가 대립하며 벌어지는 사건을 그리고 있다. 이 소설은 작품 속 주인공인 '나'의 시각에서 서술되는 1인칭 주인공 시점으로 사건의 경과에 따른 인물의 심리 변화가 섬세하게 묘사되어 있고, 결말 부분의 극적 반전을 통해 작품의 주제 의식을 더욱 분명히 드러내고 있다. 이 소설의 공간적 배경인 아파트는 이웃이 누구인지도 모르면서 자신의 독립된 생활만을 추구하는 현대인의 생활 공간으로, 이웃에 무관심한 현대인들의 삶의 모습을 나타낸다. 아파트에서 벌어지는 '나'와 '위층 여자'의 갈등은 누구에게나 일어날 수 있는 일상의 문제로, 이를 통해 더불어 사는 삶과 주변 사람들과의 관계에서 중요한 것이 무엇인지 생각해 보게 한다.

| 주제 |
이웃에게 무관심한 현대인의 삶의 태도 비판

1 답 ②
이 글은 1인칭 주인공 시점으로, 작품 속 주인공인 '나'가 자신의 입장에서 사건과 주변 상황에 대한 이야기를 전달한다.

| 오답 풀이 |

① 3인칭 관찰자 시점에 대한 설명이다.

③ 1인칭 관찰자 시점에 대한 설명이다.

④ 이 글은 처음부터 끝까지 1인칭 주인공 시점에서 사건을 서술하고 있다. 장면에 따라 서술자가 바뀌지 않는다.

⑤ 1인칭 주인공 시점은 주인공이 사건과 이에 대한 자신의 심리를 직접 전달하는 시점이므로 서술자가 작품 밖이 아니라 작품 안에 있다.

2 답 ⑤

'나'는 위층에서 소음이 나자 초침까지 헤아리며 천장을 노려보고 신경질적으로 전축을 끄는 등 예민한 태도를 보인다. 그러나 한 달을 넘게 정체 모를 소리에 시달리다가 인터폰으로 경비원을 통해 소음에 대한 자신의 의사를 전달하는 것으로 보아, 문제를 직접적으로 해결하기보다는 간접적인 방법으로 해결하려고 노력하는 사람임을 알 수 있다.

| 오답 풀이 |

① '나'는 자주 경비실에 전화를 걸어 소음에 시달리는 많은 이웃을 대변하여 소음 공해와 공동생활 수칙에 대해 주의를 줄 것을 당부하는 사람이다. 이로 보아 '나'는 공동의 선을 위하여 앞장서서 의견을 내놓는 적극적인 성격을 가지고 있다고 볼 수 있다.

② '나'는 심신 장애인 시설에서 자원봉사자로 일하면서 자신을 요구하는 곳에서 시간과 힘을 내어 일한다는 뿌듯함을 느끼고 있다. 이로 보아 '나'는 어려운 사람을 돕는 일에 보람을 느끼는 사람이라고 볼 수 있다.

③ '나'는 자원봉사를 마치고 돌아와 거실에 앉아 커피를 마시면서 클래식 음악을 들으며 휴식을 취한다. 이로 보아 '나'는 클래식을 즐기는 교양 있는 사람이라고 볼 수 있다.

④ '나'는 위층 소음을 해결하기 위해 경비원을 통해 자신의 의사를 전달하는 간접적인 방법을 택한 이유가 자신의 품위와 상대방에 대한 예절을 지키기 위해서라고 하였다. 이로 보아 '나'는 다른 사람 앞에서 자신의 품위를 지키는 것을 중요하게 생각하는 사람이라고 볼 수 있다.

3 답 ③

이 글에서 갈등을 유발하는 것은 위층에서 들리는 소음이다. ㉢은 피아노와 첼로의 멜로디를 의미하는 것으로, 위층에서 들려오는 커다란 소리 때문에 '나'가 듣기를 원했던 클래식 음악이 오히려 소음과 같이 변했다는 뜻이다.

4 답 ②

'나'는 슬리퍼를 선물함으로써 소리를 죽이라는 메시지와 함께 소리 때문에 고통받는 자신의 심정을 간접적으로 나타낼 수 있을 것이라고 하였다. 따라서 슬리퍼가 '나'의 심정을 직접 드러낸다는 진술은 적절하지 않다.

| 오답 풀이 |

① 인터폰은 얼굴을 직접 대하지 않고 공동 주택의 사람들을 연결한다는 점에서 이웃에 대한 무관심과 단절을 상징하는 소재이다.

③ '나'는 위층 여자에게 슬리퍼를 선물하며 공동생활 규범에 대해 조곤조곤 타이를 것이라고 다짐하고 있다. '나'는 자기 스스로를 사려 깊고 양식 있는 이웃이라고 여기고 있다.

④ '나'는 휠체어를 보는 순간, 소음의 정체와 위층 여자의 처지를 알게 되어 무척 당황하고 놀란다.

⑤ '나'는 휠체어를 탄 위층 여자를 보고 이웃에 대해 무관심했던 자신에 대해 부끄러움을 느끼고 소음으로 인한 갈등도 모두 해소된다.

5 답 ④

ⓐ에서 위층 여자는 '나'의 항의에 대해 신경질적으로 반응하고 있으며, '나'는 잘못을 저지르고도 뻔뻔한 위층 여자의 태도에 화가 나 있다. 이에 어울리는 한자 성어는 '적반하장(賊反荷杖)'으로, 이는 도둑이 도리어 매를 든다는 뜻으로, 잘못한 사람이 아무 잘못도 없는 사람을 나무람을 이르는 말이다.

| 오답 풀이 |

① '표리부동(表裏不同)'은 겉으로 드러나는 언행과 속으로 가지는 생각이 다르다는 말이다. ⓐ는 위층 여자가 '나'의 계속되는 항의에 대해 불쾌함을 표현하고 있는 것이므로 겉과 속이 다른 행동이라고 보기 어렵다.

② '자포자기(自暴自棄)'는 절망에 빠져 자신을 스스로 포기하고 돌아보지 아니한다는 말이다. 위층 여자는 계속되는 항의에 대한 불쾌한 심정을 전달하고 있으므로 포기했다고 보기 어렵다.

③ '역지사지(易地思之)'는 처지를 바꾸어서 생각하여 본다는 말이다. 위층 여자가 '나'의 입장에 서서 말하고 있는 것이 아니므로 ⓐ를 역지사지의 반응이라고 볼 수 없다.

⑤ '이심전심(以心傳心)'은 마음과 마음으로 서로 뜻이 통한다는 말이다. 위층의 소음 때문에 괴로워하는 '나'와 계속되는 항의에 불쾌함을 드러낸 위층 여자의 마음이 서로 통했다고 보기 어렵다.

6 답 ④

㉮는 독자가 얻은 깨달음, 교훈, 감동 등 독자에 주목하여 작품을 감상하는 방법이다. ④는 독자가 능동적으로 문학 작품을 이해해 보려는 활동이므로 ㉮의 관점으로 작품을 감상했다고 볼 수 있다.

| 오답 풀이 |

① 작품 자체의 표현에 주목하여 작품을 감상하고 있다.

② 작가의 창작 의도나 동기 등에 주목하여 작품을 감상하고 있다.

③ 작품 속 등장인물에 주목하여 작품을 감상하고 있다.

⑤ 작가의 창작 의도에 주목하여 작품을 감상하고 있다.

비문학 물질의 구성 성분 62~63쪽

1 ⑤　　2 ①　　3 ④

| 지문 해제 |

물질을 이루고 있는 기본 성분에 대해 설명한 글이다. 물질을 구성하는 기본 성분을 원소라고 하는데, 원소는 화학적인 방법으로 더 이상 분해되지 않는다. 모든 원소는 그 물질을 구성하는 단위 입자들인 원자로 이루어져 있다. 원자는 물질을 구성하는 기본 입자로, 양전하를 띠는 원자핵과 원자핵 주변에서 움직이며 음전하를 띠는 전자로 구성된다. 원자핵은 대부분 양성자와 중성자가 결합되어 있는데 수소 원자는 원자핵이 양성자 하나로만 이루어져 있다. 원자들이 화학적으로 결합하여 생성된 것을 분자라고 한다. 분자는 독립된 입자로 존재하여 물질의 성질을 나타내는 가장 작은 입자이다. 대부분의 물질에서 물질의 기본 성질을 나타내는 것은 바로 이 분자이다.

| 주제 |

물질을 구성하는 원소, 원자, 분자의 개념과 특성

출전 한국 재료 연구원, 『금속아 놀자!』(2015)

1 답 ⑤

2문단에서 대부분의 원자는 중성자와 양성자가 결합된 원자핵을 가지고 있지만, 수소 원자의 경우에는 원자핵이 양성자 하나로만 이루어져 있다고 하였다. 따라서 모든 원자가 중성자와 양성자가 결합해 이루어진 원자핵을 가지고 있다는 진술은 적절하지 않다.

| 오답 풀이 |

① 1문단에서 물을 구성하는 원소인 수소와 산소는 화학적 방법으로 더 이상 분해되지 않는다고 하였다.
② 3문단에서 분자는 대부분 2개 이상의 원자가 결합되어 생성된다고 하였다.
③ 4문단에서 두 가지 이상의 원소로 이루어진 물질을 화합물이라고 하였다.
④ 3문단에서 분자는 원자들이 결합한 것으로, 독립된 입자로 존재하여 물질의 성질을 나타낸다고 하였다. 4문단에서도 대부분의 물질에서 물질의 기본 성질을 나타내는 것은 원소가 아니라 분자라고 하였다.

2 답 ①

[A]에서는 원자의 개념을 밝히고, 원자는 원자핵과 전자로 구성되며, 원자핵은 양성자와 중성자로 구성됨을 분석의 방법으로 설명하고 있다.

| 오답 풀이 |

② [A]에서 원자의 개념을 정의의 방법으로 밝히고 있으나, 전문가의 의견을 인용하고 있지는 않다.
③ [A]에 원자가 시간에 따라 변화하는 과정은 나타나 있지 않다.
④ [A]에는 원자의 개념과 그 구조가 제시되어 있을 뿐, 다른 대상과의 공통점은 나타나 있지 않다.
⑤ [A]에 수소 원자는 대부분의 원자와 달리 원자핵이 양성자 하나로 이루어져 있다고 하였으나 그 원인은 제시되어 있지 않다.

3 답 ④

〈보기〉의 화학 반응식을 살펴보면, 화학 반응을 통해 생성된 암모니아 분자 'NH_3'는 질소 원자 1개와 수소 원자 3개로 이루어져 있음을 알 수 있다.

| 오답 풀이 |

① 〈보기〉를 통해 질소 분자 1개는 질소 원자 2개로 이루어져 있음을 알 수 있다.
② 〈보기〉를 통해 수소 분자 1개는 수소 원자 2개로 이루어져 있음을 확인할 수 있다.
③ 〈보기〉에 따르면 질소 분자 1개와 수소 분자 3개가 결합하여 암모니아 분자 2개가 생성되는 것을 알 수 있다. 그러므로 암모니아 분자는 두 종류의 원자, 즉 서로 다른 종류의 원자가 결합하여 이루어진 물질임을 알 수 있다.
⑤ 〈보기〉의 화학 반응식을 살펴보면, 질소 분자 1개와 수소 분자 3개가 반응하면 2개의 암모니아 분자가 생성된다는 것을 알 수 있다.

어휘 학습 64쪽

1 겨를　2 전갈　3 지레　4 처신
5 저의　6 우두망찰　7 진저리　8 ㉠
9 ㉢　10 ㉡

배경지식 65쪽

1 ○　　2 ×

2 원소에는 자연에서 발견된 것과 인공적으로 만들어진 것이 있다고 하였다.

09

문학 먼 후일 66~67쪽

1 ④ 2 ⑤ 3 ③

| 작품 해제 |

이 작품은 1925년에 간행된 김소월의 시집 『진달래꽃』에 수록된 작품으로, 임을 잊지 못하고 그리워하는 마음을 반어적 표현을 활용하여 노래한 시이다. 이 시는 불특정한 미래의 어느 날, '당신'이 화자를 찾는다는 상황을 가정하여 시상을 전개하고 있다. 화자는 떠나간 임에 대해 '잊었노라'라고 반복적으로 말하고 있으나, 이는 실제로는 임을 잊을 수 없는 속마음을 반대되는 말로 표현한 것이다. 이와 같은 반어적 표현의 반복은 임에 대한 애절한 감정을 효과적으로 전달하고 있다. 또한 3음보의 규칙적인 율격과 유사한 문장 구조의 반복을 통해 운율을 형성하고 있으며, 각 연에서 '잊었노라'를 반복하여 시의 의미를 강조하고 있다.

| 주제 |

떠난 임에 대한 그리움

1 답 ④

이 시는 과거의 이별 경험을 회상하고 있는 것이 아니라 '당신'과 재회할 미래 상황을 가정하여 시상을 전개하고 있다.

| 오답 풀이 |

① '잊었노라'를 반복하여 '떠난 임에 대한 그리움'이라는 주제를 부각하고 있다.
② '먼 훗날∨당신이∨찾으시면'과 같이 3음보의 율격이 반복되어 운율을 형성하고 있다.
③ '잊었노라'는 화자가 사랑하는 임을 그리워하는 정서를 반대로 표현한 시어이다.
⑤ '~면 / ~잊었노라'와 같은 유사한 문장 구조를 규칙적으로 배열하여 헤어진 임을 그리워하는 시적 상황을 강조하고 있다.

2 답 ⑤

화자는 '먼 훗날'인 미래에도 임을 잊을 수 없음을 반어적으로 표현하고 있으므로 '먼 훗날'이 임과의 이별을 인정하고 받아들이는 순간이라는 것은 적절하지 않다.

| 오답 풀이 |

① '찾으시면'은 '먼 훗날'이라는 미래의 시점에 임이 나를 찾는 상황을 가정한 것이므로 임과의 재회 상황을 가정하여 표현한 것이다.
② '무척'은 '그리다가'를 수식하는 부사어로 임에 대한 그리움을 강조하기 위해 사용한 시어이다.
③ '믿기지 않아서'는 화자가 임과의 이별을 믿을 수 없다는 것으로, 임과의 이별에 대한 화자의 반응을 나타내고 있다.
④ '오늘도 어제도'는 과거와 현재를 이어 계속해서 임을 잊을 수 없다는 화자의 마음을 드러내기 위한 표현이다.

3 답 ③

'잊었노라'는 임을 잊을 수 없는 화자의 정서를 강조하기 위해 사용한 반어적 표현이다. '죽어도 아니 눈물 흘리우리다.' 역시 매우 슬퍼서 눈물을 흘릴 것 같은 화자의 슬픈 정서를 강조하기 위해 죽어도 눈물을 흘리지 않겠다는 반어적인 표현으로 나타낸 것이다.

| 오답 풀이 |

① 쉽게 판단할 수 있는 사실을 의문의 형식으로 표현하여 상대가 스스로 판단하게 하는 표현 방법인 설의법이 사용되었다.
② 사람이 아닌 것을 사람이 행동하는 것처럼 표현하는 의인법과 '~처럼, ~같이, ~듯이' 등의 말을 사용하여 원관념과 보조 관념을 직접 빗대어 표현하는 방법인 직유법이 사용되었다.
④ 말이나 문장의 어순을 바꾸어 표현하는 도치법이 사용되었다.
⑤ '따뜻하게 손을 잡는 이별로 온다'에 겉으로는 모순되지만, 그 속에 중요한 진실을 담고 있는 표현인 역설법이 사용되었다.

비문학 전자레인지의 원리 68~69쪽

1 ④ 2 ③ 3 ④

| 지문 해제 |

전자레인지가 음식을 데우는 원리와 전자레인지를 사용할 때의 유의점에 대해 설명한 글이다. 전자레인지는 마그네트론에서 발생하는 마이크로파를 통해 물 분자를 진동과 동시에 회전시켜 열을 발생하도록 함으로써 음식물을 데운다. 전자레인지를 사용할 때에는 마이크로파가 금속을 통과하지 못하므로 금속으로 음식물을 싸서 데워서는 안 되고, 나무로 된 용기나 완전히 밀봉된 용기를 사용하면 팽창하면서 터질 수 있으므로 주의해서 사용해야 한다.

| 주제 |

전자레인지의 원리와 사용 시 주의점

출전 이진산 · 강이든, 『과학 시크릿』(삼양미디어, 2010)

1 답 ④

3문단에서 물 분자들이 회전 운동을 하면서 주위의 물 분자들과 마찰을 일으키게 되는데 이 마찰에 의해 운동 에너지가 열에너지로 바뀐다고 하였다. 열에너지는 회전 운동으로 발생한 운동 에너지가 변환된 것이므로 열에너지가 운동 에너지로 변환된다는 진술은 잘못된 설명이다.

| 오답 풀이 |

① 1문단에서 마그네트론에서 발생하는 전자기파는 진동수가 크고 파장이 짧은 마이크로파라고 하였다.
② 2문단에서 물 분자는 수소 원자 두 개가 산소 원자 한 개에 104.5°의 각을 이루며 결합된 형태라고 하였다.

③ 4문단에서 습기가 들어 있는 나무 용기는 팽창하면서 터질 위험이 있으므로 사용할 때 주의해야 한다고 하였다.
⑤ 4문단에서 마이크로파는 금속을 통과하지 못하고 반사되기 때문에 알루미늄박 같은 데 싸서 넣으면 음식물이 데워지지 않는다고 하였다.

2 답 ③

1문단에서 물 분자들은 진동수가 같은 마이크로파를 흡수하여 진동과 동시에 회전 운동을 한다고 하였으므로 물 분자가 마이크로파를 '반사'하는 것이 아니라 '흡수'하는 것임을 알 수 있다.

| 오답 풀이 |

① 3문단에서 물 분자의 운동을 통해 발생된 열로 인해 물이 데워지는데, 대부분의 음식물 속에는 수분이 함유되어 있으므로 음식물도 데워진다고 하였다. 한편 음식을 담은 종이나 플라스틱 용기는 수분이 전혀 없기 때문에 마이크로파의 영향을 받지 않는다고 하였다. 이를 통해 전자레인지로 음식을 데울 때에는 물 분자가 반드시 필요하다는 것을 알 수 있다.
② 1문단에서 마그네트론에서 발생하는 전자기파는 마이크로파로, 이 전자기파의 진동수는 물 분자의 진동수와 정확히 일치한다고 하였다.
④ 2문단에서 물 분자를 구성하고 있는 수소 원자는 부분적으로 양전하를 띠고, 산소 원자는 부분적으로 음전하를 띤다고 하였다.
⑤ 3문단에서 전자기파의 전기장 방향을 주기적으로 바꿔 주면 물 분자가 빠른 속도로 회전한다고 하였다.

3 답 ④

'주기적으로'는 '일정한 간격을 두고 되풀이하여 나타나게'라는 뜻을 가지고 있다.

| 오답 풀이 |

① 연달아 이어지게 → 연속적으로
② 거듭해서 되풀이하여 → 반복적으로
③ 서로 연결되어 관련이 있게 → 연쇄적으로
⑤ 연속하여 일어나지 않고 단 한 번에 끝나게 → 단발적으로

어휘 학습 70쪽

1 훗날	2 통과	3 일치	4 밀봉
5 팽창	6 구조	7 반사	8 ㉠
9 ㉢	10 ㉡		

8 한복은 한국인들이 오랜 기간 착용해 온 한국의 전통 복식이므로 본래부터 가지고 있는 특유한 것을 뜻하는 '고유'가 적절하다.

9 카페인은 커피에 들어 있는 쓴맛이 나는 성분이므로 물질이 어떤 성분을 포함하고 있음을 뜻하는 '함유'가 적절하다.

10 기계를 사용할 때 유의해야 할 점을 잘 지켜 사용해야 한다는 뜻이므로 마음에 새겨 두고 조심함을 뜻하는 '주의'가 적절하다.

배경지식 71쪽

1 ×　　2 ○

1 『진달래꽃』은 당시 문단의 성향인 서구 사조의 모방이나 유행에 휩쓸리지 않고 민요의 가락으로 한과 슬픔의 정서를 노래하여 문단의 주목을 받았다.

10

문학 연 72~75쪽

1 ②　2 ②　3 ⑤　4 ②　5 ②

| 작품 해제 |

이 작품은 어려운 가정 형편 때문에 상급 학교에 진학하지 못한 아들이 매일 연날리기를 하며 시간을 보내다가 마을을 떠나는 내용을 담은 소설이다. 어머니는 하늘에 떠 있는 연을 보며 아들의 존재를 확인하고, 실이 끊어져 날아간 연을 보며 아들이 마을을 떠났음을 짐작하고 아들과의 이별을 받아들인다. '연'은 어머니가 아들과 동일시하는 소재로 새로운 세계로 떠나고 싶어 하는 아들을 상징한다. 또한 아들의 연은 '새'에 비유되고 있는데 새는 하늘을 자유로이 날 수 있다는 점에서 일반적으로 자유에 대한 갈망, 미지의 세계에 대한 동경 등의 의미를 지닌다. 이와 같이 이 소설은 비유와 상징을 통해 인물이 처한 상황이나 심리를 표현하면서 내용을 생동감 있게 드러내고 있다.

| 주제 |

고향을 떠나는 아들을 바라보는 어머니의 마음

1 답 ②

이 글은 아들이 띄우는 연을 바라보는 어머니의 내면 심리를 섬세하게 서술하고 있다.

| 오답 풀이 |

① 아들이 마을을 떠나는 사건을 어머니의 시선에서 제시하고 있다.
③ 어머니와 아들을 중심으로 하나의 이야기가 전개되고 있으므로 액자식 구성이 나타나지 않는다.
④ '연'이 아들을 상징하는 소재로 쓰이고 있는 것은 맞지만, 이를 통해 사회 문제를 비판하는 것은 아니다.

⑤ 상급 학교 진학과 관련하여 아들과 어머니가 갈등하고 있다고 볼 수 있다. 하지만 이 글은 어머니를 중심으로 사건이 전개되면서 어머니의 내면이 드러나고 있으므로 두 사람의 갈등이 심화되는 과정을 서술한 것은 아니다.

2 답 ②

㉡은 어머니가 일손을 멈추고 봄 하늘을 바라보며 한숨을 쉬는 장면으로 아들의 심리가 아니라 어머니의 불안한 심리가 드러난 부분이다.

| 오답 풀이 |

① 연을 새에 비유하여 연이 하늘을 맴도는 상황을 효과적으로 전달하고 있다.

③ 어려운 형편 때문에 상급 학교에 보낼 줄 수 없으니 진학을 포기하고 함께 농사짓기를 바라는 어머니의 생각이 나타나 있다.

④ '연의 위로'에 감사한다는 표현을 통해 어머니는 아들이 연날리기로 위로받고 있다고 생각함을 알 수 있다.

⑤ 연이 가라앉듯이 아들이 마을을 떠나지 말고 자신의 곁에 머물기를 바라는 어머니의 마음이 나타나 있다.

3 답 ⑤

어머니가 연을 보면 아들의 얼굴과 마음을 보는 것 같다고 한 것으로 보아 어머니는 연과 아들을 동일시하고 있음을 알 수 있다. 즉 [A]에는 표현하고자 하는 대상인 '아들'을 구체적 대상인 '연'으로 대신해 표현하는 상징이 쓰였다. 또한 하늘을 난다는 유사성을 바탕으로 원관념인 '연'을 보조 관념인 '새'에 직접 비유하고 있다.

| 오답 풀이 |

① 연은 아들을 상징하는 것으로 '연'은 보조 관념이고 '아들'은 원관념이다. 연이 새처럼 보였다는 표현은 비유로 '연'은 원관념이고 '새'는 보조 관념이다.

② '새'의 원관념은 '아들'이 아니라 '연'이다.

③ '아들'을 상징하는 구체적 사물은 '새'가 아니라 '연'이며, '아들'은 보조 관념이 아니라 원관념이다.

④ '새'는 '연'을 비유한 것이며, '연'은 '새'의 원관념으로 쓰였다.

4 답 ②

어머니는 아들이 떠날지도 모른다는 사실에 불안해하며 항상 연의 상태를 살피고 있었던 것이지 아들이 떠날 것을 알고 미리 대비하고 있었던 것은 아니다.

| 오답 풀이 |

① 유독 봄바람이 들녘을 설치던 날 아들의 연은 실이 끊어져 날아가고 아들은 어머니를 떠났다.

③ 아들은 친구에게 도회지로 간다고 했을 뿐, 어머니에게는 아무 말도 하지 않고 도회지로 떠났다.

④ 어머니는 실이 끊어진 연을 보고 아들이 마을을 떠났음을 짐작하고 있다.

⑤ "앞뒤 사정을 ~ 것도 없었다."를 통해 어머니는 아들이 떠난 사실을 받아들이고 아들을 원망하지 않음을 알 수 있다.

5 답 ②

아들이 떠날까 봐 불안해하던 어머니는 아들이 떠나자 안타까운 마음으로 연이 시야에서 사라질 때까지 하염없이 바라본다. 차분해진 어머니의 태도를 통해 어머니가 아들이 마을을 떠났다는 사실을 받아들이고 체념하고 있음을 알 수 있다.

비문학 콘서트홀의 잔향 시간 76~77쪽

1 ②　2 ④　3 ②

| 지문 해제 |

콘서트홀의 잔향 시간을 조절하는 방법에 대해 설명한 글이다. 콘서트홀에서 공연의 질은 다양한 요소에 따라 달라지는데, 중요한 요소 중 하나가 바로 잔향 시간이다. 잔향 시간은 음 에너지가 최대인 상태에서 일백만 분의 일만큼의 에너지로 감소하는 데 걸리는 시간으로, 콘서트홀의 종류에 따라 알맞은 잔향 시간이 다르다. 잔향 시간을 조절하는 방법에는 콘서트홀의 크기를 고려하는 방법, 콘서트홀의 재료를 고려하는 방법, 콘서트홀의 음향 장치를 활용하는 방법 등이 있다. 콘서트홀과 잔향 시간과의 관계를 이해하고 잔향 시간을 조절함으로써 좋은 음질의 공연을 감상할 수 있다.

| 주제 |

콘서트홀에서의 잔향 시간 조절 방법

출전 2015 중3 학업성취도평가

1 답 ②

3문단에서 콘서트홀의 크기가 작으면 무대에서 나가는 소리가 벽에 부딪히기까지의 시간이 짧아 소리가 벽에 부딪히는 횟수가 많아지므로 소리 에너지가 빨리 줄어들어 잔향 시간이 짧아진다고 하였다.

| 오답 풀이 |

① 1문단에서 오케스트라와 가수 외에도 콘서트홀의 다양한 요소들이 공연의 질에 영향을 미친다고 하였다.

③ 4문단에서 합성 섬유와 같이 푹신한 재료는 소리를 잘 흡수하므로 흡음재로 쓰이고, 돌이나 두꺼운 합판은 소리를 튕겨 내기 때문에 반사재로 쓰인다고 하였다.

④ 5문단에서 피아노 독주처럼 작은 소리를 울리게 할 때 피아노 뒤편 무대에 음향 반사판을 세운다고 하였다.

⑤ 2문단에서 잔향 시간은 음 에너지가 최대인 상태에서 일백만 분의 일만큼의 에너지로 감소하는 데 걸리는 시간이라고 하였다.

2 답 ④

이 글은 콘서트홀의 종류에 따른 잔향 시간의 차이와 콘서트홀의 잔향 시간을 조절하는 방법을 설명한 글로, 잔향이 발생하는 과정을 시간순으로 나열한 내용은 다루고 있지 않다.

| 오답 풀이 |

① 2문단에서 콘서트홀 종류마다 알맞은 잔향 시간이 다르다는 것을 설명하기 위해 구체적인 수치를 활용하고 있다.

② 2문단에서 생소한 개념인 잔향 시간의 개념을 풀이하고 있다.

③ 2문단에서 콘서트홀의 종류를 오케스트라 전용 콘서트홀과 오페라 전용 콘서트홀로 나누어 예술의 전당의 실제 잔향 시간을 예로 들어 설명하고 있다.

⑤ '콘서트홀의 잔향 시간'이라는 중심 화제를 2문단에서 제시하고 잔향 시간을 조절하는 방법을 3~5문단에서 나열하여 제시하고 있다.

3 답 ②

3문단에서 콘서트홀의 크기를 크게 하여 소리가 벽에 부딪히는 횟수를 줄임으로써 소리 에너지를 천천히 줄어들게 해 잔향 시간을 길어지게 할 수 있다고 하였다.

| 오답 풀이 |

① 5문단에서 공연이 열릴 때 반사판을 더하면 잔향 시간을 늘릴 수 있다고 하였는데, 반사판을 제거한다고 하였으므로 적절하지 않다.

③ 3문단에서 소리가 벽에 부딪히는 횟수가 많아지면 잔향 시간이 짧아진다고 하였으므로 적절하지 않다.

④ 4문단에서 객석과 주변의 벽은 흡음재를 사용하여 소리를 흡수할 수 있도록 한다고 하였으므로 적절하지 않다.

⑤ 4문단에서 무대 바닥은 돌이나 두꺼운 합판 등 소리를 흡수하지 않고 튕겨 내는 반사재를 사용한다고 하였으므로 적절하지 않다.

어휘 학습 78쪽

1 하염없이	2 단념하고	3 선하게	4 웅장한
5 쓸쓸함	6 공기	7 얼굴	8 ○
9 ×	10 ×		

1 시험 걱정을 하느라 길을 잃었다는 것이므로 '시름에 싸여 멍하니 이렇다 할 만한 아무 생각이 없다.'는 뜻의 '하염없다'를 활용하여 '하염없이'로 써야 한다.

2 가정 형편이 어려워져 유학을 포기했다는 것이므로 '품었던 생각을 아주 끊어 버리다.'라는 뜻의 '단념하다'를 활용하여 '단념하고'로 써야 한다.

3 할아버지의 모습이 잊히지 않고 생생하게 떠오르는 것이므로 '잊히지 않고 눈앞에 생생하게 보이는 듯하다.'라는 뜻의 '선하다'를 활용하여 '선하게'로 써야 한다.

4 조선 시대의 궁궐이 거대하고 성대한 모습을 자랑하고 있다는 것이므로 '규모 따위가 거대하고 성대하다.'는 뜻의 '웅장하다'를 활용하여 '웅장한'으로 써야 한다.

9 '이랑'은 논이나 밭을 갈아 골을 타서 두두룩하게 흙을 쌓아 만든 곳을 뜻한다. 제시된 설명에 해당하는 어휘는 '고랑'으로 '이랑'의 반의어이다.

10 '음향'은 물체에서 나는 소리와 그 울림을 뜻한다. 제시된 설명에 해당하는 어휘는 '잔향'이다.

배경지식 79쪽

1 ×　　2 ○

1 음악당이라고도 불리는 콘서트홀은 음향 효과를 높인 음악 전용 극장을 말한다.

11

문학 **고향** 80~81쪽

1 ①　2 ③　3 ①

| 작품 해제 |

이 작품은 그리워하던 고향에 돌아왔지만 그리워하던 고향이 아니라는 상실감을 노래하고 있는 시이다. 화자가 돌아온 고향의 모습은 예전과 같이 산꿩이 알을 품고 뻐꾸기가 우는 곳이지만, 화자의 마음은 고향을 낯설게 느끼며 항구를 떠도는 구름처럼 이리저리 방황한다. 이처럼 변함없는 자연과 변해 버린 화자를 대비하여 제시함으로써 화자가 느끼는 상실감은 고향이 변했기 때문이 아니라 화자가 변했기 때문임을 표현하고 있다. 이 시가 1930년대의 작품임을 고려하면 화자가 느끼는 상실감은 식민지 시대의 지식인이 느끼는 나라를 잃은 설움과 연결 지어 생각해 볼 수 있다. 이 시는 다양한 이미지를 활용하여 고향의 모습을 감각적으로 형상화하고 있으며, 첫 연과 마지막 연에 비슷한 시구를 배치하여 처음과 끝이 상응하는 수미상관의 구조를 취한다. 이러한 구조는 작품의 운율감을 형성하고 형태적인 안정감을 주며 화자가 느끼는 상실감을 강조하고 있다.

| 주제 |

돌아온 고향에서 느끼는 상실감

1 답 ①

화자는 고향에 돌아와서 고향의 자연은 변하지 않은 반면 화자 자신이 변한 것을 인식하고 자신과 자연의 대비를 통해 고향에서 느끼는 상실감을 표현하고 있다.

| 오답 풀이 |

② 이 시에서는 상승과 하강의 이미지를 교차하고 있지 않다.

③ '산꿩', '뻐꾸기', '꽃' 등 고향의 다양한 자연물을 활용하고 있으나 이를 통해 올바른 삶의 태도를 제시하는 것은 아니다.

④ 이 시에는 시각적 심상, 청각적 심상, 미각적 심상 등 다양한 심상이 나타나지만, 이를 통해 표현하고자 하는 것은 화자가 추구하는 삶의 가치가 아니라 고향에서 느끼는 상실감이다.

⑤ 이 시의 화자는 고향에서의 상실감을 표현하고 있는 것이지 회상을 통한 후회와 그리움의 정서를 표현하고 있는 것이 아니다.

2 답 ③

'떠도는 구름'은 고향에 돌아와서도 고향을 낯설어하며 방황하는 화자의 마음을 비유적으로 표현한 것이다.

| 오답 풀이 |

① '그리던 고향'은 이전에 화자가 마음속에 품고 있었던 고향의 모습을 의미한다.

② '마음은 제 고향 지니지 않고'는 자연은 변함없지만 이러한 고향을 낯설게 느끼는 화자의 변화된 상황을 의미한다.

④ '풀피리 소리 아니 나고'는 순수한 어린 시절에 불던 풀피리 소리가 이제는 나지 않는, 화자의 변해 버린 모습을 암시한다.

⑤ '하늘만이 높푸르구나'는 고향의 자연인 하늘은 변함이 없는데 화자 자신은 변해 버린 것에서 느끼는 상실감과 거리감을 표현한 것이다.

3 답 ①

[A]와 [B]는 수미상관의 형식을 이용하여 [A]에서는 화자가 그리던 고향이 아니라는 상실감을 표현하고, [B]에서는 그 내용을 더욱 심화하여 고향에서 느끼는 상실감과 거리감을 강조하고 있다.

| 오답 풀이 |

② [A]에서 느꼈던 화자의 상실감은 [B]에서 회복되는 것이 아니라 더욱 심화되고 있다.

③ [A]에 나타난 화자의 정서는 부담감이 아니라 상실감이다. [B]에서의 하늘은 이상향과 관련이 없으며, 고향의 변함없는 자연을 의미한다.

④ [A]에서 화자는 꿈에 그리던 고향이 아닌 것을 느끼고 안타까워한다. [B]에서는 고향에 대한 원망이 아니라 화자의 변화로 인해 느끼는 고향에 대한 거리감과 상실감이 드러나고 있다.

⑤ [A]에는 고향을 그리워하는 정서가 아니라 고향에 대한 상실감이 나타난다. [B]에서 화자는 만남을 위한 의지를 나타내고 있지 않다.

비문학 창의성 형성 82~83쪽

1 ③　　2 ②

| 지문 해제 |

칙센트미하이의 견해를 바탕으로 창의성 형성의 과정과 방법에 대해 설명한 글이다. 칙센트미하이는 무의식적 사고를 통해 새로운 아이디어가 생기고, 이 아이디어가 현장의 인정을 받아 영역에 편입되어 영향력을 발휘할 때 창의성이 형성된다고 보았다. 그는 현장의 인정을 받을 수 있는 아이디어를 만들기 위한 방법으로 현장의 전문가 집단과 교류하거나 영역의 지식 체계를 이해하려고 노력하는 것과 의식적 작업을 최소화하고 무의식적 사고를 활성화하여 고정된 관점을 버리는 것을 제시하고 있다.

| 주제 |

창의성 형성의 과정과 방법

출전 2016 고2 학업성취도평가

1 답 ③

3문단에서 한 개인이 만들어 낸 아이디어가 아무리 새롭다고 해도 현장의 인정을 받아 영역에 편입되지 못하면 창의성이 형성되지 않은 것으로 본다고 하였다.

| 오답 풀이 |

① 2문단에서 칙센트미하이는 개인이 새로운 아이디어를 떠올릴 때 무의식적 사고 과정을 꼭 거친다고 하였으므로 적절하지 않다.

② 2문단에서 논리적 관계에 따라 정보를 선형적으로 하나씩 처리하는 것은 의식적 사고 과정이라고 하였다. 칙센트미하이는 무의식적 사고 과정을 거쳐 새로운 아이디어가 생겨난다고 보았으므로 적절하지 않다.

④ 3문단에서 현장은 개인의 아이디어를 평가하고 그중 가치 있는 것을 선택하여 세상에 알리는 역할을 한다고 하였다. 영역에 편입되어 이를 새롭게 하는 것은 현장의 평가를 받은 아이디어가 영역과의 상호 작용을 통해 이루어지는 것이므로 적절하지 않다.

⑤ 4문단에서 아이디어를 만들기 위해서는 외부 자극에 주의 집중하는 의식적 작업을 최소화하여 고정된 관점을 버려야 한다고 하였으므로 적절하지 않다.

2 답 ②

'건축가 A'는 로마 양식에 호기심을 갖고 연구한 결과 감독 위원회에서 인정받는 설계안을 고안하였다. 이는 새로운 아이디어가 영역에 대한 호기심을 가지면서 생겨날 수 있음을 보여 준 것으로 한가하게 시간을 보낸 것과는 관련이 없다.

| 오답 풀이 |

① '건축가 A'가 완성한 돔이 많은 건축가에게 영감을 주는 새로운 양식이 되었다는 것은 "현장의 선택을 받은 아이디어는 상징적 지식 체계인 영역으로 편입되어 영역을 새롭게 한다."와 관련된다.

③ '건축가 A'가 로마 양식에 호기심을 갖고 연구한 결과 큰 무게를

버틸 수 있는 설계안을 고안했다는 것은 "영역에 대해 호기심을 가지면 새로운 문제 제기도 가능해진다."와 관련된다.

④ '건축가 A'가 고안한 설계안을 감독 위원회가 인정하고, 그 설계안을 바탕으로 하여 마침내 돔으로 완성되었다는 것은 "현장은 개인의 아이디어를 평가하고 그중 가치 있는 것을 선택하여 세상에 알리는 역할을 한다."와 관련된다.

⑤ '건축가 B'가 노벨라 대성당의 돔을 기초로 성 베드로 대성당의 천장을 설계했다는 것은 "새로운 영역은 다시 개인과 사회 구성원들에게 영향을 미치게 된다."와 관련된다.

어휘 학습 84쪽

1 발휘	2 전념	3 언급	4 조합
5 ㉢	6 ㉠	7 ㉡	8 제철
9 주목	10 자질		

1 활을 쏠 때마다 겨눈 곳에 다 맞혔다는 것이므로 재능, 능력 따위를 떨치어 나타냄을 뜻하는 '발휘'가 적절하다.

2 공부에만 오직 마음을 써서 시험에 합격한 것이므로 오직 한 가지 일에만 마음을 씀을 뜻하는 '전념'이 적절하다.

3 이번 일에 대해 아무런 말이 없는 것이므로 어떤 문제에 대하여 말함을 뜻하는 '언급'이 적절하다.

4 수만 개의 부품이 한데 모여 자동차가 되는 것이므로 여럿을 한데 모아 한 덩어리로 짬을 뜻하는 '조합'이 적절하다.

5 문제에 대하여 서로 의견이나 생각이 다른 것이므로 '견해'는 어떤 사물이나 현상에 대한 자기의 의견이나 생각을 뜻한다는 것을 알 수 있다.

6 여러 민족의 이주와 정복이 문화를 서로 통하게 한 것이므로 '교류'는 문화나 사상 따위가 서로 통함을 뜻한다는 것을 알 수 있다.

7 새로운 유형의 화폐를 이미 짜인 제도권에 끼어 넣는다는 것이므로 '편입'은 이미 짜인 한 동아리나 대열 등에 끼어 들어감을 뜻한다는 것을 알 수 있다.

배경지식 85쪽

1 × 2 ○

1 모더니즘의 영향을 받은 정지용은 동양 철학과 전통문화에도 관심이 많았던 시인으로 서구적인 표현에 한국적인 정서를 깃들인 작품들을 많이 창작하였다.

12

문학 고무신 86~89쪽

1 ① 2 ③ 3 ⑤ 4 ⑤ 5 ① 6 ③

| 작품 해제 |

이 작품은 1949년 『서울신문』 신춘문예에 당선된 소설로, 발표 당시 제목은 「고무신」이 아니라 「남이와 엿장수」였다. 산기슭 마을의 어느 봄날, 식모살이를 하는 남이와 마을에 드나드는 엿장수 청년의 애틋한 사랑과 이별을 다루고 있다. 아이들이 남이의 고무신을 엿과 바꾸어 먹으면서 만남이 시작된 그들은 서로에게 호감이 있지만 봉건적 사회 분위기 속에서 그런 마음을 적극적으로 표현하지 못한다. 그러다가 남이의 혼사를 위해 남이 아버지가 남이를 데려가면서 두 사람은 이별을 하게 된다. 젊은 두 남녀의 순수한 사랑을 서정적으로 그리고 있는 이 작품은 비유적 표현을 통해 인물의 외양과 심리를 인상적으로 묘사하였으며 '식모아이', '고무신'과 같은 소재 등을 통해 사회적 상황을 드러내고 있다. 마지막 장면에서 엿장수가 사 준 것으로 짐작되는 옥색 고무신을 신고 떠나가는 남이의 뒷모습을 엿장수가 울음 고개에서 지켜보는 모습은 안타까움과 함께 긴 여운을 남긴다.

| 주제 |

젊은 남녀의 애틋한 사랑

1 답 ①

엿장수는 남이가 날카롭게 추궁을 해도 화를 내지 않고 히죽이 웃어 보이며 머리를 긁적이는 등 순수하고 순박한 태도를 보이고 있다.

| 오답 풀이 |

② 남이는 엿장수가 아이들의 꼬임에 넘어간 것이 아니라, 엿장수가 아이들을 꾀어 자신의 신발로 엿을 바꾸어 먹도록 했다고 생각하고 있다.

③ 아이들은 남이가 자신들을 때린 사실을 아버지인 철수에게 이르고 있다.

④ 몹시 흥분한 상태로 엿장수에게 자신의 신발을 내놓으라고 따져 묻는 남이의 행동으로 보아 남이가 엿장수에게 이성적 관심이 있다고 보기 어렵다.

⑤ 철수는 남이의 평소 행실을 보아 남이가 아이들을 때린 것에 사정이 있을 것이라고 생각하고 있다.

2 답 ③

이 글의 제시된 부분에는 배경에 대한 묘사가 드러나 있지 않다. 인물의 심리는 인물 간의 대화와 비유적 표현을 통해 드러나고 있다.

| 오답 풀이 |

① 남이와 엿장수의 대화를 통해 인물의 성격이 드러나고 있다.

② 철수와 아이들의 대화와 행동을 그대로 전달하고 있어 독자에게 현장감을 준다.
④ 엿장수의 "그 신이 당신 신이던교?" 등의 말에서 경상도 지역 방언이 사용되었음을 알 수 있다. 지역 방언의 사용은 향토적이고 토속적인 분위기를 조성하고 현장감을 불러일으키며 인물에 생동감을 부여해 준다.
⑤ '가시처럼 꼭 찌르는 소리'는 남이의 날카로운 목소리를 가시에 빗대어 표현한 말로, 이러한 남이의 말투를 통해 고무신을 가져간 엿장수에 대한 남이의 불편한 심리를 생생하게 전달하고 있다.

3 답 ⑤

'앙살'은 엄살을 부리며 버티고 겨루는 짓을 뜻하므로 차분하게 쏘아붙이는 것과는 거리가 멀다.

| 오답 풀이 |

① '쌜쭉하다'는 '어떤 감정을 나타내면서 입이나 눈이 한쪽으로 약간 샐그러지게 움직이다. 또는 그렇게 하다.'라는 뜻이다.
② '까칠하다'는 '야위거나 메말라 살갗이나 털이 윤기가 없고 조금 거칠다'라는 뜻이다. 여기서는 '거칠다'와 유사한 의미로 행동이나 성격이 사납고 공격적인 면이 있다는 의미로 쓰였다.
③ 수양버들이 봄바람에 따라 움직이듯이 능청스럽고 부드러운 태도를 보인다는 의미이다.
④ '그믐밤에 홍두깨'는 별안간 엉뚱한 말이나 행동을 함을 비유하여 이르는 말이다.

4 답 ⑤

이 글의 마지막 부분인 "자천 골짜기로 ~ 알 리도 없었다."에서 엿장수가 울음 고개 위에서 남이를 바라보고 있었지만 남이는 이를 알 리가 없었다고 하였으므로, 남이가 걸어가며 뒤를 돌아보는 장면은 만화로 각색할 때 구성할 수 없는 장면이다.

| 오답 풀이 |

① "남이는 그 ~ 여념이 없었다."에서 남이는 영이와 윤이에게 엿을 각각 두 개씩 주었음을 알 수 있다.
② "철수 아내는 ~ 일러 주고 ……."에서 철수 아내는 보퉁이 한 개를 들고 따라 나오면서 떠나는 남이에게 귓엣말로 무언가를 일러 주었음을 알 수 있다.
③ "보이소, 나도 ~ 낯까지 붉히었다."에서 남이를 데리러 온 남이 아버지는 남이의 혼사 문제에 대해 철수 아내와 이야기를 나누었음을 알 수 있다.
④ "골목에서 엿장수 ~ 밖으로 나갔다."에서 엿장수의 가위 소리가 들리자 남이는 엿장수를 만나기 위해 아이들을 데리고 밖으로 나갔음을 알 수 있다.

5 답 ①

〈보기〉는 이 글의 소재인 '고무신'의 역할과 의미를 설명하고 있다. 남이와 엿장수는 고무신을 매개로 만나게 되고, 서로 호감을 갖게 되었으므로 '고무신'은 남이와 엿장수의 추억이나 사랑을 상징하는 소재라고 할 수 있다.

| 오답 풀이 |

② 고무신은 사건 전개에 중심이 되는 소재로 상징적 의미를 지니고 있으므로, 신발의 기능적 역할을 부각하고 있는 소재라고 보기는 어렵다.
③ 이 글에서 남이는 신분을 상승하고자 하는 욕구를 보이는 인물이 아니며, 1940년 당시 고무신은 신분과 관계없이 누구나 신었던 신발이다.
④ 고무신은 일제 강점기 때 보급된 신발로 우리나라의 전통적 의미를 지니고 있다고 보기 어렵다. 이 글에서 고무신을 전통 계승의 필요성을 강조하는 소재라고 볼 만한 근거는 없다.
⑤ 고무신은 엿장수에 대한 남이의 추억과 사랑을 뜻하는 소재일 뿐, 남이의 과거 삶에 대한 성찰의 의미가 담겨 있는 소재라고 보기 어렵다.

6 답 ③

엿장수가 남이에게 돈을 받지 않고 아무 말도 없이 엿을 준 것으로 보아 ⓒ에는 남이에 대한 엿장수의 사랑이 담겨 있다고 볼 수 있다.

| 오답 풀이 |

① 남이의 결혼이 급하지 않다는 말에는 남이를 떠나보내기 아쉬워하는 철수 아내의 마음이 드러난다.
② '어두운 그림자'라는 표현에서 이별을 앞둔 남이의 안타까운 심정이 드러난다.
④ 철수 내외가 서로 얼굴을 쳐다본 까닭은 추석치레로 사 주었던 남이의 고무신을 아이들이 엿으로 바꿔 먹었는데 남이가 새 옥색 고무신을 신고 있어서 의아했기 때문이다.
⑤ 남이가 떠나는 모습을 멀거니 바라보고 있는 것에서 엿장수의 슬픈 마음이 드러난다.

비문학 한계적 사고 90~91쪽

1 ② 2 ④ 3 ⑤

| 지문 해제 |

한계 편익과 한계 비용을 활용한 의사 결정의 원리에 대해 설명한 글이다. 선택의 순간에 사람들은 한계 편익과 한계 비용을 비교하여 의사 결정을 하게 되는데, 이를 '한계적 사고'라고 한다. 한계적으로 사고한다는 것은 한계 편익이 한계 비용보다 많으면 선택에 놓였던 그 행동을 해야 하고, 한계 편익이 한계 비용보다 적으면 그 행동을 하지 말아야 한다는 것을 의미한다. 이와 같은 한계적 사고는 인간의 본능으로 개인적인 선택을 할 때뿐만 아니라 사회적인 선택을 할 때에도 적용될 수 있다.

| 주제 |

의사 결정의 원리로서의 한계적 사고

출전 한진수, 『경제학 에센스』(더난출판, 2008)

1 답 ②

5문단을 통해 강물 정화와 같은 환경 문제에도 한계적 사고가 적용될 수 있음을 확인할 수 있다.

| 오답 풀이 |

① 2문단에서 한계 편익은 어떤 것을 더 할 때 추가로 발생하는 편익이라고 하였고, 그 예를 컴퓨터 게임을 1시간 더 할 때 느끼는 만족감으로 들고 있다.

③ 5문단에서 개인이 직면하는 선택의 순간에서뿐만 아니라 사회적 선택을 할 때에도 한계적 사고가 필요하다고 하였으므로, 사회적 영역에도 한계적 사고가 적용됨을 알 수 있다.

④, ⑤ 이 글에서는 사람들이 한계 편익과 한계 비용을 비교해서 의사 결정을 한다는 내용만 확인할 수 있다. 사람들이 한계 편익보다 한계 비용을 중시하는 경향이 있다거나 한계 편익과 한계 비용을 정확하게 계산하는 것이 어렵다는 내용은 이 글을 통해 확인할 수 없다.

2 답 ④

한계 편익이 4만 원으로 상승하면 한계 편익과 한계 비용이 같아진다. 따라서 농약을 사용하는 것과 사용하지 않는 것 중에 어느 것이 유리하다고 보기 어렵다.

| 오답 풀이 |

① 농부가 농약을 사용하면 농약을 사용하지 않을 때에 비해서 3만 원의 수입을 추가로 벌 수 있으므로 농약 사용의 한계 편익은 3만 원이다.

② 농약을 사용하면 4만 원의 비용이 추가로 들어가므로 한계 비용은 4만 원이다.

③ 농약을 사용할 경우 한계 편익은 3만 원이고 한계 비용은 4만 원이므로 한계 편익이 한계 비용보다 작다.

⑤ 농약을 사용할 경우 한계 편익은 3만 원이다. 농약을 사용하는 데 드는 한계 비용이 2만 원으로 하락하면 한계 편익이 한계 비용보다 커지므로 농약을 사용하는 것이 유리하다.

3 답 ⑤

대부분의 사람들이 물과 다이아몬드 중에서 다이아몬드를 선택하는 것은 물보다 다이아몬드의 한계 편익이 훨씬 크기 때문이라고 하였다. 따라서 경제학적인 관점에서 볼 때 이와 같은 선택은 한계적 사고에 기반한 의사 결정의 결과라고 할 수 있다.

| 오답 풀이 |

① 대부분의 사람들이 다이아몬드를 선택했다면 그 이유는 한계 편익을 고려했기 때문이라고 볼 수 있으므로 특별한 원칙이 없었다는 내용은 적절하지 않다.

② 다수의 사람들이 한 선택이라고 해서 합리적이라는 내용은 이 글에서 확인할 수 없다.

③ 물질적 가치를 추구하는 것이 비윤리적이라는 내용은 이 글에서 확인할 수 없다.

④ 한계 편익을 고려한 선택이라고 볼 수 있으므로 적절하지 않다.

어휘 학습 92쪽

1 숙성	2 명분	3 추궁	4 직면
5 앙살	6 기반	7 편협	8 질색
9 하직	10 정화		

1 원래 나이보다 육체적이나 정신적으로 발달이 빠르다는 것이므로 나이에 비하여 지각이나 발육이 빠름을 뜻하는 '숙성'이 적절하다.

2 침략 전쟁은 어떤 이유로도 정당화될 수 없는 비윤리적인 것이므로 일을 꾀할 때 내세우는 구실이나 이유 따위를 뜻하는 '명분'이 적절하다.

3 잘못을 인정하니 더 이상 죄를 엄하게 따져 밝히지 않겠다는 것이므로 잘못한 일에 대하여 엄하게 따져서 밝힘을 뜻하는 '추궁'이 적절하다.

4 어떤 문제를 접했을 때 과감하게 대처하라는 것이므로 어떠한 일이나 사물을 직접 당하거나 접함을 뜻하는 '직면'이 적절하다.

8 '정색'은 '얼굴에 엄정한 빛을 나타냄. 또는 그런 얼굴빛'을 뜻한다.

9 '이직'은 직장을 옮기거나 직업을 바꿈을 뜻한다.

10 '정돈'은 어지럽게 흩어진 것을 규모 있게 고쳐 놓거나 가지런히 바로잡아 정리함을 뜻한다.

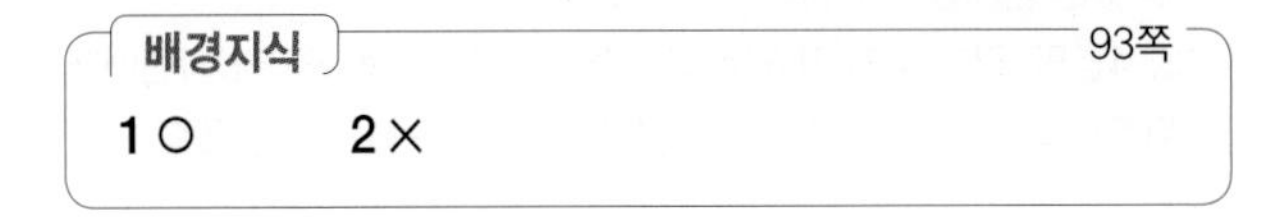

2 소비하는 재화의 양이 증가함에 따라 총효용은 증가하지만 한계 효용은 감소한다고 하였다.

13

문학 사랑하는 별 하나 94~95쪽

1 ④　2 ②　3 ⑤

| 작품 해제 |

이 작품은 의미 있는 존재가 되고 싶어 하는 소박하고도 근원적인 소망을 담고 있는 시이다. 화자는 힘들고 외로울 때 누군가에게 위로와 희망을 줄 수 있는 존재가 되고 싶고, 또 그런 존재를 가지고 싶은 소망을 노래하고 있다. 화자는 자신이 외롭거나 괴로운 누군가를 위로해 줄 수 있는 '별', '꽃'과 같은 존재가 될 수 있을지 스스로에게 계속 자문하고 있는데, '될 수 있을까'라는 시구의 반복이 '갖고 싶다'라는 시구의 반복으로 이어지면서 화자의 진정한 소망, 즉 위로가 되는 존재가 되고 싶음과 동시에 자신에게 위로와 희망을 주는 존재를 갖고 싶다는 마음이 강조되어 나타난다.

| 주제 |

외롭고 괴로울 때 위로와 희망이 되는 존재에 대한 소망

1 답 ④

4연의 '마음 어두운 밤'은 화자에게 괴롭고 힘든 시간이므로 시련의 시간을 뜻한다.

| 오답 풀이 |

① 1연의 '별'은 화자가 바라는 모습을 상징적으로 드러내는 시어이다. 화자는 힘들고 외로운 상황에 처한 누군가의 외로운 마음을 위로하고 달래 주는 별과 같은 존재가 되고 싶어 한다.
② 1, 2연의 '될 수 있을까'는 별과 꽃처럼 외로움과 괴로움을 위로해 줄 수 있는 존재가 되고 싶은 화자의 간절한 소망이 느껴지는 시구이다.
③ 3연에서 '사랑하는 별 하나'는 화자가 외로울 때 화자를 위로해 줄 수 있는 존재를 의미한다.
⑤ 3, 4연의 '갖고 싶다'가 반복되어 쓰인 것을 통해 화자가 자신에게 위로와 희망을 주는 존재를 간절히 바라고 있음을 알 수 있다.

2 답 ②

1, 2연의 '될 수 있을까'는 화자의 소망을 강조한 설의적 표현이다. 이는 대답을 요구하는 질문이 아니므로 묻고 답하는 방식이라 보기 어렵다.

| 오답 풀이 |

① '~이 될 수 있을까', '~를 갖고 싶다'와 같은 유사한 문장 구조를 반복하여 운율을 형성하고 있다.
③ '별', '꽃'과 같은 상징적 시어를 사용하여 힘들고 외로운 사람들에게 위로와 희망이 되는 존재가 되고 싶은 화자의 소망을 드러내고 있다.
④ '될 수 있을까', '갖고 싶다'와 같은 특정한 종결 표현을 반복적으로 사용하여 화자의 소망을 강조하고 있다. 특히 '될 수 있을까'라는 표현은 설의법으로 화자의 정서를 강조하는 효과를 준다.
⑤ '별과 같은 사람'(직유법), '눈물짓듯 웃어 주는 하얀 들꽃'(의인법) 등의 비유법을 사용하여 화자가 소망하는 대상인 '힘들고 외로운 사람에게 위로와 희망을 주는 존재'를 구체화하고 있다.

3 답 ⑤

이 시의 '꽃'은 외롭고 힘든 사람에게 위로가 되는 존재를 뜻하고, 〈보기〉의 '꽃'은 이름 부르는 행위를 통해 서로의 존재를 인식함으로써 서로에게 의미가 되는 존재를 뜻한다.

| 오답 풀이 |

① 이 시의 '꽃'에만 해당하는 설명이다. '꽃'은 '하얀 들꽃'으로 위로가 되는 순수하고 소박한 존재를 뜻한다.
② 이 시의 '꽃'은 괴로운 사람에게 위로가 되는 존재를 뜻하고, 〈보기〉의 '꽃'은 특별한 의미가 되는 존재를 뜻한다. 사랑받고 싶어 하는 존재라는 내용은 이 시와 〈보기〉에 드러나지 않는다.
③ 이 시의 '꽃'과 〈보기〉의 '꽃'은 둘 다 자연물이지만 변하지 않는 자연을 상징하는 것이 아니라 각각 위로가 되는 존재, 특별한 의미가 되는 존재를 뜻한다.
④ 이 시의 '꽃'은 괴로운 사람에게 위안을 주는 존재이다. 〈보기〉의 '꽃'은 상대방에게 특별한 의미가 되는 존재이지 슬픔을 주는 존재라고 보기 어렵다.

비문학 빛의 산란과 하늘 색 96~97쪽

1 ④　2 ①　3 ③

| 지문 해제 |

낮 동안 하늘이 파랗게 보이고, 해 질 무렵 하늘이 빨갛게 보이는 이유를 과학적으로 설명한 글이다. 하늘이 파랗게 보이는 것은 지구 대기로 들어온 가시광선 중 보랏빛과 파란빛이 대기 입자나 분자와 부딪혀 산란이 잘 일어나기 때문이다. 산란된 빛 중 파란빛은 보랏빛에 비해 사람 눈에 더 잘 인식되고, 보랏빛은 파장이 짧아 파란빛보다 산란이 더 잘 이루어져 사람의 눈까지 도달하지 못하기 때문에 하늘이 파랗게 보이는 것이다. 한편 해 질 무렵이나 동틀 무렵에는 태양이 기울어져 가시광선이 낮에 비해 더 두꺼운 대기층을 통과하게 되는데, 파란빛과 보랏빛은 대부분 대기 속에서 산란되어 지표면에 도달하지 못하는 반면 파장이 긴 붉은빛과 노란빛은 대기층을 뚫고 나와 우리 눈에 도달한다. 이때 붉은빛이 노란빛보다 강하기 때문에 하늘이 붉게 보이는 것이다.

| 주제 |

빛의 산란에 따른 하늘의 색

출전 이진산·강이든, 『과학 시크릿』(삼양미디어, 2010)

1 답 ④

이 글은 4문단의 "왜 하늘은 보라색이 아니고 파란색일까?"

와 5문단의 "저녁 하늘이 붉은 이유는 무엇일까?"와 같이 '빛의 산란'이라는 특정 현상과 관련한 물음을 먼저 제시한 후에 이러한 현상이 나타나는 이유를 답하는 방식으로 전개되고 있다.

| 오답 풀이 |

① 이 글에서 대상에 대한 잘못된 통념이 제시된 부분은 찾아볼 수 없다.
② 이 글에서는 빛과 관련해 하늘의 색이 변하는 현상에 대해 그 원인을 '빛의 산란'이라고 밝혔을 뿐, 그 원인에 대한 다양한 견해를 열거한 것은 아니다.
③ 2문단에서 '빛의 산란'과 같은 용어의 개념을 밝히고 있기는 하지만 그 가치를 평가한 부분은 나타나 있지 않다.
⑤ 3문단에 일부 대립적 속성을 지닌 '빨간색 쪽에 가까운 빛'과 '보라색 쪽에 가까운 빛'이 제시되고 있기는 하지만 이를 비교함으로써 빛의 특성을 부각하고 있는 것은 아니다.

2 답 ①

2문단에서 가시광선은 빨간색 쪽으로 갈수록 파장이 길어지고 보라색 쪽에 가까울수록 파장이 짧아진다고 하였다. 그러므로 붉은빛은 노란빛보다 파장이 더 짧은 빛이 아니라 파장이 더 긴 빛이다.

| 오답 풀이 |

② 1문단에서 우리가 보는 모든 색은 빛에 따라 결정된다고 하였다.
③ 4문단에서 사람의 눈은 보랏빛보다 파란빛을 더 잘 본다고 하였다.
④ 2문단에서 빛이 질소, 산소, 먼지 등과 같은 대기 입자나 분자와 부딪혀 산란이 일어난다고 하였다.
⑤ 2문단에서 파장이 짧은 빛일수록 산란이 더 잘 일어난다고 하였다.

3 답 ③

5문단에서 해 질 무렵에는 파장이 짧은 보랏빛과 파란빛이 대부분 대기 속에서 산란되어 지표면까지 도달하지 못한다고 하였다. 따라서 보랏빛과 파란빛의 산란이 일어나지 않는다는 진술은 적절하지 않다.

| 오답 풀이 |

① 4문단에서 보랏빛은 대기 속에서 산란되어 지표면까지 도달하지 못하고, 사람 눈에 들어오는 빛이 보랏빛보다 파란빛이 더 많기 때문에 하늘이 파랗게 보인다고 하였다. 이는 산란된 파란빛이 관측자의 눈까지 도달한다는 것을 의미하므로 적절하다.
② 5문단을 통해 동틀 무렵에 하늘이 붉게 보이는 이유가 해 질 무렵에 하늘이 붉게 보이는 이유와 같음을 알 수 있다. 즉, 동틀 무렵에도 태양의 위치가 기울어지면서 가시광선이 ⓑ를 통과하여 관측자에게 도달한다.
④ 5문단에서 해 질 무렵에는 태양이 기울어져 태양 빛이 낮보다 두꺼운 대기층을 통과해야 하므로 파장이 긴 붉은빛이 관측자에게 도달하게 되어 하늘이 붉게 보인다고 하였다.
⑤ 5문단에서 해 질 무렵에는 가시광선이 낮에 비해 상대적으로 두꺼운 대기층을 통과하다 보니 파장이 짧은 보랏빛과 파란빛이 대부분 대기 속에서 산란되어 지표면까지 도달하지 못한다고 하였다.

어휘 학습 98쪽

1 환히	2 사방팔방	3 방출	4 분류
5 도달	6 입자	7 가시광선	8 자외선
9 적외선	10 산란		

7 '가시광선'은 사람의 눈으로 볼 수 있는 빛이다.

8 '자외선'은 파장이 가시광선보다 짧은 전자기파로 사람의 눈으로 볼 수 없는 빛이다.

9 '적외선'은 파장이 가시광선보다 긴 전자기파로 사람의 눈으로 볼 수 없는 빛이다.

10 '산란'은 파동이나 입자선이 물체와 충돌하여 여러 방향으로 흩어지는 현상이다.

배경지식 99쪽

1 ○ 2 ×

2 빛의 삼원색은 빨간색, 초록색, 파란색으로 세 빛이 합쳐지면 흰색이 된다.

14

문학 홍길동전 100~103쪽

1 ⑤ 2 ⑤ 3 ① 4 ⑤ 5 ② 6 ②

| 작품 해제 |

이 작품은 조선 시대 광해군 때 허균이 지었다고 전해지는 우리나라 최초의 한글 소설이다. 조선 시대를 배경으로 하는 이 작품은 비범한 능력을 지녔으나 적서 차별이라는 사회 제도의 제약으로 좌절한 홍길동을 주인공으로 하여 그의 영웅적인 활약상을 그리며 당시 사회 제도를 정면으로 비판하고 있다. 특히 홍길동이 뛰어난 재주를 지녔음에도 신분이 미천하다는 이유로 등용되지 않는 당시 사회의 부조리에 대해 문제를 제기하고 있다. 그리고 홍길동이 임금으로부터 병조 판서를 제수받은 후 조선을 떠나 율도국을 건설하는 것을 통해 이상 사회의 실현에 대한 동경도 드러내고 있다. 이처럼 이 작품은 인재를 차별하는 당시 사회의 모순을 제기함과 동시에 뛰어난 인재가 나라를 다스려야 이상 세계의 실현이 가능하다는 작가의 의식이 짙게 배어 있다.

| 주제 |

불합리한 사회 제도의 개혁과 이상 사회의 추구

1 답 ⑤

길동은 홍 판서의 정기를 받아 당당한 남자로 태어났고, 또 부모님의 은혜를 입고 자랐지만 호부호형을 할 수 없어서 서러움을 느낀다고 하였다.

| 오답 풀이 |

① 길동은 적서 차별이라는 당대의 사회 제도 때문에 갈등하고 있다.
② 길동은 자신의 신세를 홍 판서에게 하소연하나 꾸지람을 듣고 모친에게 출가 결심을 알린다.
③ 길동은 입신양명과 호부호형을 꿈꾸나 이를 이룰 수 없어서 크게 한탄한다.
④ 길동이 갈등을 겪게 되는 가장 근본적인 원인은 그가 서얼로 태어나서 신분의 차별을 받기 때문이다.

2 답 ⑤

길동은 자신을 홍 판서에게는 '소인'으로, 어미에게는 '소자'라고 칭하고 있다. '소자'는 아들이 부모를 상대하여 자기를 낮추어 이르는 말이고, '소인'은 신분이 낮은 사람이 자기보다 신분이 높은 사람을 상대하여 자기를 낮추어 이르는 말이다. 이처럼 부모를 상대로 쓰는 호칭이 다른 것으로 보아 홍 판서와 길동의 신분 관계를 짐작할 수 있다.

| 오답 풀이 |

① 길동은 남의 천대를 받는 것이 불가한 현실임을 인식하지만 이를 받아들이고 지낼 수 없어 출가하는 것으로 보아 자신이 처한 현실을 적극적으로 바꾸고자 하는 욕망이 있음을 짐작할 수 있다.
② 홍 판서는 길동의 하소연을 듣고 불쌍하게 생각하나 길동이 방자해질까 봐 일부러 꾸짖고 물러가게 한다.
③ 길동의 출가 결심을 듣고 길동의 어미는 서얼을 차별하는 현실을 받아들이지 않는 길동을 염려하고 있다.
④ 적서 차별 때문에 괴로워하는 길동과는 달리 홍 판서와 길동의 어미는 적서 차별이라는 사회 제도에 순응하는 태도를 보이고 있다.

3 답 ①

이 글을 통해 당시에 첩을 둔 양반이 있었고, 종의 몸에서 태어난 서얼이 많았음을 확인할 수 있으며 적서 차별이라는 사회 제도 때문에 서자는 능력이 출중해도 입신양명하는 데 제약이 있었음을 알 수 있다.

| 오답 풀이 |

②, ③, ⑤ 길동은 공자와 맹자의 학문을 공부하여 문관으로 출세하는 것이 어려워 무관으로 출세하고자 하는 뜻을 보이고 있으므로 서현의 말은 적절하지 않다.
④, ⑤ 홍 판서와 길동의 어미의 말을 통해 당시 종과 서얼이 있었고 이들에 대한 차별이 존재했음을 짐작해 볼 수 있으므로 성수의 말은 적절하지 않다.

4 답 ⑤

길동은 임금으로부터 병조 판서를 제수받았으므로 적서 차별로 입신양명을 할 수 없었던 평생의 한을 풀었다고 볼 수 있다.

| 오답 풀이 |

① 길동이 각 읍 수령이 백성들을 들볶아 착취한 재물만을 빼앗았다고 하는 것으로 보아 길동의 무리가 행한 탈취 행위는 탐관오리에 대한 징벌적 의미가 담겨 있다고 볼 수 있다.
② 허수아비로 여덟 길동을 만들고, 팔다리를 묶은 결박을 풀고 공중으로 날아올라 사라지는 장면 등 길동이 신이한 도술을 행하는 장면에서 고전 소설의 특징인 전기성, 비현실성을 엿볼 수 있다.
③ 아버지가 나라의 은혜를 입어서 나쁜 짓을 하지 않았다는 말, 형님을 찾아가 자신을 잡아가기를 청하는 장면 등에서 길동이 아버지와 형님의 어려운 상황을 고려하고 있음을 짐작할 수 있다.
④ "길동의 소원이 병조 판서를 ~ 그때를 타 잡는 것이 좋을까 하옵니다."라고 제안한 신하의 말과 이를 실행하는 조정의 모습에서 길동의 체포 계획을 알 수 있다.

5 답 ②

임진왜란 이후의 문란한 정치는 사회 제도의 혼란을 가져오고 백성들의 삶을 피폐하게 한 원인으로 작용하였으나, 신분 차별의 문제를 일으켰다고 보기는 어렵다.

| 오답 풀이 |

① 〈보기〉에서 허균은 서얼인 스승 이달의 영향으로 적서 차별의 문제점을 인식했다고 하였다.
③ 길동이 임금에게 아뢰는 말에서 탐관오리의 횡포와 수탈로 피폐해진 백성들의 삶을 짐작해 볼 수 있다.
④ 허균은 길동과 같은 영웅적 인물을 내세워 당대 불합리한 사회 제도에 적극적으로 저항하는 모습을 이 글을 통해 구체적으로 보여 주고 있다.
⑤ 길동이 병조 판서를 제수받고자하는 것은 신분 차별에 대한 저항으로 볼 수 있으며 이는 평등 의식에 대한 각성에서 비롯되었다고 볼 수 있다.

6 답 ②

길동이 쇠사슬을 끊고 수레를 깨뜨리고 공중으로 사라지는 모습을 장교와 군사들이 어찌하지 못하고 바라보고 있는 상황이므로, 손을 묶은 것처럼 어찌할 도리가 없어 꼼짝 못함을 뜻하는 '속수무책(束手無策)'과 어울린다.

| 오답 풀이 |

① 고진감래(苦盡甘來): 쓴 것이 다하면 단 것이 온다는 뜻으로, 고생 끝에 즐거움이 옴을 이르는 말.
③ 천방지축(天方地軸): 못난 사람이 종작없이 덤벙이는 일. 또는 너무 급하여 허둥지둥 함부로 날뜀.
④ 혈혈단신(孑孑單身): 의지할 곳이 없는 외로운 홀몸.
⑤ 전전반측(輾轉反側): 누워서 몸을 이리저리 뒤척이며 잠을 이루지 못함.

비문학 **풍력 발전기** 104~105쪽

1 ③ 2 ③ 3 ③

| 지문 해제 |

풍력 발전기의 구조와 특징에 대해 설명한 글이다. 풍력 발전기는 날개, 변속 기어와 발전기가 포함된 나셀, 타워로 구성되며 바람이 날개를 회전시켜 생긴 운동 에너지를 전기 에너지로 전환한다. 풍력 발전기는 크기가 클수록 발전 효율이 증가하는데 기기의 성능과 더불어 에너지원인 바람이 충분해야 한다. 그래서 최근에는 바람이 많이 부는 곳인 호수, 협만, 연안과 같은 수역에 설치해 전기를 얻고 있다. 풍력 발전은 온실가스를 거의 배출하지 않고 에너지원이 고갈되지도 않으며 엄청난 양의 전기를 생산할 수 있는 장점이 있으나, 소음과 조류 충돌과 같은 한계를 지닌다.

| 주제 |

풍력 발전기의 구조와 특징

출전 이세연 외, 『세상을 바꿀 미래 과학 설명서 2』(다른, 2017)

1 답 ③

이 글에는 풍력 발전기의 발전 과정에 대한 내용은 나오지 않으므로 글을 읽은 후 이와 관련한 질문에 답하기 어렵다.

| 오답 풀이 |

① 4문단에서 풍력 발전의 장점으로 온실가스를 거의 배출하지 않고 자원이 고갈되지 않으며 많은 양의 전기를 만들어 낸다는 점을 들었고, 단점으로는 날개가 회전할 때 생기는 소음 문제와 회전하는 날개에 새가 충돌하는 문제를 들었다.

② 2문단에서 풍력 발전기가 날개들 사이의 간섭을 최소화하고 비용 대비 최대의 효용을 낼 수 있는 날개의 개수가 3개라고 하였다.

④ 3문단에서 대규모 풍력 발전기의 경우 날개 길이가 50미터 안팎이고, 타워의 높이가 100~110미터라고 하였다.

⑤ 3문단에서 풍력 발전기는 바람이 많이 부는 곳에 설치해야 한다고 하였다.

2 답 ③

2문단에서 날개(ⓐ)의 방향과 각도를 조절하는 것은 로터(ⓑ)에 설치된 컴퓨터라고 하였다. ⓒ는 〈보기〉에서 로터(ⓑ)의 중심축과 연결된 것으로 볼 때 기어 박스임을 알 수 있으며, 2문단에서 기어 박스는 날개의 회전 속도를 높여 주는 역할을 하는 장치라고 하였다.

| 오답 풀이 |

① 1문단에서 일반적으로 3개의 날개(ⓐ)가 모여 로터(ⓑ)를 이룬다고 하였다.

② 1문단에서 로터(ⓑ)의 중심축이 기어 박스(ⓒ)에 연결된 상태로 회전한다고 하였다.

④ 1문단에서 발전기(ⓓ)는 운동 에너지를 전기 에너지로 전환한다고 하였다.

⑤ 2문단에서 날개(ⓐ)의 개수가 3개보다 많아지면 난류의 영향으로 주변 날개에 영향을 받아 오히려 효율이 떨어진다고 하였다.

3 답 ③

㉢ '충당하다'는 '모자라는 것을 채워 메우다.'라는 뜻이므로 '다 없애거나 처리하지 않고 나머지가 있게 하다.'라는 뜻의 '남기다'로 바꾸어 쓰기에 적절하지 않다.

| 오답 풀이 |

① '조절하다'는 '균형이 맞게 바로잡다. 또는 적당하게 맞추어 나가다.'라는 뜻으로, '어떤 기준이나 정도에 어긋나지 아니하게 하다.'라는 뜻의 '맞추다'로 바꿔 쓰기에 적절하다.

② '손상되다'는 '물체가 깨지거나 상하다.'라는 뜻으로, '부서지거나 찌그러져 못 쓰게 되다.'라는 뜻의 '망가지다'와 바꿔 쓰기에 적절하다.

④ '소용없다'는 '아무런 쓸모나 득이 될 것이 없다.'라는 뜻으로, '쓸 만한 가치가 없다.'라는 뜻의 '쓸모없다'로 바꿔 쓰기에 적절하다.

⑤ '고갈되다'는 '어떤 일의 바탕이 되는 돈이나 물자, 소재, 인력 따위가 다하여 없어지다.'라는 뜻으로, '뒤를 대지 못하여 남아 있는 것이 없게 되다.'라는 뜻을 지닌 '떨어지다'로 바꿔 쓰기에 적절하다.

어휘 학습 106쪽

1 천고	2 추호	3 결박	4 슬하
5 방자하다	6 도량	7 추세	8 만수무강
9 전생연분	10 동정서벌		

5 '방심하다'는 '마음을 다잡지 아니하고 풀어 놓아 버리다. 모든 걱정을 떨쳐 버리고 마음을 편히 가지다.'라는 뜻이다.

6 '아량'은 너그럽고 속이 깊은 마음씨를 뜻한다.

7 '형세'는 살림살이의 형편, 일이 되어 가는 형편, 기운차게 뻗치는 모양이나 상태를 뜻한다.

배경지식 107쪽

1 × 2 ○

1 조선 시대에는 신분을 크게 양인과 천민으로 구분하였으며, 양인은 다시 양반, 중인, 상민으로 나뉘었다.

15

문학 **괜찮아** 108~109쪽

1 ③ 2 ① 3 ⑤

| 작품 해제 |

이 작품은 소아마비로 몸이 불편한 글쓴이가 어려운 조건 속에서도 세상에 대한 믿음을 잃지 않고 긍정적으로 살 수 있었던 계기를 소개하는 수필이다. 작품 속에는 다리가 불편한 자신을 배려해 준 친구들 덕분에 소외감을 느끼지 않았던 골목길에서의 추억, 아무 이유 없이 깨엿 두 개를 건네며 "괜찮아."라고 격려의 말을 해 주던 깨엿 장수 아저씨 등 여러 가지 일화가 소개되고 있다. 이 서로 다른 일화들은 모두 '괜찮아'라는 말로 연결되어 있다. 일상적인 경험을 통해 깨달은 바를 담담하고 차분하게 이야기하고 있는 이 수필은 주변 사람들에 대한 작은 배려와 힘이 되는 한 마디의 말이 누군가에게 얼마나 큰 영향을 줄 수 있는지를 잘 보여 주는 작품이다.

| 주제 |

타인을 이해하고 배려하는 삶의 가치

1 답 ③

친구들은 대부분 술래잡기, 사방치기, 공기놀이, 고무줄놀이 등을 하고 놀았는데, 다리가 불편한 '나'가 참여할 수 있는 놀이는 공기놀이 정도였다. 친구들은 '나'가 참여할 수 없는 놀이를 할 때 소외감을 느끼지 않도록 '나'에게 적당한 역할을 맡겨 준 것이지, 일부러 '나'가 직접 참여하여 함께 어울릴 수 있는 놀이만을 하며 놀지는 않았다.

| 오답 풀이 |

① 방과 후 골목길에 아이들이 모일 때쯤이면 어머니는 '나'를 대문 앞 계단에 있게 하였는데, 이는 '나'가 아이들과 어울리기를 바라는 마음에서 한 행동으로 볼 수 있다.
② '나'가 목발을 옆에 두고 대문 앞에 앉아 있었다고 한 것으로 보아 '나'는 다리가 불편해 목발을 사용했음을 알 수 있다.
④ 골목을 지나던 깨엿 장수는 대문 앞에 혼자 앉아 있는 '나'에게 다가와 아무 말 없이 깨엿 두 개를 내밀며 "괜찮아."라고 하였다. '나'는 깨엿 장수 아저씨와의 만남 이후 세상은 살 만한 곳이라는 믿음을 갖게 되었다.
⑤ '나'가 세상 사는 것이 힘들다고 느껴지거나 노력해도 일이 잘 안 풀릴 때 스스로에게 '괜찮아'라는 말을 하며 희망을 지녔음을 알 수 있다.

2 답 ①

㉮와 ㉯ 모두 초등학교 때 경험한 일이지만 둘 사이에 인과 관계는 없다. 두 이야기는 '나'가 세상의 따뜻함을 느꼈던 서로 다른 경험이다.

| 오답 풀이 |

② ㉮에서 친구들의 배려를 받고 ㉯에서 깨엿 장수 아저씨의 위로를 받은 '나'는 세상이 살 만하다는 생각을 하게 되었다.
③ ㉮는 집 앞 골목길에서 친구들과 어울렸던 여러 날의 추억을 이야기한 것이고, ㉯는 깨엿 장수 아저씨를 만났던 특별한 하루에 대한 이야기이다.
④ ㉮에는 '괜찮아'라는 말이 직접 드러나지 않지만, ㉯에는 깨엿 장수 아저씨가 '나'에게 건넨 "괜찮아."라는 말이 직접 드러난다.
⑤ ㉮와 ㉯는 모두 글쓴이가 다리가 불편했기 때문에 일어난 사건이다.

3 답 ⑤

어려운 상황에서 다시 시작할 수 있는 힘을 줄 수 있다는 내용이므로 '희망'이라는 말이 적절하다.

| 오답 풀이 |

① 후회: 이전의 잘못을 깨치고 뉘우침.
② 만족: 마음에 흡족함.
③ 배려: 남을 도와주거나 보살펴 주려고 마음을 씀.
④ 의문: 의심스럽게 생각함.

비문학 **바로크 건축** 110~111쪽

1 ⑤ 2 ③ 3 ④

| 지문 해제 |

바로크 건축이 등장하고 발달한 시대적 배경과 바로크 건축의 목적과 특징을 설명한 글이다. 르네상스 건축에 대한 반발로, 보다 더 자유로운 것을 추구하기 위해 등장한 건축 양식이 바로크 건축이다. 바로크 건축은 가톨릭교회의 반종교 개혁과 절대 왕권을 중심으로 한 근대 국가 확립이라는 시대적 요구에 호응하여 가톨릭 교회의 부흥과 절대 왕권의 옹호를 위해 발달해 갔다. 바로크 건축은 화려한 그림과 조각의 장식, 웅장하고 위압적인 규모, 3차원적 건축 기법, 곡선과 타원형의 사용 등으로 역동적이고 감각적인 건축을 표현하였으며, 이는 베르사유 궁전 등에서 잘 드러난다.

| 주제 |

바로크 건축의 발달 배경과 바로크 건축의 목적과 특징

출전 김동훈·박영란, 『건축, 그 천년의 이야기』(삼양미디어, 2010)

1 답 ⑤

2문단에서 19세기 말에 이르러 바로크 건축에 대한 재평가가 이루어졌다는 내용은 있으나, 재평가가 이루어진 계기에 대한 내용은 드러나지 않는다.

| 오답 풀이 |

① 2문단에서 당시의 건축가들은 바로크 건축에 대해 불균형하고 비뚤어진 것이라고 비아냥거리며 부정적으로 평가했음을 알 수 있다.
② 1, 4문단에서 바로크 건축과 르네상스 건축의 차이점을 알 수 있다.

③ 3문단에서 바로크 건축은 초기 자본주의 사회의 성장, 절대 왕권을 중심으로 한 근대 국가의 체계 확립, 반종교 개혁의 실시라는 시대적 배경 가운데에서 나타나 발달했다고 하였다.
④ 5문단에서 바로크 양식이 적용된 대표적 건축물로 베르사유 궁전이 있다고 하였다.

2 답 ③

5문단에서 베르사유 궁전은 절대 왕정의 군주였던 루이 14세의 권력을 과시하기 위해 지어진 것으로 바로크 건축의 백미라고 하였다. 그러나 루이 14세의 시대가 쇠퇴하고 귀족들의 향락 문화가 대두하면서 건축가들은 바로크적인 부조에서 벗어나 경쾌하고 세밀한 느낌을 주는 부조로 실내 공간을 꾸미려고 했다고 하였으므로 ③의 반응은 적절하지 않다.

| 오답 풀이 |

① 4문단에서 바로크 건축은 직선보다 곡선이나 타원형을 즐겨 사용하였고 화려한 장식으로 치장하여 더욱 역동적으로 보이게 했다고 하였다.
② 4문단에서 바로크 건축은 가톨릭교회의 부흥과 절대 왕권의 옹호를 위해 르네상스 시대보다 큰 규모에 화려한 장식으로 지어졌다고 하였다.
④ 1문단에서 바로크 건축은 엄격함, 우아함, 단정함을 원칙으로 하는 르네상스 건축에 대한 반발로, 보다 더 자유롭고 역동적인 것을 추구하며 시작되었다고 하였다.
⑤ 1~2문단에서 엄격함, 우아함, 단정함이 특징인 르네상스 건축에 대한 반발로 자유로움을 추구하기 위해 나타난 바로크 양식이 당시에는 퇴폐적인 건축 정도로 인식되었다고 하였다.

3 답 ④

〈보기〉는 바로크 건축물로 2차원적 건축 구성에서 벗어나 3차원적 건축 기법을 통해 극적 효과를 창출하였다. 따라서 〈보기〉의 건축물이 2차원적 건축 구성을 통해 우아하고 단정한 효과를 창출했다는 진술은 적절하지 않다. 2차원적 건축 구성, 우아함과 단정함은 고전주의적 르네상스 건축의 특징이다.

| 오답 풀이 |

① 5문단에서 바로크 건축은 장중하고 위압적인 느낌을 준다고 하였는데 〈보기〉에서 드러나는 건물의 크기를 통해 확인할 수 있다.
② 4문단에서 바로크 건축의 교회는 곳곳에 그림과 조각을 장식하였다고 했는데, 〈보기〉에서 외부의 기둥 위, 내부 벽면에 장식된 조각을 통해 확인할 수 있다.
③ 1문단에서 바로크 건축은 자유로운 것을 추구하기 위해 곡선을 많이 썼다고 하였다. 이는 〈보기〉에서 외부의 기둥을 직선이 아닌 곡선으로 배열한 것에서 확인할 수 있다.
⑤ 4문단에서 바로크 건축의 교회는 천장을 회화로 채색하고 그림과 조각을 장식하여 전체적으로 환상적인 느낌을 주도록 설계했다고 하였다. 이는 〈보기〉에서 건물 내부의 천장과 벽면에 그려진 그림을 통해 확인할 수 있다.

어휘 학습 112쪽

1 선의	2 옹호	3 창출	4 장중하다
5 기묘하다	6 대두	7 백미	8 ㉢
9 ㉠	10 ㉡		

배경지식 113쪽

1 ○　　2 ×

2 무거운 천장을 지탱하기 위해 고안된 것은 리브 볼트이다.

16

문학 코르니유 영감의 비밀 114~117쪽

1 ②　2 ④　3 ④　4 ④　5 ⑤　6 ⑤

| 작품 해제 |

이 작품은 산업화가 이루어지던 상황에서 전통을 지키고자 하는 인물의 집념을 그린 소설이다. 이야기 속에 또 다른 이야기가 들어 있는 액자식 구성을 취하여 이야기에 진실성을 부여하고, 극적 반전을 통해 주제를 효과적으로 나타내고 있다. 코르니유 영감은 증기 제분소에 밀려 풍차 방앗간에 일거리가 없는데도 일거리가 있는 것처럼 빈 풍차의 날개를 돌리고 밀가루 대신 석회 가루를 당나귀에 싣고 다녔는데, 이는 풍차 방앗간의 명예와 자존심을 지키기 위한 행동이었다. 이 소설은 전근대를 상징하는 '풍차 방앗간'과 근대를 상징하는 '증기 제분소'의 대비를 통해 변화하는 시대상을 상징적으로 보여 주고, 산업화라는 시대 변화 속에서 전통적인 방식을 고수하며 사라져 가는 전통을 지키려는 코르니유 영감의 집념을 통해 근대화와 산업화에 맞서는 장인 정신을 드러내고 있다.

| 주제 |

전통을 지키고자 하는 인물의 집념

1 답 ②

비베트와 '나'의 아들이 풍차 방앗간을 찾아갔을 때, 코르니유 영감은 집에 없었고 오랫동안 사용하지 않은 방아는 밀가루가 아닌 먼지를 뒤집어쓰고 있었다.

2 답 ④

산업화가 이루어지면서 증기를 이용하여 짧은 시간에 대량으로 밀가루를 빻는 증기 제분소가 생겨났다. 이 글에서 증기 제분소는 근대화된 기계 문명을 상징하는 소재로 새로운 시대의 변화가 일어나고 있음을 보여 준다.

3 답 ④

㉣은 비베트가 '나'에게 오늘 있었던 일을 듣고 한 말이다. 이는 코르니유 영감의 거절과 무례를 믿을 수 없다는 반응으로, 자신들이 코르니유 영감을 직접 찾아가면 결혼 승낙을 받을 수 있을 것이라는 기대감을 지니고 있음을 짐작할 수 있다.

| 오답 풀이 |

① 마을 사람들은 코르니유 영감이 풍차 방앗간에 얼씬도 못하게 하자 많은 돈을 벌어서 숨겨 두었을 것이라고 추측하고 있다.
② 비베트와 '나'의 아들이 결혼하여 한 집에서 살게 된다는 '나'의 기대감, 설렘, 흥분의 심리가 드러난다.
③ 풍차 방앗간의 손녀인 비베트와의 결혼은 허락할 수 없으니 증기 제분소의 딸들이나 찾아가라는 말에서 증기 제분소에 대한 코르니유 영감의 반감과 분노가 드러난다.
⑤ 비베트와 '나'의 아들은 코르니유 영감이 당나귀에 싣고 다닌 자루에 담겨 있던 것이 밀가루가 아니라 석회 가루였다는 비밀을 확인하게 되었다.

4 답 ④

산업화에 맞서 전통적인 삶의 방식을 지켜 내려던 코르니유 영감의 집념에 마을 사람들이 공감하고 그에게 계속 일거리를 제공하는 모습에서 마을 사람들의 배려심과 공동체 의식을 엿볼 수 있다.

| 오답 풀이 |

① 1인칭 관찰자인 '나'가 보고 느낀 내용을 중심으로 서술되고 있다.
② '풍차 방앗간'과 '증기 제분소'라는 상징적 소재를 대비하여 주제를 강조하고 있다.
③ 시대 변화에 맞서 '풍차 방앗간'이라는 전통적인 삶의 방식을 고집하는 코르니유 영감의 집념과 의지가 드러난다.
⑤ 사건 전개 과정에서 인물의 대화를 직접 제시하여 상황에 따른 인물의 심리를 구체적이고 생동감 있게 표현하고 있다.

5 답 ⑤

코르니유 영감은 마을 사람들이 풍차 방앗간 앞마당에 밀을 쏟아붓자 반갑게 달려 나와서 밀을 한 움큼 움켜쥐고 감격스러워한다. 따라서 마을 사람들의 도움을 받는 것을 슬프게 생각한다는 진술은 적절하지 않다.

| 오답 풀이 |

① 외출에서 돌아온 코르니유 영감은 누군가 풍차 안에 들어왔다는 것을 알고 풍차의 체면이 깎였다며 비통해하고 있다.
② 코르니유 영감이 마을 사람들에게 밀을 받자마자 방아에 찧는 모습을 통해 풍차 방앗간에 대한 애정을 지니고 있음을 알 수 있다.
③ 코르니유 영감이 죽자 풍차는 더 이상 돌지 않았고 풍차 방앗간의 시대는 지나갔다는 서술에서 확인할 수 있다.
④ 코르니유 영감은 일거리가 없지만 밀을 빻는 것처럼 보이기 위해 빈 풍차를 계속 돌렸다.

6 답 ⑤

마을 사람들이 코르니유 영감을 돕기 위해 힘을 모은 것이므로 '밥 열 술이 한 그릇이 된다는 뜻으로, 여러 사람이 조금씩 힘을 합하면 한 사람을 돕기 쉬움을 이르는 말'인 '십시일반(十匙一飯)'이 적절하다.

| 오답 풀이 |

① 소탐대실(小貪大失): 작은 것을 탐하다가 큰 것을 잃음.
② 결초보은(結草報恩): 죽은 뒤에라도 은혜를 잊지 않고 갚음을 이르는 말.
③ 견물생심(見物生心): 어떠한 실물을 보게 되면 그것을 가지고 싶은 욕심이 생김.
④ 각골난망(刻骨難忘): 남에게 입은 은혜가 뼈에 새길 만큼 커서 잊히지 아니함.

비문학 승정원일기 118~119쪽

1 ③ 2 ② 3 ①

| 지문 해제 |

『승정원일기』의 가치를 설명한 글이다. 『승정원일기』는 조선 시대에 왕의 국정 운영을 보조하던 승정원에서 작성한 업무 일지로 두 측면에서 그 가치를 살펴볼 수 있다. 첫 번째 가치는 『승정원일기』에는 국가 정책과 관련된 보고 내용, 왕의 지시 사항 등이 자세하게 기록되어 있어 조선 시대에 정책이 결정되고 진행되는 과정을 이해하는 데 도움이 된다는 것이다. 두 번째 가치는 『승정원일기』에는 매일의 날씨와 하루 중 날씨 변화, 강우량에 대한 기록이 있어 오랜 기간 동안의 기상 변화를 연구하는 데 유용한 자원이 된다는 것이다. 이처럼 『승정원일기』는 역사적 기록물로서뿐 아니라, 기상 변화 예측에 필요한 자원으로서 큰 가치를 지닌다는 점에서 우리가 자랑스럽게 여겨야 할 기록 유산이다.

| 주제 |

기록 유산으로서 『승정원일기』가 지닌 가치

출전 2017 중3 학업성취도평가

1 답 ③

이 글은 1문단에서 "『승정원일기』의 가치는 다음과 같은 두 측면에서 살펴볼 수 있다."라고 제시한 후, 2문단과 3문단에서 두 가치를 각각 설명하고, 4문단에서 이를 요약하여 정리하며 내용을 전개하고 있다.

| 오답 풀이 |

① 『승정원일기』의 의의를 제시하고 있지만 과거와 현재의 평가를 비교한 내용은 나타나 있지 않다.

② 『승정원일기』에 기록된 내용을 설명하고 있으나 그 과정을 시간적 순서에 따라 제시하지는 않았다.

④ 『승정원일기』의 특성과 가치를 설명하고 있으나 이를 통해 기록 유산의 특성을 도출한 것은 아니다.

⑤ 『승정원일기』의 가치를 설명하고 있으나 기록 유산으로 선정될 수 있었던 까닭을 열거한 것은 아니다.

2 답 ②

1문단에서 『승정원일기』는 화재로 인해 현재는 1623년부터 1910년까지의 기록만 남아 있다고 하였다. 따라서 조선 초기부터 작성되어 현재까지 기록이 모두 남아 있다는 진술은 적절하지 않다.

| 오답 풀이 |

① 1문단을 통해 『승정원일기』는 유네스코가 인정한 세계 기록 유산 중 하나임을 확인할 수 있다.

③ 1, 2문단을 통해 『승정원일기』는 왕의 국정 운영을 보조하던 승정원에서 기록한 업무 일지임을 확인할 수 있다.

④ 3문단에서 영조가 세종 대의 측우기를 복원한 이후에는 강우량 측정의 결과도 구체적으로 『승정원일기』에 제시되었다고 하였다.

⑤ 3문단에서 『승정원일기』는 항상 날짜와 날씨로 시작하고 하루 중에 날씨 변화가 있었을 때에는 날씨의 변화까지 기술했다고 하였다.

3 답 ①

이 글에서는 『승정원일기』의 가치를 크게 두 가지로 설명하고 있는데, 첫째는 조선 시대 국가 정책의 운영 과정을 이해하는 데 도움을 주는 역사적 기록물로서의 가치이고, 둘째는 오늘날의 기상 변화를 연구하는 데 귀중한 자료로서의 가치이다. 따라서 ㉠에는 두 번째 가치를 요약하여 정리해야 한다.

| 오답 풀이 |

②, ③ ㉠은 『승정원일기』의 가치를 크게 두 가지로 구분해서 설명한 이 글의 내용 중 날씨와 관련한 두 번째 가치를 요약하여 정리한 내용이므로 선조들의 생활 기록과 조선 시대의 생활과 문화를 연구할 수 있는 증거물로서의 가치는 적절하지 않다.

④ 과학 발전을 위한 선조들의 노력이 드러나는 기록물로서의 가치는 이 글에서 확인할 수 없다.

⑤ 조선 시대 정책이 결정되고 진행되는 과정 등을 파악하는 사료로서의 가치는 첫 번째 가치인 '역사적인 기록물로서의 가치'에 해당한다.

어휘 학습 120쪽

1 체면	2 호통	3 명예	4 무례
5 복원	6 출납	7 기술	8 행동
9 슬픔	10 빨리		

1 주변을 신경 쓰지 말고 편히 앉아 마음껏 먹으라는 것이므로 남을 대하기에 떳떳한 도리나 얼굴을 뜻하는 '체면'이 적절하다.

2 아이들의 잘못된 행동을 꾸짖은 것이므로 몹시 화가 나서 크게 소리 지르거나 꾸짖음, 또는 그 소리를 뜻하는 '호통'이 적절하다.

3 조국의 이름을 드높이기 위하여 경기에 출전한 것이므로 세상에서 훌륭하다고 인정되는 이름이나 자랑, 또는 그런 존엄이나 품위를 뜻하는 '명예'가 적절하다.

4 초면에 반말로 '너'라고 호칭한 것이 예의가 없다는 것이므로 태도나 말에 예의가 없음을 뜻하는 '무례'가 적절하다.

배경지식 121쪽

1 ○ 2 ×

2 『승정원일기』는 '주서'라는 직책을 가진 관리가 담당하여 작성하였다.

17

문학 어느 날 자전거가 내 삶 속으로 들어왔다 122~123쪽

1 ③ 2 ④ 3 ②

| 작품 해제 |

이 작품은 글쓴이가 자전거를 배웠던 경험에서 얻은 깨달음을 담고 있는 수필로, 중학교에 진학하며 통학을 위해 자전거를 배워야 했던 글쓴이가 시행착오 끝에 자전거 타기에 성공하면서 삶의 진리를 깨닫게 되는 내용이다. 글쓴이는 수없이 넘어지면서 좌절감을 느꼈지만 끝까지 포기하지 않았기에 자전거를 타는 기쁨을 누릴 수 있었던 경험 속에서 포기하지 않는 자세의 중요성이라는 삶의 가치를 말하고 있다. 이처럼 특별한 깨달음이란 먼 곳에 있는 것이 아니라 우리가 경험하는 평범한 일상 속에서 나오는 것임을 일깨워 준다.

| 주제 |

자전거 타기에 처음 성공한 경험을 통해 깨달은 삶의 진리

1 답 ③

'나'는 여러 번의 실패를 경험하며 몸과 마음이 지친 상황에서도 내리막을 이용해 자전거를 타려는 시도를 하여 결국 자전거 타기에 성공한다. 이를 통해 포기하지 않고 끝까지 도전한 것이 성공의 이유임을 알 수 있다.

| 오답 풀이 |

① '나'가 큰집에서 빌린 자전거는 아버지의 자전거보다 더 무겁고 짐받이가 크다는 내용으로 보아, 집에 아버지의 자전거가 있음을 알 수 있다.

② '나'는 자전거의 고장을 걱정하는 것이 아니라 자신의 몸이 '꼬라박기'를 견뎌 낼 수 있을지, 마음이 그 창피함을 견뎌 낼 수 있을지를 걱정하고 있다.

④ 내리막은 학교 운동장에서 동네로 돌아오는 길에 있는 것으로 '나'가 자전거를 배우기 위해 일부러 그 길을 선택한 것이 아니다.

⑤ '나'가 자전거를 배우면서 넘어지는 것을 몸과 마음이 견뎌 줄지 걱정하는 모습을 통해 처음부터 자전거를 잘 탈 것이라는 자신감을 가지고 있지 않았음을 알 수 있다.

2 답 ④

자전거 타기를 통해 '나'가 깨달은 것은 "일단 안장 위에 올라선 이상 계속 가지 않으면 쓰러진다."이다. 이는 일단 시작한 일은 중간에 그만둘 수 없다는 것, 즉 포기하지 않는 노력의 중요성에 대한 깨달음이다.

| 오답 풀이 |

① '나'는 자전거를 타는 친구들이 부럽다는 생각은 하였지만 운동 신경이 둔하다는 핑계로 자전거를 탈 생각을 하지 않았다고 하였다.

② '나'가 자전거를 배워야겠다고 생각한 것은 걸어서 통학할 수 없는 읍내의 중학교에 배정받았기 때문이다.

③ '나'는 자전거 타기에 도전하였지만 계속 실패를 경험해야 했다. 하지만 이에 좌절하지 않고 내리막에서 자전거를 다시 타기로 용기를 냈기 때문에 자전거 타기에 성공할 수 있었다.

⑤ '나'는 자전거 타기에 성공한 뒤 시와 춤, 노래와 암벽 타기, 사랑과 같은 세상의 다른 일들도 그때 배운 원리대로 움직인다는 것을 깨달았다고 하였다.

3 답 ②

'나'는 수백 번의 시행착오 끝에 마침내 자전거 타기에 성공하였으므로 어려워 보이는 일을 혼자의 힘으로 도전하여 성공했다는 성취감과 만족감, 자부심 등의 감정을 느꼈을 것이다.

비문학 다수결의 허점 124~125쪽

1 ③ 2 ⑤ 3 ⑤

| 지문 해제 |

민주적 의사 결정 방식이라고 여겨 온 다수결 투표의 모순에 대해 설명한 글이다. 다수결 투표는 의사 결정을 할 때에 많은 사람의 의견을 따른다는 점에서 가장 합리적인 투표제로 알려져 있지만 실상은 그렇지 않다. 글쓴이는 선호가 각기 다른 세 친구들이 함께 갈 여행지를 다수결로 정하는 과정을 예로 들어 이를 구체적으로 설명하고 있다. 개인의 선호는 그대로인데 투표의 방법과 순서를 바꾸면 그에 따라 최종 여행지가 매번 달라지는 것을 보여 준다. 이를 '콩도르세의 역설' 혹은 '다수결 투표의 모순'이라고 한다. 즉, 다수의 선호를 반영하기 때문에 민주적이고 합리적이라고 생각할 수 있는 다수결 투표 방식이 반드시 사회 구성원의 선호를 반영한다고 확신하기 어렵다는 것을 이야기하고 있다.

| 주제 |

'콩도르세의 역설'을 통해 알 수 있는 다수결 투표의 허점

출전 한진수, 『경제학이 필요한 시간』(비지니스북스, 2015)

1 답 ③

이 글에서는 투표 순서에 따라 달라지는 결과를 제시하고 있을 뿐, 구체적인 수치를 근거로 들고 있지는 않다.

| 오답 풀이 |

① 이 글은 고등학교 동창생 A, B, C가 여행지를 정하는 과정을 구체적인 사례로 제시하여 독자의 이해를 돕고 있다.

② 3문단에서 "그런데 왜 꼭 스페인과 호주로 1차 대결을 했을까? 만약 미국과 호주를 놓고 1차 투표를 했어도 결과가 같았을까?"와 같은 질문을 던져 독자의 관심을 이끌어 내고 있다.

④ 4문단에서 "A가 B를 이기고, B가 C를 이기면, 당연히 A가 C를 이길 것으로 생각하기 쉽다."라는 일반적인 통념과 어긋나는 다수결 투표의 허점에 대해 이야기하고 있다.

⑤ 4문단에서 "A가 B를 이기고, B가 C를 이기고, C가 A를 이기는 현상"을 문제점으로 지적하고, 이를 통해 다수결 투표가 반드시 사회 구성원의 선호를 반영한다고 확신하기 어렵다는 시사점을 도출하고 있다.

2 답 ⑤

1차와 2차에 걸쳐 투표를 한 결과 선정된 최종 여행지는 미국이 아니라 호주이며 A, B, C가 모두 미국보다 호주를 선호한 것은 아니다. B와 C는 미국보다 호주를 선호했지만 A는 세 여행지인 미국, 스페인, 호주 중에서 호주를 가장 덜 선호했다.

| 오답 풀이 |

① 미국과 스페인으로 1차 투표를 하면 A와 C가 스페인보다 미국을 더 선호하므로 다수결에 의해 미국이 2차 투표에 진출한다.

② 2차 투표는 미국과 호주를 놓고 하게 되는데 B와 C가 미국보다 호주를 더 선호하므로 호주가 최종 선택된다. 호주는 C가 가장 선호하는 여행지이다.
③ 미국과 스페인으로 1차 투표를 할 때에는 A와 C가 미국을, B가 스페인을 선호하므로 다수에 속하는 A의 의견이 1차 투표에 영향을 끼친다. 하지만 미국과 호주로 2차 투표를 할 때에는 A가 미국을, B와 C가 호주를 선호하므로 A는 다수에 속하지 않아 A의 의견이 2차 투표에 영향을 끼치지 못한다.
④ 미국과 스페인으로 1차 투표를 할 때에는 A와 C가 미국을, B가 스페인을 선호하므로 B의 의견이 다수에 속하지 않아 1차 투표에 영향을 끼치지 못한다. 하지만 미국와 호주로 2차 투표를 할 때에는 A가 미국을, B와 C가 호주를 선호하므로 다수에 속하는 B의 의견이 2차 투표에 영향을 끼친다.

3 답 ⑤
순대와 떡볶이로 1차 투표를 하면 갑과 을이 순대를, 병이 떡볶이를 선호하므로 과반수를 득표한 순대가 선택된다. 2차 투표는 순대와 김밥을 놓고 하게 되는데 갑과 병이 김밥을, 을이 순대를 선호하므로 최종 메뉴로 김밥이 선택된다. 이때 갑과 병이 다수이므로 을과 병이 다수라는 진술은 적절하지 않다.

| 오답 풀이 |
① 김밥과 순대로 1차 투표를 하면 갑과 병이 김밥을, 을이 순대를 선호하므로 과반수를 득표한 김밥이 선택된다. 이때 김밥은 갑이 가장 선호하는 음식이다.
② 김밥과 순대로 1차 투표를 하면 갑과 병이 김밥을, 을이 순대를 선호하므로 과반수를 득표한 김밥이 선택된다. 2차 투표는 김밥과 떡볶이를 놓고 하게 되는데 을과 병이 떡볶이를, 갑이 김밥을 선호하므로 떡볶이가 최종 선택된다. 이때 떡볶이는 병이 가장 선호하는 음식이다.
③ 김밥과 떡볶이로 1차 투표를 하면 을과 병이 떡볶이를, 갑이 김밥을 선호하므로 을과 병이 다수가 된다.
④ 김밥과 떡볶이로 1차 투표를 하면 을과 병이 떡볶이를, 갑이 김밥을 선호하므로 떡볶이가 선택된다. 2차 투표는 떡볶이와 순대를 놓고 하게 되는데 갑과 을이 순대를, 병이 떡볶이를 선호하므로 순대가 최종 선택된다. 이때 순대는 을이 가장 선호하는 음식이다.

어휘 학습 126쪽

1 삽시간 2 가속 3 배정 4 선호
5 × 6 × 7 ○ 8 ㉡ – ⓐ
9 ㉠ – ⓒ 10 ㉢–ⓑ

1 매우 짧은 시간을 뜻하는 '삽시간'이 적절하다.

2 '점점 속도를 더함. 또는 그 속도'를 뜻하는 '가속'이 적절하다.

3 몫을 나누어 정함을 뜻하는 '배정'이 적절하다.

4 여럿 가운데서 특별히 가려서 좋아함을 뜻하는 '선호'가 적절하다.

5 꿩의 암컷은 '까투리'라고 한다. '장끼'는 꿩의 수컷을 가리키는 말이다.

6 '여지'는 어떤 일을 하거나 어떤 일이 일어날 가능성이나 희망을 뜻한다. 물질적 · 공간적 · 시간적으로 넉넉하여 남음이 있는 상태를 뜻하는 말은 '여유'이다.

배경지식 127쪽

1 × 2 ○

1 만장일치 투표는 투표 제도의 이상이라고 볼 수 있지만, 모든 사람이 만족하는 정책은 찾기 어렵기 때문에 현실에서는 적용하기가 거의 불가능하다고 하였다.

18

문학 들판에서 128~131쪽

1 ④ 2 ⑤ 3 ⑤ 4 ⑤ 5 ③ 6 ⑤

| 작품 해제 |
이 작품은 부모로부터 물려받은 땅을 둘러싼 형제간의 갈등과 화해의 과정을 다룬 희곡이다. 동시에 우리 민족의 분단 상황을 상징적으로 보여 주는 작품이기도 하다. 이 작품의 배경이 되는 아름다운 들판은 조상으로부터 물려받은 우리의 국토이며, 그 속에서 갈등하고 화해하는 형제는 우리 민족을 상징한다. 그리고 외부에서 들어온 측량 기사는 분단을 조장한 외세로 볼 수 있다. 측량 기사의 목적은 오직 하나, 형제의 땅을 빼앗는 것이다. 원래 하나였던 형제의 땅은 측량 기사에 의해 둘로 나누어지고, 형제는 서로를 감시하면서 상대방에 대한 불신과 적대심을 키우게 된다. 이 작품의 대단원에서는 형제가 자신들의 잘못을 깨닫고 함께 벽을 허물어 우애를 회복하는 장면을 통해 우리 민족의 지향점을 제시하고 있다. 또한 이 작품에서는 비가 오고, 천둥 번개가 치고, 햇볕이 드는 등의 날씨 변화가 두드러진다. 이러한 날씨 변화는 사건의 진행 과정을 암시하는 한편 인물의 심리를 효과적으로 보여 주는 역할을 한다.

| 주제 |
① 형제간의 갈등 극복과 우애의 회복
② 분단 상황에 대한 극복 의지

1 답 ④

탐조등의 밝은 불빛은 어두운 무대를 환하게 밝히는 것이 아니라 아우가 있는 곳만을 비춘다. 또한 강렬한 불빛 때문에 아우는 총을 쏘게 되고 형제의 갈등이 고조되므로 탐조등이 행복한 결말을 암시하는 역할을 하는 소품이라고 보기 어렵다.

| 오답 풀이 |

① 탐조등 불빛이 아우를 집중적으로 비추면서 조명 역할을 하며 아우에게 시선을 집중시키고 있다.
② 아우는 탐조등 불빛 때문에 형을 제대로 볼 수 없어 형의 행동을 의심하고 나아가 진실을 보지 못한다.
③ 탐조등 불빛으로 인해 결국 아우는 허공을 향해 위협적으로 총을 쏜다. 이를 통해 극의 긴장감과 인물 간의 갈등이 더욱 고조되고 있다.
⑤ 탐조등은 형과 아우가 서로를 믿지 못하고 감시하는 상황임을 나타내는 소품이다.

2 답 ⑤

[A]의 아우와 [B]의 형은 모두 측량 기사의 제안을 받아들여 총을 구입하고 있으므로 두 형제의 반응은 대조적인 것이 아니라 유사하다고 볼 수 있다.

| 오답 풀이 |

① [A]에서 측량 기사가 아우에게 대금은 나중에 땅으로 달라고 말한 부분에서 측량 기사의 목적이 땅을 빼앗는 데 있음을 짐작할 수 있다.
② [B]에서 측량 기사는 형에게 아우를 동생이 아닌 적으로 대할 것을 당부하고 있다.
③ [A]에서 총을 구입한 아우가 총을 쏘자 [B]에서 형도 총을 구입하게 된다. 형제가 서로 총을 겨누며 대립하는 모습을 통해 점점 긴장감이 고조되고 있음을 알 수 있다.
④ [A]와 [B]에서 측량 기사와 조수들은 형과 아우를 부추겨서 총을 사게 하는 행위를 반복하고 있다.

3 답 ⑤

측량 기사와 조수들은 자신의 의도대로 형과 아우가 서로를 의심하고 다투는 것을 보면서 만족스러워하는 한편, 형제의 어리석음을 흉을 보듯 비웃고 있으므로 '조소(嘲笑)'가 적절하다.

| 오답 풀이 |

① '냉소(冷笑)'는 '조소'와 비슷한 비웃음을 의미하지만, 상대방을 업신여기는 '조소'와 달리 상황에 대해 비판적이고 냉정한 태도를 보이는 비웃음이므로 조수들의 웃음으로는 어울리지 않는다.
② '미소(微笑)'는 대상에 대한 긍정적인 마음에서 나오는 웃음이므로 이 상황에 어울리지 않는다.
③ '폭소(爆笑)'는 매우 흥겹거나 재미있는 상황에서 나오는 웃음이므로 이 상황에 어울리지 않는다.
④ '실소(失笑)'는 어처구니 없이 툭 터져 나오는 웃음이므로 이 상황에 어울리지 않는다.

4 답 ⑤

남북한이 서로의 존재를 인정한다는 것은 분단의 상황을 받아들인다는 것을 의미한다. 이 글에서 형제는 둘을 가로막고 있는 벽을 허물기로 한다. 이를 통해 분단을 극복하고자 하는 작가의 의지가 드러난다고 볼 수 있으므로, 남북한이 서로의 존재를 인정할 때 평화가 유지될 수 있다는 진술은 적절하지 않다.

| 오답 풀이 |

① 형과 아우가 화해를 하면서 벽을 허물기로 한 마지막 장면을 통해 알 수 있다.
② 두 형제의 갈등이 측량 기사의 이간질에서 비롯된 것을 통해 알 수 있다.
③ 형과 아우는 자신들이 싸우게 된 이유가 측량 기사의 이간질 외에 자신들의 이기심과 의심 때문임을 반성하고 있다.
④ 들판을 반으로 나누어 형과 아우의 관계를 가로막고 있는 벽은 분단된 우리나라의 현실을 상징적으로 보여 준다.

5 답 ③

㉠은 형에게 민들레꽃을 주며 자신의 마음을 전하려는 아우의 생각이 드러난 말이다. 아우는 벽으로 분리된 공간에서 상대방 없이 혼잣말을 하고 있으므로 ㉠은 독백에 해당한다. ㉡은 형이 상대방인 아우에게 직접 말하는 대화이다.

| 오답 풀이 |

① ㉠은 아우가 미래에 대한 기대감을 드러낸 말이고, ㉡은 형이 아우에게 현재의 상황을 묻는 말이다.
② 인물의 행동을 지시하거나 인물의 심리를 드러내는 말은 지시문이다. ㉠과 ㉡은 모두 대사에 해당한다.
④ ㉠은 스스로의 결심과 추측을 드러내는 말이고, ㉡은 상대방에게 질문을 던지는 말이다.
⑤ ㉠은 아우가 형을 생각하며 하는 혼잣말이므로 형은 듣지 못하는 말이고, ㉡은 대화로 관객과 무대 위 모든 배우들이 다 들을 수 있는 말이다.

6 답 ⑤

무대 뒤쪽의 들판 풍경이 그려진 걸개그림이 환하게 밝다고 표현한 것으로 보아 갈등이 해소된 행복한 삶, 즉 들판이 나누어지기 전의 평화로운 삶이 이어질 것임을 짐작할 수 있다.

| 오답 풀이 |

① 형은 천둥소리를 듣고 그것이 자신을 꾸짖는 부모님의 소리라고 생각하며 자책하고 있다.
② 전망대는 상대방을 감시하기 위한 것이므로 형과 아우 사이에 형성된 갈등과 불신 등을 상징한다고 볼 수 있다.
③ 갈등 관계에 있던 형제가 비를 맞으며 반성을 하는데, 이 비가 그치고 구름 사이로 한 줄기 햇빛이 비친다고 하였으므로 갈등이 끝나고 화해의 분위기가 형성될 것임을 암시한다.
④ 형과 아우는 벽 너머로 서로 민들레꽃을 전달하며 화해하고자 하는 자신의 마음이 전해지기를 바라고 있다.

비문학 피의 기능 132~133쪽

1 ⑤ 2 ④ 3 ②

| 지문 해제 |

사람의 몸을 구성하는 요소 중 피의 구성 요소와 기능에 대해 설명한 글이다. 피는 세포 성분인 혈구와 액체 성분인 혈장으로 이루어져 있다. 혈액의 약 45%를 차지하는 혈구에는 적혈구, 백혈구, 혈소판이 있으며 이는 각각 산소 운반, 식균 작용, 혈액 응고의 기능을 한다. 혈액의 약 55%를 차지하는 혈장은 피에서 세포 성분(혈구)을 제외한 것으로 노란색을 띠며 다양한 기능을 하는 수많은 물질이 녹아 있다. 피는 온몸을 돌아다니며 특정 부위에 필요한 물질을 옮겨다 주는 기능을 하는데, 이때 이 물질들은 핏속에 있는 적혈구와 운반 단백질에 의해 옮겨진다. 또 피는 체온 조절 기능을 한다. 체온이 낮아지면 혈관이 수축해 피부 표면으로 나가는 열을 최소화하고, 체온이 높아지면 피부 표면으로 피를 보내 몸에서 열이 빠져나가게 함으로써 체온이 일정하게 유지되도록 조절한다.

| 주제 |

피의 구성 요소와 기능

출전 예병일, 『숨만 쉬어도 과학이네?』(다른, 2019)

1 답 ⑤

이 글에는 인체의 내분비샘에서 분비된 호르몬도 피를 통해 운반되어야 제 기능을 할 수 있다는 내용이 제시되어 있을 뿐, 핏속에 있는 호르몬이 부족할 때 어떤 현상이 나타나는지에 대해서는 언급되어 있지 않다.

| 오답 풀이 |

① 2문단에서 '혈구'는 피에 들어 있는 세포 성분으로 적혈구, 백혈구, 혈소판으로 구성되며 혈액의 약 45%를 차지한다고 하였다. '혈장'은 피에서 세포 성분을 제외한 나머지로 수많은 물질이 녹아 있으며 혈액의 약 55%를 차지한다고 하였다.

② 4문단에서 몸에서 발생된 열은 피에 흡수되어 열이 필요한 조직으로 분배된다고 하였다. 또 체온이 낮아지면 피부 표면으로 나가는 열을 최소화하기 위해 혈관이 수축하기도 하고, 체온이 높아지면 피부 표면 쪽으로 피가 몰리면서 열을 내보내며 체온을 조절한다고 하였다.

③ 3문단에서 피는 온몸을 돌아다니며 산소, 영양소, 호르몬, 노폐물을 운반한다고 하였다.

④ 1문단에서 응급 상황에서는 산소가 몸의 세포로 전달되는 것이 중요하므로 가슴을 압박해 심장에서 빨리 피를 온몸으로 보낼 수 있도록 해야 한다고 하였다.

2 답 ④

〈보기〉에서 백혈병은 정상적인 혈액 세포가 아니라 비정상적인 혈액 세포가 과도하게 증식하면서 정상적인 혈액 세포가 감소되는 것이라고 하였다. 정상적인 백혈구 수가 감소하면 면역이 저하되어 세균 감염에 의한 염증을 일으킬 수 있다고 하였다. 즉 백혈병에 의한 면역 저하는 2문단에서 언급된 백혈구의 식균 작용과는 관련이 없다.

| 오답 풀이 |

① 〈보기〉에서 백혈병은 비정상적인 혈액 세포가 과도하게 증식해 정상적인 백혈구, 적혈구, 혈소판의 생성을 방해하는 혈액암이며, 적절한 치료를 받지 않으면 생명이 위험해진다고 하였다. 2문단에서 백혈구, 적혈구, 혈소판은 모두 세포 성분으로서 혈구라고 하였으므로 적절한 진술이다.

②, ⑤ 〈보기〉에서 백혈병은 비정상적인 혈액 세포의 과도한 증식으로 정상적인 적혈구의 생성을 방해한다고 하였다. 그런데 2, 3문단에서 혈액 속의 적혈구는 헤모글로빈을 통해 산소를 운반하는 역할을 한다고 하였으므로 백혈병에 걸리면 인체의 다양한 조직과 세포에 대한 산소 공급이 원활하게 이루어지지 않게 될 뿐만 아니라 호흡 곤란이 올 수 있다는 것을 알 수 있다.

③ 2문단에서 혈소판은 혈액 응고의 기능을 한다고 하였으므로 백혈병으로 인해 출혈이 나타나는 것은 정상적인 혈소판의 생성이 억제되어 제 기능을 하지 못하기 때문임을 알 수 있다.

3 답 ②

4문단의 내용을 통해 피가 인체에서 발생한 열을 흡수해 열이 필요한 다른 조직으로 다시 분배하기도 하고, 몸 바깥으로 열을 내보내기도 함으로써 체온 조절의 기능을 한다는 것을 알 수 있다.

어휘 학습 134쪽

1 관여	2 허공	3 흉계	4 대금
5 응고	6 측량	7 반색	8 분신
9 탄식	10 옹졸하다		

7 '화색'은 얼굴에 드러나는 온화하고 환한 빛을 뜻한다.

8 '변신'은 '몸의 모양이나 태도 따위를 바꿈. 또는 그렇게 바꾼 몸'을 뜻한다.

9 '탄성'은 '몹시 한탄하거나 탄식하는 소리', '몹시 감탄하는 소리'를 뜻한다.

10 '옹색하다'는 형편이 넉넉하지 못하여 생활에 필요한 것이 없거나 부족하다는 의미이다.

배경지식 135쪽

1 ○ 2 ×

2 미군정은 대한민국 임시 정부, 조선 건국 준비 위원회 등의 정치 단체를 부정하고 남한을 직접 통치하였다.

워크북 | 지문 분석

01 2~3쪽

문학 | 동해 바다 – 후포에서

1 ❶ 후포 ❷ 동해 바다 ❸ 반성 ❹ 소망
2 ❶ 엄격 ❷ 파도 ❸ 관대
3 ❶ 점층법 ❷ 돌 ❸ 바다

비문학 | 공자의 사상

1 ❶ 춘추 전국 ❷ 제자백가 ❸ 예법 ❹ 인 ❺ 예 ❻ 존경
2 ❶ 옳고 그름 ❷ 인자하다 ❸ 주제 ❹ 예의
3 (1) × (2) ○ (3) ×

3 (1) 이 글은 유교의 창시자인 공자의 핵심 사상을 설명하고 있다.
(3) 공자는 윽박지름과 폭력으로는 결코 예를 바로 세울 수 없다고 보았다.

02 4~5쪽

문학 | 동백꽃

1 ❶ 감자 ❷ 수탉 ❸ 닭싸움 ❹ 동백꽃
2 ❶ 관심 ❷ 갈등 ❸ 해소 ❹ 사랑
3 (1) ○ (2) × (3) ×

3 (2) 어수룩한 '나'가 점순이의 마음을 눈치채지 못해서 사건이 시작되었다.
(3) 이 소설 속의 동백꽃은 강원도 지역의 생강나무꽃으로 노란색이다.

비문학 | 공유 경제

1 ❶ 소유 ❷ 숙박 ❸ 자원 ❹ 발달 ❺ 정부 ❻ 소비 ❼ 성장
2 ❶ 적은 ❷ 사회 ❸ 환경 ❹ 경제 ❺ 내수
3 (1) × (2) ○ (3) ×

3 (1) 4문단에서 공유 경제의 문제점을 설명하고 있는 것은 맞지만 그 구체적인 대안을 제시하고 있지는 않다.

03 6~7쪽

문학 | 고래를 위하여

1 ❶ 고래 ❷ 사랑 ❸ 별
2 ❶ 바다 ❷ 청년 ❸ 별 ❹ 수평선 ❺ 고래
3 ❶ 고래 ❷ 사랑

비문학 | 운석의 가치

1 ❶ 대기권 ❷ 유성 ❸ 충돌구 ❹ 표면 ❺ 태양계 ❻ 지형
2 ❶ 행성 ❷ 철질 운석 ❸ 핵
3 (1) ○ (2) × (3) ×

3 (2) 대기에 진입할 때 표면이 녹았다가 식은 것은 용융각이고 이 용융각을 제외하면 운석은 전혀 녹지 않은 물질이다.
(3) 운석의 상당수는 남극에서 발견되고 있어 세계 각국에서 남극을 탐사한다고 하였다.

04 8~9쪽

문학 | 하늘은 맑건만

1 ❶ 협박 ❷ 양심 ❸ 정직 ❹ 죄책감 ❺ 자백
2 ❶ 양심 ❷ 돈 ❸ 잘못 ❹ 정직
3 (1) ○ (2) × (3) ○

3 (2) 소설 속에서 문기를 둘러싼 부도덕한 인물은 친구 수만이뿐이다. 삼촌은 문기를 바르게 키우려고 노력하는 책임감 있는 어른이다.

비문학 | 블루투스의 원리

1 ❶ 무선 ❷ 공명 ❸ 간섭 ❹ 도약 ❺ 비약적 ❻ 진화
2 ❶ 진동수 ❷ 79 ❸ 분할
3 (1) ○ (2) ○ (3) ×

3 (3) 블루투스는 초기에는 전송 속도가 느려서 음악이나 동영상과 같은 대용량 데이터를 전송하지 못하는 한계가 있었다.

05 10~11쪽

문학 | 엄마 걱정

1 ❶ 숙제 ❷ 외로움 ❸ 현재 ❹ 회상
2 ❶ 찬밥 ❷ 엄마 ❸ 윗목
3 ❶ 시각적 ❷ 빗소리 ❸ 촉각적 ❹ 발소리

비문학 | 마르셀 뒤샹

1 ❶ 고정 관념 ❷ 오브제 ❸ 작품 구상 ❹ 기성품 ❺ 아이디어
2 ❶ 가치 ❷ 제작 과정 ❸ 땀 ❹ 정서 ❺ 예술가 ❻ 작품 구상
3 (1) ○ (2) × (3) ○

3 (2) 뒤샹은 비예술적 재료인 오브제도 예술가가 선택해 전시하는 아이디어만으로도 예술이 될 수 있다고 주장했다. 이는 예술품에는 작가의 땀과 정서가 담겨야 한다는 기존 미술을 부정하는 생각이었다.

06 12~13쪽

문학 | 이상한 선생님

1 ❶ 조선말 ❷ 충성 ❸ 친일적 ❹ 일본 ❺ 찬양
2 ❶ 희화화 ❷ 비판적 ❸ 기회주의적
3 (1) ○ (2) ○ (3) ×

3 (3) 박 선생님은 해방 전에 일본을 찬양하다가 해방 후에는 일본을 비난하고 미국을 찬양하는 태도를 취한다. '나'는 이러한 박 선생님의 기회주의적인 모습을 이해하지 못하고 그를 이상한 선생님이라고 생각한다.

비문학 | 상향 가정법과 하향 가정법

1 ❶ 부정적 ❷ 개념 ❸ 만족감 ❹ 상향 ❺ 하향
2 ❶ 선행 요인 ❷ 결과 요인 ❸ 좋은 ❹ 후회 ❺ 미래 ❻ 나쁜 ❼ 안도감 ❽ 정신
3 (1) × (2) × (3) ○

3 (1) 이 글은 가정법적 사고를 상향 가정법적 사고와 하향 가정법적 사고로 구분하여 각각의 개념과 특징을 비교·대조하여 설명하고 있다.
(2) 상향 가정법적 사고는 실제 결과보다 더 좋은 결과를 가정하는 사고방식이다.

07 14~15쪽

문학 | 떨어져도 튀는 공처럼

1 ❶ 튀는 ❷ 최선
2 ❶ 둥근 ❷ 준비
3 ❶ 도치법 ❷ 직유법 ❸ 반복법

비문학 | 소비자의 청약 철회권

1 ❶ 반품 ❷ 소비자 ❸ 청약 철회권 ❹ 판매자 ❺ 보호
2 ❶ 법 ❷ 권리 ❸ 훼손 ❹ 재판매 ❺ 복제 ❻ 사실 ❼ 비용
3 (1) ○ (2) ○ (3) ×

3 (3) 판매자는 소비자가 상품을 반품할 때 반품 배송비 외에 추가적인 비용을 요구할 수 없다.

08 16~17쪽

문학 | 소음 공해

1 ❶ 소음 ❷ 경비원 ❸ 품위 ❹ 예절 ❺ 인터폰 ❻ 화 ❼ 슬리퍼 ❽ 휠체어 ❾ 당황
2 ❶ 단절 ❷ 간접적 ❸ 부끄러움 ❹ 무관심 ❺ 소음 ❻ 해소
3 (1) ○ (2) × (3) ○

3 (2) 이 작품에서 극적 반전 및 갈등 해소의 계기를 마련해 주는 역할을 하는 소재는 휠체어이다. 슬리퍼는 '나'의 부끄러움을 두드러지게 하는 소재로 이웃에 대한 무관심을 나타낸다.

비문학 | **물질의 구성 성분**

1 ❶ 화학적 ❷ 전자 ❸ 성질 ❹ 원소
❺ 산소
2 ❶ 기본 성분 ❷ 입자 ❸ 분자 ❹ 원자
3 (1) ○ (2) ○ (3) ×

3 (3) 대부분의 물질에서 물질의 기본 성질을 나타내는 것은 분자이다.

09 18~19쪽

문학 | **먼 후일**

1 ❶ 먼 훗날 ❷ 잊지 ❸ 이별 ❹ 그리움
2 ❶ 3음보 ❷ 문장 구조 ❸ 시어 ❹ 정서
3 ❶ 없다 ❷ 반어법 ❸ 그리움

비문학 | **전자레인지의 원리**

1 ❶ 마이크로파 ❷ 회전 ❸ 수소 ❹ 산소
❺ 방향 ❻ 열에너지 ❼ 금속 ❽ 나무
2 ❶ 진동수 ❷ 운동 에너지 ❸ 팽창 ❹ 밀봉
3 (1) ○ (2) × (3) ○

3 (2) 전자레인지의 마그네트론에서 발생하는 마이크로파는 물 분자와 진동수가 일치한다.

10 20~21쪽

문학 | **연**

1 ❶ 상급 학교 ❷ 연 ❸ 도회지 ❹ 위로
❺ 불안 ❻ 연실 ❼ 부러워함 ❽ 속상한
2 ❶ 얼굴 ❷ 이별 ❸ 아들
3 (1) × (2) × (3) ○

3 (1) 이 소설은 고향을 떠나는 아들을 바라보는 어머니의 내면 심리를 담아낸 작품이다.
(2) 어머니는 아들이 떠나자 차분한 거동으로 마을 길로 들어설 뿐, 아들을 쫓아가려고 하지 않는다.

비문학 | **콘서트홀의 잔향 시간**

1 ❶ 공연의 질 ❷ 종류 ❸ 크기 ❹ 재료
❺ 음향 장치
2 ❶ 소리 ❷ 짧음 ❸ 긺 ❹ 긺
❺ 반사재 ❻ 합성 섬유 ❼ 반사판
❽ 음향 시스템
3 (1) × (2) ○ (3) ○

3 (1) 이 글은 콘서트홀의 종류에 따른 잔향 시간과 콘서트홀의 잔향 시간을 조절하는 방법에 대해 설명하고 있다.

11 22~23쪽

문학 | **고향**

1 ❶ 고향 ❷ 자연 ❸ 상실감 ❹ 주제
2 ❶ 뻐꾸기 ❷ 하늘 ❸ 풀피리 ❹ 대비
3 ❶ 구름 ❷ 방황 ❸ 자연

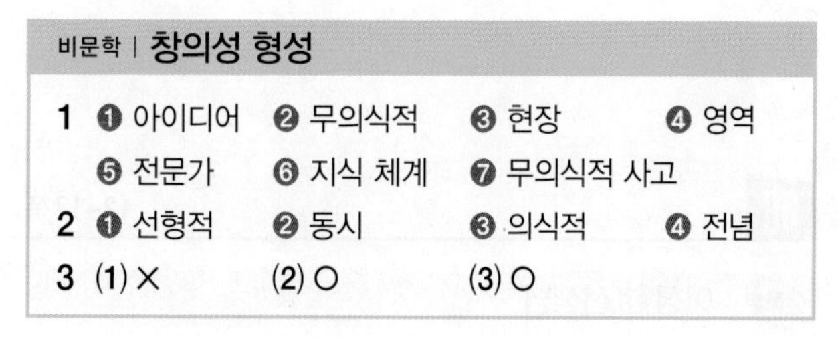

비문학 | **창의성 형성**

1 ❶ 아이디어 ❷ 무의식적 ❸ 현장 ❹ 영역
❺ 전문가 ❻ 지식 체계 ❼ 무의식적 사고
2 ❶ 선형적 ❷ 동시 ❸ 의식적 ❹ 전념
3 (1) × (2) ○ (3) ○

3 (1) 이 글은 칙센트미하이의 견해를 바탕으로 창의성 형성의 과정과 방법에 대해 설명하고 있다.

12 24~25쪽

문학 | **고무신**

1 ❶ 고무신 ❷ 사랑 ❸ 아버지 ❹ 울음
2 ❶ 엿 ❷ 엿장수 ❸ 이별
3 (1) ○ (2) × (3) ○

3 (2) 철수와 아내는 친가족처럼 정이 든 남이가 아버지를 따라 집을 떠나게 되는 것을 아쉬워하였다.

비문학 | **한계적 사고**

1 ❶ 편익 ❷ 비용 ❸ 한계 편익 ❹ 추가
❺ 한계적 ❻ 본능 ❼ 사회적 선택
2 ❶ 한계 비용 ❷ 비교
3 (1) ○ (2) × (3) ○

3 (2) 한계 편익을 우선적으로 고려하는 것이 아니라 한계 편익과 한계 비용을 비교해서 의사 결정을 해야 한다.

13

26~27쪽

문학 | **사랑하는 별 하나**

1 ❶ 별 ❷ 들꽃 ❸ 별 하나 ❹ 길
2 ❶ 위로 ❷ 위로 ❸ 희망
3 ❶ 운율 ❷ 음악 ❸ 상징 ❹ 주제

비문학 | **빛의 산란과 하늘 색**

1 ❶ 가시광선 ❷ 파장 ❸ 산란 ❹ 파란빛
❺ 대기 ❻ 지표면
2 ❶ 길어짐 ❷ 짧아짐 ❸ 일어나지 않음
❹ 일어남
3 (1) ○ (2) ○ (3) ×

3 (3) 해 질 무렵에는 태양의 위치가 기울어지기 때문에 가시광선이 낮에 비해 상대적으로 더 두꺼운 대기층을 통과하게 된다고 하였다.

14

28~29쪽

문학 | **홍길동전**

1 ❶ 호부호형 ❷ 입신양명 ❸ 적서 차별
❹ 병조 판서
2 ❶ 양반 ❷ 첩 ❸ 입신양명 ❹ 비판
❺ 사회 제도 ❻ 이상 사회
3 (1) × (2) ○ (3) ×

3 (1) 이 소설에 등장하는 길동은 작가에 의해 창작된 허구적 인물로, 그의 비범한 능력과 활약을 전기적·비현실적으로 그리고 있다.
(3) 길동은 조력자의 도움을 받지 않았으며, 사회 제도의 문제점을 해결했다고 볼 수도 없다.

비문학 | **풍력 발전기**

1 ❶ 원리 ❷ 구조 ❸ 효율
2 ❶ 날개 ❷ 조절 ❸ 전기
3 (1) × (2) ○ (3) ×

3 (1) 3문단에서 풍력 발전기는 충분한 에너지원을 얻기 위해 바람이 많이 부는 곳인 호수, 협만, 연안과 같은 수역에 발전기를 설치하고 있다고 언급한 것이지 해상 풍력 발전의 특징에 대해 설명한 것은 아니다.
(3) 2문단에서 풍력 발전기의 날개는 날개들 사이의 간섭을 최소화하고 비용 대비 최대의 효용을 낼 수 있는 3개라고 하였다.

15

30~31쪽

문학 | **괜찮아**

1 ❶ 소외감 ❷ 괜찮아 ❸ 세상
2 ❶ 용기 ❷ 용서 ❸ 격려 ❹ 부축
3 (1) ○ (2) × (3) ×

3 (2) '나'는 어린 시절, 친구들의 배려 덕분에 소외감을 느끼지 않고 지낼 수 있었다. '나'가 친구들과 갈등을 겪은 일화는 이 글에 제시되어 있지 않다.
(3) '나'는 깨엿 장수 아저씨의 '괜찮아'라는 말이 정확히 무슨 뜻인지는 모른다고 하였다.

비문학 | **바로크 건축**

1 ❶ 르네상스 ❷ 진주 ❸ 절대 왕권 ❹ 교회
❺ 국가 권력 ❻ 베르사유 궁전 ❼ 로코코
2 ❶ 조각 ❷ 르네상스 ❸ 3 ❹ 타원형
❺ 장중
3 (1) ○ (2) × (3) ×

3 (2) 바로크 건축은 종교 개혁에 반발하여 반종교 개혁을 실시한 가톨릭교회의 부흥을 위해 발달해 갔다.
(3) 바로크 건축은 직선보다 곡선이나 타원형을 즐겨 사용하였다. 경쾌하고 세밀한 느낌은 루이 14세 이후에 나타난 실내 장식에서 찾을 수 있다.

16 32~33쪽

문학 | 코르니유 영감의 비밀

1 ❶ 바람 ❷ 전통적 ❸ 증기 ❹ 기계
2 ❶ 변화 ❷ 수용 ❸ 풍차 ❹ 전통
3 (1) ○ (2) × (3) ×

3 (2) 코르니유 영감이 죽은 후, 아무도 그 일을 맡아서 하려고 하지 않았기 때문에 풍차는 더 이상 돌지 않았다.
(3) 서술자인 '나'는 코르니유 영감의 비밀이 알려져 마을 사람들이 영감에게 밀을 갖다주고 풍차를 다시 돌리게 한 것을 옳은 결정이라고 생각하였다.

비문학 | 승정원일기

1 ❶ 업무 일지 ❷ 정책 ❸ 기상 ❹ 기록
2 ❶ 기록물 ❷ 조선 ❸ 날짜 ❹ 강우량
3 (1) ○ (2) ○ (3) ×

3 (3) 『승정원일기』에는 날짜에 따른 날씨, 하루 중 날씨 변화, 강우량 등이 기록된 것으로, 날씨 변화의 원인을 과학적으로 분석한 내용이 실려 있지는 않다.

17 34~35쪽

문학 | 어느 날 자전거가 내 삶 속으로 들어왔다

1 ❶ 성공함 ❷ 본능 ❸ 사랑
2 ❶ 경망 ❷ 중학교 ❸ 창피함 ❹ 막막함
❺ 내리막 ❻ 성취감
3 (1) ○ (2) × (3) ×

3 (2) '나'는 아버지의 자전거보다 더 무겁고 짐받이가 큰 농업용 자전거를 큰집에서 빌려 자전거 타기에 도전했다.
(3) '나'는 세상이 모두 같은 원리에 따라 움직인다는 것을 깨달았지만 비록 다 안다고 할 수 있는 건 없다고 하며 겸손한 태도를 드러내고 있다.

비문학 | 다수결의 허점

1 ❶ 다수결 ❷ 투표 ❸ 순서 ❹ 콩도르세
2 ❶ C ❷ A ❸ 선호
3 (1) × (2) ○ (3) ○

3 (1) 이 글은 다수결 투표의 장점이 아니라 문제점, 즉 사회 구성원의 선호를 반영하지 못하는 콩도르세의 역설에 대해 설명하고 있다.

18 36~37쪽

문학 | 들판에서

1 ❶ 측량 기사 ❷ 갈등 ❸ 후회 ❹ 우애
2 ❶ 국토 ❷ 민족 ❸ 외세 ❹ 총
❺ 민들레꽃 ❻ 갈등 ❼ 분단
3 (1) ○ (2) × (3) ○

3 (2) 형과 아우는 처음에는 들판을 빼앗으려는 측량 기사의 속셈을 모른 채 그의 말에 따라 벽과 전망대를 설치하고 서로에게 총을 겨누는 등 대립을 한다. 그러다 내리는 비를 맞으며 자신들의 행동을 반성하고 비로소 측량 기사에게 속았음을 깨닫게 된다.

비문학 | 피의 기능

1 ❶ 생명 ❷ 세포 ❸ 열
2 ❶ 산소 ❷ 영양소 ❸ 호르몬 ❹ 노폐물
❺ 수축 ❻ 피부
3 (1) ○ (2) ○ (3) ×

3 (3) 4문단에서 체온이 낮아지면 혈관이 수축하는데 이는 피부 표면으로 나가는 열을 가장 적게 하려는 것이라고 하였다.

빠른시작
빠작